SPRING CHICKEN
JOVEM PARA SEMPRE
OU MORRA TENTANDO

Bill Gifford

SPRING CHICKEN

JOVEM PARA SEMPRE

OU MORRA TENTANDO

Tradução de
Ivar Panazzolo Júnior

nVersos

Copyright © 2015 Bill Gifford. Licença exclusiva para publicação em português brasileiro cedida à nVersos Editora. Todos os direitos reservados. Publicado originalmente na língua inglesa sob o título Spring Chicken: Stay Young Forever (or Die Trying).

Diretor Editorial e de Arte_____ Julio César Batista
Editor de Arte_____ Carlos Renato
Capa e Projeto Gráfico_____ Erick Pasqua
Editoração Eletrônica_____ Erick Pasqua
Ilustrações_____ Oliver Munday
Preparação_____ César Carvalho
Revisão Técnica_____ Marinês Tambara Leite
Revisão_____ Carol Sammartano e Eliza Andrade Buzzo

Dados Internacionais de Catalogação na Publicação (CIP)
(Câmara Brasileira do Livro, SP, Brasil)

Gifford, Bill
   Permaneça jovem para sempre : (ou morra tentando) / Bill Gifford ; tradução de Ivar Panazzolo Júnior. -- São Paulo : nVersos, 2016.

   Título original: Spring chicken : stay young forever (or die trying)
   Bibliografia.
   ISBN 978-85-8444-121-1

   1. Autocuidados de saúde 2. Envelhecimento 3. Gerontologia 4. Longevidade 5. Rejuvenescimento I. Título.

16-02641   CDD-613

Índices para catálogo sistemático:
1. Longevidade e rejuvenescimento : Saúde Promoção   613

1ª edição – 2016
1ªreimpressão – 2016
Esta obra contempla
o Acordo Ortográfico
da Língua Portuguesa
Impresso no Brasil
Printed in Brazil

nVersos Editora
Av. Paulista, 949
18º andar   CEP 01311-917
São Paulo – SP   Tel.: 11 3382-3000
www.nversos.com.br   nversos@nversos.com.br

Creio que a coisa mais injusta em relação à vida é o jeito como ela termina. Afinal de contas, a vida é dura. Ela ocupa uma parte enorme do seu tempo. E o que você conquistou ao fim dela? Uma morte!

O que é isso, alguma espécie de bônus?

Creio que o ciclo da vida está completamente invertido. Você devia morrer primeiro, para se livrar dessa parte logo de cara. Em seguida, moraria em um lar para idosos. Seria expulso de lá quando ficasse jovem demais para o lugar, ganharia um relógio de ouro e iria trabalhar. Trabalharia durante quarenta anos até ser jovem o suficiente para curtir a aposentadoria! Iria para a faculdade, usaria drogas, álcool, iria a festas, faria sexo e se prepararia para ir à escola. Frequentaria o jardim de infância, tornaria-se criança, brincaria, não teria nenhuma responsabilidade, tornaria-se um bebê de colo, voltaria ao útero, passaria seus últimos nove meses flutuando — e finalmente chegaria ao fim como o brilho no olho de alguém.

Sean Morey

Para meus pais.

SUMÁRIO

Prólogo:	O Elixir	11
Capítulo 1:	Irmãos	16
Capítulo 2:	A era do envelhecimento	26
Capítulo 3:	A fonte da juventude	44
Capítulo 4:	Atenciosamente, morrendo de velho	63
Capítulo 5:	Como viver até os 108 anos sem muito esforço	75
Capítulo 6:	O coração do problema	86
Capítulo 7:	A calvície como metáfora	101
Capítulo 8:	As vidas de uma célula	115
Capítulo 9:	Phil contra a gordura	129
Capítulo 10:	Um salto com vara rumo à eternidade	142
Capítulo 11:	Famintos pela imortalidade	163
Capítulo 12:	O que não mata...	182
Capítulo 13:	Indo em frente	200
Capítulo 14:	Quem mexeu nas minhas chaves?	217
Epílogo:	A morte da morte	229
	Apêndice: Coisas que podem funcionar	240
	Agradecimentos	247
	Notas e fontes	249
	Leituras recomendadas	272
	Índice remissivo	276

PRÓLOGO
O ELIXIR

Você nunca é velho demais para ficar mais jovem.

Mae West

Em seus últimos momentos de consciência, enquanto desabava no chão do laboratório, o jovem cientista talvez tenha percebido que se cobrir de verniz não foi a melhor ideia que já teve, considerando seus experimentos. Mas ele era um homem das ciências e a curiosidade costuma ser uma amante cruel.

O jovem cientista vinha refletindo há algum tempo sobre a função da pele humana, tão durável e ao mesmo tempo tão delicada, tão sensível a queimaduras causadas pelo sol ou pelo fogo e tão facilmente cortada por facas muito menos afiadas do que os bisturis que ele tinha. O que aconteceria, pensou, se a pele fosse completamente coberta?

Assim, na primavera de 1853, em um dia que seria de outra forma tranquilo no Medical College of Virginia, na distinta cidade de Richmond, o professor Charles-Edouard Brown-Séquard – nativo das Ilhas Maurício, cidadão britânico, vindo de Paris (via Harvard) – tirou todas as roupas e começou a trabalhar consigo mesmo, com um pincel e uma lata de verniz de alta qualidade. Não demorou muito até terminar de cobrir cada centímetro quadrado de seu corpo com o líquido pegajoso.

Isso aconteceu em uma época na qual a principal cobaia de um cientista era geralmente ele próprio. Em um experimento, Brown-Séquard, aos 36 anos, havia inserido uma esponja no próprio estômago para extrair uma amostra dos sucos digestivos que havia ali, o que o fez sofrer de refluxo pelo resto da vida. Tais práticas lhe deram a distinção de ser "de longe o mais pitoresco dos nossos professores", como um de seus alunos diria posteriormente.

O episódio do verniz serviria apenas para ampliar a sua lenda. Quando um aluno qualquer o encontrou, meio que por acaso, o professor estava encolhido em um canto do seu laboratório, tremendo e aparentemente à beira da morte. Seu corpo estava com uma coloração tão escura que levou um momento para que o aluno percebesse que aquele não era um escravo fugido. Pensando rapidamente, o jovem estudante começou freneticamente a raspar a substância marrom para arrancá-la, apenas para receber uma reprimenda severa da vítima – furiosa pelo fato de que "um indivíduo intrometido o removeu do canto no qual o verniz havia sido derrubado e, no momento em que dava seu último suspiro, passou maliciosamente a lixar seu corpo para remover a substância".

Graças ao pensamento rápido daquele estudante de medicina, entretanto, Brown-Séquard viria a se tornar um dos maiores cientistas do século 19. Hoje ele é lembrado como o pai da endocrinologia, área da medicina que estuda e trata dos problemas relacionados às glândulas endócrinas. Como se isso já não fosse o suficiente, ele também fez várias contribuições importantes para o entendimento do funcionamento da coluna vertebral; existe um tipo de paralisia que ainda é chamada de síndrome de Brown-Séquard. Mesmo assim, ele estava longe de ser um daqueles acadêmicos que vivem enfurnados em suas torres de marfim. Certa vez, passou meses lutando contra uma epidemia mortal de cólera em sua terra natal, as Ilhas Maurício, um arquipélago solitário no meio do Oceano Índico. Como já era de se esperar, ele se infectou intencionalmente com a doença após engolir o vômito dos pacientes, de modo a testar um novo tratamento em si mesmo. (Isso também quase o matou).

Sua carreira de professor em Richmond não chegou a durar até o final do ano; o comportamento do francês e sua pele mais escura do que as dos seus colegas eram demais para os padrões daquela capital sulista. Assim, ele voltou a Paris e passou o resto de sua carreira entre a França e os Estados Unidos. Ao todo, passou seis anos da sua vida no mar, o que encheria de orgulho o seu falecido pai, um capitão naval. Mesmo assim, apesar de viver em constante movimento, Brown-Séquard não conseguiu escapar da velhice. Por volta dos 60 anos, havia se aquartelado em Paris, onde se tornou professor do Collège de France. Seus amigos incluíam Louis Pasteur, o mesmo que inventou a *pasteurização*, e Louis Agassiz, um dos patronos da medicina americana. O pobre órfão que vinha das longínquas Ilhas Maurício foi agraciado com um lugar na Legião Francesa de Honra em 1880, seguido por vários outros prêmios de prestígio, que culminou na sua eleição ao cargo de presidente da Société de Biologie em 1887, confirmando seu status como uma das principais figuras da comunidade científica francesa.

Brown-Séquard já contava 70 anos nessa época e estava cansado. No decorrer da década anterior, percebeu que havia algumas mudanças tomando conta do seu corpo, e nenhuma delas era boa. Sempre fervilhou com uma energia frenética, subindo e descendo escadas aos saltos, falando sem nunca se cansar e em seguida interrompendo a si mesmo para anotar sua ideia brilhante mais recente no pedaço de papel mais próximo que encontrasse, que logo desapareceria no interior de algum bolso. Dormia apenas quatro ou cinco horas por noite, frequentemente começando o expediente em sua escrivaninha às três da manhã. Michael Aminoff, seu biógrafo, chegou a sugerir que Brown-Séquard talvez sofresse de transtorno bipolar.

Mas agora o seu vigor, que não conhecia limites até algum tempo atrás, parecia tê-lo abandonado. A hipótese era respaldada por evidências, também, já que ele mantinha um registro detalhado de seu corpo, mensurando coisas como a força dos próprios músculos em registros precisos. Entre os 40 e os 50 anos ele era capaz de erguer um peso de 50 quilos com apenas um braço. Agora o melhor que conseguia eram 37. Cansava-se rapidamente e mesmo assim não dormia muito bem (quando conseguia dormir); e era atormentado por uma prisão de ventre constante. Assim, naturalmente, sendo o cientista que era, decidiu tentar consertar o problema.

∞

Em primeiro de junho de 1889, o professor Brown-Séquard colocou-se diante da Société de Biologie e fez um discurso notável que transformaria para sempre sua carreira, sua reputação e a atitude popular em relação ao envelhecimento. Na palestra, ele fez o relato de um experimento chocante: havia injetado em si mesmo um líquido obtido através da maceração de testículos de cães e porquinhos-da-índia jovens, ao qual havia também acrescentado sangue testicular e sêmen.

Sua ideia era simplesmente a de que algo nos animais mais jovens – especificamente em seus órgãos genitais – parecia lhes dar um vigor juvenil. Seja lá o que fosse, ele queria um pouco daquilo. Após um ciclo de injeções de três semanas ele relatou um resultado dramático: "Para a enorme surpresa dos meus principais assistentes, fui capaz de passar várias horas fazendo meus experimentos em pé, sem sentir qualquer necessidade de me sentar".

Houve outros benefícios. Sua força parecia ter retornado, como seus testes confirmaram: agora, ele conseguia erguer um peso de 45 quilos – um aumento significativo, e era novamente capaz de ficar até tarde escrevendo sem sentir fadiga. Chegou até mesmo a medir o seu "jato de urina" e descobriu que o líquido atingia uma distância 25 por cento maior daquela que foi medida antes das injeções. Em relação aos problemas com a prisão de ventre, Brown-Séquard acrescentou orgulhosamente que "o poder que outrora eu tinha, retornou".

Seus colegas na plateia ficaram divididos entre o horror e o constrangimento. Um extrato de... *testículos de cachorro?* Será que a velhice acabou por enlouquecê-lo? Mais tarde, um de seus colegas disse, em tom de piada, que o excêntrico experimento de Brown-Séquard serviu apenas para provar a "necessidade de aposentar professores que haviam alcançado os 70 anos".

Sem se deixar abalar, ele disponibilizou seu líquido mágico (criado agora com o extrato de testículos de touro) gratuitamente para outros médicos e cientistas, esperando que eles pudessem repetir seus resultados, e alguns deles chegaram a fazê-lo. As avaliações e comentários feitos por outros cientistas ainda eram contundentes. Um médico de Manhattan chegou a pigarrear nas páginas do *Boston Globe*: "Isso representa um retorno aos sistemas médicos da Idade Média".

Fora dos corredores acadêmicos, entretanto, Brown-Séquard se transformou instantaneamente num herói. Praticamente da noite para o dia, empreendedores que vendiam produtos por catálogo começaram a oferecer "O Elixir da Vida de Séquard": 25 injeções por 2,50 dólares, usando o nome do bom doutor, mas sem qualquer outra conexão com ele. Os jornais, como já era de se esperar, começaram a festejar: finalmente podiam publicar a expressão *líquido testicular*. Um jogador de beisebol profissional da época, Jim "Pud" Galvin, de Pittsburgh, usou abertamente o elixir na esperança de que a substância o ajudasse a fazer lançamentos melhores contra o time de Boston – o primeiro registro em tempos modernos do uso de uma substância para melhorar o desempenho de um atleta. O velho professor chegou até mesmo a ser celebrado em uma canção popular:

> *The latest sensation's the Séquard Elixir*
> *That's making young kids of the withered and Gray*
> *There'll be no more pills or big doctor bills*
> *Or planting of people in churchyard Clay*[1]

Infelizmente, a última linha mostrou não ser mais do que um desejo impossível. Em 2 de abril de 1894, cinco anos depois do discurso para a Société de Biologie, Charles-Edouard Brown-Séquard estava morto, a apenas seis dias antes de completar seu septuagésimo sétimo aniversário. Apesar da fama, não lucrou um único franco com seu elixir. E embora seus colegas cientistas tenham concluído que a renascença milagrosa que Brown-Séquard havia atribuído ao seu "líquido orquítico" fosse pouco mais do que um efeito placebo, ele deu início a uma obsessão pelo rejuvenescimento que parecia fazer até mesmo os homens e mulheres mais racionais perderem a cabeça.

O modismo seguinte foi algo chamado de "cirurgia de Steinach", que prometia restaurar a vitalidade de um homem, mas não era nada mais do que uma vasectomia comum. A despeito disso, o procedimento ficou imensamente popular entre a

---

1   A sensação do momento é o Elixir de Séquard/ Que transforma em crianças os velhos e grisalhos/ Não haverá mais comprimidos ou contas médicas a pagar/ Nem gente enterrada atrás das igrejas. (N. do T.)

intelligentsia masculina da Europa, incluindo o poeta William Butler Yeats, que, aos 69 anos de idade, casou-se com uma mulher de 27. Até mesmo Sigmund Freud, tão obcecado dos estados fálicos, declarou-se satisfeito com os resultados.

Nos Estados Unidos a febre do rejuvenescimento explodiu na década de 1920, quando um vendedor de pseudomedicamentos chamado John Brinkley popularizou uma cirurgia que, basicamente, envolvia implantar testículos recém-extraídos de bodes nos escrotos de homens de meia-idade já cansados da vida. Brown-Séquard chegou a testar experimentos similares em cães na década de 1870, mas nem mesmo ele teve a ousadia de tentar um transplante entre espécies diferentes. Brinkley não tinha esses pudores – talvez porque não tivesse sobre os ombros o fardo de uma educação médica verdadeira. O que possuía, entretanto, era uma emissora de rádio, e transmitia de maneira ininterrupta testemunhos sobre as maravilhas da cirurgia entre as apresentações musicais da família Carter e as do jovem Elvis Presley.

Décadas se passaram e ele operou milhares de pacientes, tornando-se um dos homens mais ricos dos Estados Unidos. Entretanto, dezenas de pessoas morreram em sua mesa de cirurgia, e outras centenas ficaram mutiladas ou incapacitadas por conta das cirurgias desastrosas. E ainda assim as pessoas continuavam a recorrer a Brinkley: homens cansados, desgastados, depauperados, impotentes, idosos e até mesmo algumas poucas mulheres corajosas, desesperadas para conseguir mais uma oportunidade de aproveitar a juventude.

Essas pessoas não faziam a menor ideia da sorte que tinham, simplesmente por estarem vivas.

CAPÍTULO 1
IRMÃOS

A velhice não é uma batalha;
é um massacre.
Philip Roth

A onda se ergueu, verde e espumante, e bateu contra o meu avô. Por um instante que demorou demais, ele desapareceu sob a água. Eu observava na beira da água, prendendo a respiração. Tinha 10 anos de idade. Finalmente, ele se ergueu, cambaleante, sobre o banco de areia raso, enxugou os respingos dos olhos e virou-se para encarar a próxima parede de água que se erguia.

Há certos dias em que o Lago Michigan pensa que é um oceano, e aquele foi um desses dias. Passou a manhã inteira lançando ondas de um metro e meio contra a praia que havia diante da velha casa de campo da minha família, a qual meu bisavô construiu com as próprias mãos, madeira barata e uma incrível força de vontade anglo-saxônica nos idos de 1919. Praticar *bodyboarding* naquela praia era uma das coisas que eu mais gostava no mundo, e eu rezava para que os dias tivessem ondas. Infelizmente, naquele dia em particular as ondas estavam grandes demais e fui proibido de entrar na água. Assim, fiquei sentado na varanda da casa, emburrado.

Junto comigo na varanda estava o meu tio-avô Emerson, irmão do meu avô, e acho justo dizer aqui que ele não estava entre os meus parentes favoritos. Rígido e relativamente sem senso de humor, ele só falava conosco – as crianças – para nos repreender por corrermos de um lado para outro ou por fazermos muito barulho. Ele não sabia nadar, então não podia cuidar de nós enquanto estávamos na praia, o que o tornava praticamente inútil para nós. Além disso, nunca contava piadas e não brincava conosco da mesma forma que os outros tios faziam. Simplesmente ficava ali, olhando para o lago com um olhar distante. Para a minha mente de 10 anos de idade ele parecia ser muito velho, e não de uma maneira interessante como um fóssil ou um dinossauro.

Enquanto isso, na água, meu avô brincava animadamente por entre as ondas que lhe chegavam quase até a altura da cabeça. Seu nome era Leonard e, mesmo já tendo passado dos 60, o velho marinheiro ainda adorava a arrebentação das ondas. Cheio de inveja, eu o observei mergulhar em ondas espumantes, uma após a outra. Com ele estavam minha tia e meu tio, também estavam alistados na marinha e que tinham seus vinte e poucos anos, mas ele não se deixava abalar pelo ânimo dos mais novos. Eu o adorava.

A família havia se reunido para celebrar seu aniversário, algo que ele resolveu chamar em tom de piada de Dia de São Leonard. Uma bandeirola caseira que proclamava a ocasião havia sido pendurada no beiral da varanda, criando confusão entre as pessoas que caminhavam pela praia. A casa era uma espécie de atração turística por ser muito mais velha do que suas vizinhas – havia sobrevivido à Grande Depressão e a inúmeras tempestades brutais de inverno, incluindo uma tormenta enorme na década de 1930 que chegou a cobrir e espalhar a duna de areia sobre a qual ela foi construída. Quase todas as casas vizinhas foram completamente destruídas. A família veio de Chicago e fez sozinha todos os reparos. Posteriormente, o lugar passou a ser conhecido como "A Arca".

Os adultos se reuniam para tomar coquetéis às 8 horas. Ou, talvez, pouco depois das 5 da tarde. Em seguida as tias preparavam o jantar na cozinha, que ficava no térreo, construída para dar sustentação à casa depois que perdemos a duna. Quando o jantar estava pronto, os homens acendiam uma fogueira na praia e nós – as crianças – assávamos um *marshmallow* após outro até sermos mandados para a cama ao som das ondas arrebentando. Aquilo era mais um belo dia de infância à margem do lago, e ficou marcado na minha memória por anos antes que eu viesse a reconhecer o seu verdadeiro significado.

∞

Embora parecessem ser pessoas de gerações diferentes, meu avô Leonard era apenas 17 meses mais jovem do que o seu irmão Emerson – um intervalo que beirava o escandaloso para protestantes do Meio-Oeste nos anos de 1914-15, quando os dois nasceram. Eram quase gêmeos, com os mesmos genes e a mesma criação. Permaneceram bastante próximos durante toda a vida adulta. Mesmo assim, seus destinos dificilmente poderiam ser mais diferentes.

Aquela imagem ainda me assombra: Emerson em sua cadeira de balanço diante da varanda enquanto seu irmão, ligeiramente mais novo, estava lá adiante se esquivando de ondas altas. Pouco tempo depois daquele dia, Emerson começou a demonstrar sinais do mal de Alzheimer que acabaria por consumir sua mente, e ele morreu alguns anos depois em uma casa de repouso, aos 74 anos de idade. Enquanto isso, a ideia de aposentadoria do meu avô era comprar um pequeno pomar de árvores cítricas nas montanhas ao norte de San Diego, onde trabalhou junto com os lavradores imigrantes até bem depois dos 70 anos. Ainda tinha bastante força e saúde quando uma infecção qualquer o derrubou, aos 86.

A diferença entre os dois irmãos se devia parcialmente ao resultado de um fator improvável: religião. Assim como meus bisavós, Emerson e sua esposa eram devotos fervorosos da Ciência Cristã, uma fé que provavelmente tem o nome mais equivocado que já existiu, porque seus seguidores rejeitam a medicina científica e creem que as doenças e os males humanos podem ser curados através da oração. Assim, eles quase nunca iam ao médico, qualquer que fosse o motivo. O resultado foi que Emerson acumulou problemas biológicos quase como um Cadillac numa corrida de demolição. Uma sucessão de cânceres de pele que ele se recusava a tratar acabou por fazer apodrecer sua orelha esquerda, deixando-a deformada e parecida com uma couve-flor. Posteriormente, sofreu uma série de pequenos derrames (acidentes vasculares cerebrais – AVCs) que também não foram tratados. Ele teve infecções que poderiam ter sido curadas com antibióticos, mas não foram. E isso acabou contribuindo para a sua piora.

Meu avô dispensou suas crenças na Ciência Cristã ainda cedo, cedendo à insistência da esposa. Seu ritual religioso mais consistente era uma devoção ferrenha à hora do coquetel diário: uma bebida a base de *scotch on the rocks* às 18 horas, todos os dias. Ele aproveitou os avanços da medicina moderna, que havia conseguido progressos significativos em relação às doenças infecciosas e cardíacas e até mesmo o câncer. Tão importante quanto isso, deixou de fumar em 1957 (diferentemente do irmão) e se exercitava todos os dias vigorosamente, em seus ambiciosos projetos de jardinagem, nos quais trabalhava todos os dias antes da hora do coquetel. O resultado foi viver uma vida mais longa – e muito mais *saudável* – do que seu irmão.

Especialistas em saúde pública, hoje em dia, chamam isso de *expectativa de saúde* – a quantidade de anos de vida com saúde de uma pessoa, e isso será um conceito importante neste livro: embora a expectativa de *vida* do meu avô foi 14 anos mais longa do que a do seu irmão, sua expectativa de *saúde* foi pelo menos trinta anos maior. Se eu conseguir fazer o meu trabalho direito, *Permaneça jovem para sempre (ou morra tentando)* vai ajudá-lo a ser mais como o meu avô, com uma vida longa e saudável, e menos como o seu irmão infeliz.

∞

Algumas décadas depois, em outro dia perfeito de verão, eu me apanhei sentado novamente na varanda da Arca. Fazia muito tempo desde a última vez em que estive lá. A geração do meu avô havia saído de cena e a casa foi vendida para um primo distante. Não íamos mais até lá com frequência, então essa era uma oportunidade rara, um retorno ao local de algumas das minhas lembranças de infância mais felizes. Entretanto, agora eu havia começado a entrar na casa dos 40 anos e, naturalmente, vinha tendo pensamentos sombrios sobre envelhecer.

Em parte, isso se devia aos meus gentis colegas de trabalho, que marcaram o meu quadragésimo aniversário com um bolo adornado com uma única vela solitária. Com o formato de uma lápide, nela se lia o seguinte:

Aqui Jaz
Minha juventude

Um ato horrivelmente carinhoso da parte deles. Mas, também, brutalmente verdadeiro: no mundo da mídia no qual trabalhei durante toda a minha vida profissional, 40 é uma idade na qual a pessoa passa a ser oficialmente considerada *velha*. Embora você não seja realmente velho – longe disso – nossa cultura ainda assim lhe rotula como uma pessoa de *meia-idade*. Demograficamente indesejável. Em fim de carreira. Provavelmente um usuário do BOL. Até mesmo minha mãe já havia dito que eu não era mais um "novinho".

Ela tinha razão. Por dentro eu percebia que algo estava mudando. Sempre fui mais ou menos atlético desde a época da faculdade (às vezes mais, às vezes menos), mas ultimamente eu percebia que era cada vez mais difícil me manter em forma. Se eu deixasse de correr, andar de bicicleta ou ir à academia, mesmo que durante apenas alguns dias, meus músculos acabavam se transformando em gelatina, como se eu tivesse passado dias a fio sentado no sofá. Quando eu finalmente saía para correr, sentia o balançar inconfundível dos peitos masculinos mais flácidos que começavam a tomar conta do meu tórax.

As ressacas agora pareciam durar vários dias, minha carteira e minhas chaves adoravam desaparecer sem deixar vestígios, e tentar ler o cardápio de um restaurante à luz de velas em um encontro romântico? Esquece. Eu parecia estar cansado o tempo inteiro. Alguns amigos já haviam morrido devido ao câncer, ou chegado perto disso. Em momentos de tranquilidade eu me apanhava pensando cada vez mais nos arrependimentos da meia-idade, obcecado com a ideia de que os melhores anos da minha vida haviam ficado para trás e que Deus já estava de olho no relógio. E foi bem na hora: alguns cientistas acreditam que as preocupações dessa fase da vida refletem o fato de que alcançamos uma espécie de "ponto de mudança" biológico, onde a deterioração do envelhecimento começa a ter mais força do que a capacidade do nosso corpo e nossa mente de se repararem.

Quando fui ao médico fazer um *check-up*, por volta dos 43 anos, eu soube que havia misteriosamente engordado 7 quilos e que os meus níveis de colesterol agora estavam próximos do que se encontra no leite achocolatado. Pela primeira vez na vida eu começava a apresentar aquela barriguinha de cerveja – o que não deveria ser uma surpresa, já que eu adoro cerveja; mesmo assim, isso me deixou triste. Minha médica disse que tudo isso era consequência do "envelhecimento normal". Ela sorriu quando me contou, como se não fosse nada com que eu devesse me preocupar, e como se certamente não houvesse motivo para fazer algo a respeito. Não havia nada a fazer, insinuou ela, dando discretamente de ombros.

É mesmo? Eu queria saber mais a respeito. Por exemplo, o que pode ser feito para impedir com que isso aconteça? Ou pelo menos refrear o processo? Só um pouquinho? Por favor?

∞

Encontrar uma "cura" para o envelhecimento, uma maneira de derrotar a morte, é literalmente o sonho da humanidade desde que começamos a registrar nossos sonhos por escrito. A grande obra literária mais antiga que conhecemos, o *Épico de Gilgamesh* – datado de quase quatro mil anos –, narra em parte a epopeia de um homem em busca do elixir da vida eterna. Ele consegue encontrá-lo, na forma de uma misteriosa planta cheia de espinhos que foi buscar no fundo do mar – apenas para que a planta seja roubada por uma serpente (alerta de *spoiler*). "Quando os deuses criaram o homem, eles lhe deram a morte como dádiva", ouve o herói Gilgamesh. "Mas guardaram a vida para si mesmos."

Permanecer jovem, ou, pelo menos, parecer jovem, é algo que está constantemente em nossas mentes. Um dos textos médicos mais antigos que conhecemos está em um papiro egípcio datado de cerca de 2500 a. C. que contém uma "Receita para transformar um velho num jovem". Infelizmente, a receita não é muito mais do que um creme facial criado a partir de frutas e barro, provavelmente não muito diferente dos cremes "antienvelhecimento" à base de romã, melão e leite nos quais os americanos gastaram zilhões de dólares em 2014. O meu favorito é uma poção à base de algas marinhas chamada Crème de la Mer, algo que custa mais de 2 mil dólares por quilo; um farmacêutico britânico especializado em cosméticos chamado Will Buchanan determinou que os ingredientes verdadeiros do creme custam cerca de 100 dólares.

Quando *Gilgamesh* foi escrito, relativamente poucas pessoas viveram tempo suficiente (ou bem o suficiente) para morrer de velhice. A expectativa de vida era de cerca de 25 anos, praticamente a mesma há vários milênios. No dia em que você estiver lendo estas linhas, 10 mil membros da geração dos *baby boomers*[2] estarão celebrando seu sexagésimo quinto aniversário. Amanhã, outros 10 mil atingirão a mesma marca

---

2 A geração *baby boom* ("explosão de bebês", em tradução livre) é aquela que compreende pessoas que nasceram durante uma explosão demográfica – observada especialmente na Europa (Grã-Bretanha e França), Estados Unidos, Canadá e Austrália – entre os anos de 1946 e 1964, após a Segunda Guerra Mundial. (N. dos E.)

e atravessarão o Rubicão da "terceira idade" – e assim por diante, dia após dia, durante as próximas duas décadas. Nesse ritmo, o estoque de velas de aniversário irá se esgotar muito antes de 2060, quando o número de americanos com mais de 65 anos terá dobrado até chegar a 92 milhões, compondo 20 por cento da população dos Estados Unidos. Apenas para comparação, a parcela de pessoas com mais de 65 anos é de apenas 17 por cento da atual população da Flórida.

O planeta inteiro está se transformando em clones da Flórida. Há mais pessoas idosas na Terra neste exato momento do que jamais houve, mesmo em nações que começaram a se desenvolver recentemente como a China, onde as leis de natalidade que restringem os casais a apenas um filho alteraram fortemente o equilíbrio populacional em um período de tempo incrivelmente curto. Durante a maior parte da história humana, a distribuição etária da população tinha um formato parecido com o de uma pirâmide, com muitas pessoas jovens na base e relativamente menos pessoas mais velhas conforme galgávamos os degraus rumo ao topo. Agora, conforme as expectativas de vida se alongam e as taxas de natalidade diminuem, os diagramas etários dos países industrializados parecem estar com suas porções maiores no topo – com mais pessoas idosas do que jovens – e mais parecidos com cogumelos do que pirâmides propriamente ditas. De acordo com o jornal *Nikkei*, em breve o Japão passará a vender mais fraldas geriátricas do que fraldas para bebês. Em vez de sucumbir à tuberculose, à poliomielite ou à peste negra, como aconteceu em gerações anteriores, estes "novos velhos" vão morrer devido a doenças cardíacas, câncer, diabetes e Alzheimer – os quatro cavaleiros do apocalipse geriátrico.

Essas doenças crônicas se tornaram tão comuns que chegam a parecer inevitáveis. Quatro em cada cinco americanos de 65 anos atualmente precisam tomar medicamentos para um ou mais males de longa duração – colesterol alto, pressão sanguínea, diabetes e diversos outros problemas. Cada vez mais, nossa velhice é uma época altamente dependente de medicamentos, o que significa que provavelmente passaremos as últimas décadas de nossas vidas como pacientes – ou seja, pessoas doentes. Especialistas em saúde pública chamam isso de "período de morbidade", a parte das nossas vidas em que sofremos de doenças crônicas. Atualmente, para a maioria das pessoas, esse período consiste basicamente da segunda metade de suas vidas, o que é uma ideia bastante assustadora. E ainda mais assustador é pensar no quanto essas legiões de *baby boomers* idosos vão custar para se manter vivos, com seus medicamentos, próteses de rótulas e válvulas cardíacas – para não mencionar o quanto essas pessoas vão se sentir doentes e incapazes de fazer o que gostam.

Se existe uma época em que a humanidade mais precisa da flor mágica de *Gilgamesh*, essa época é agora.

> Jovem para sempre (ou morra tentando)

Como Montaigne bem observou, a realidade cruel do envelhecimento não é o fato de ser a causa da morte dos idosos, mas sim o fato de roubar a juventude de uma pessoa jovem. Essa é a maior das perdas, ele escreveu. O único consolo é saber que isso acontece lentamente, de maneira quase imperceptível. Mesmo assim, de acordo com Montaigne, a natureza "nos conduz passo a passo rumo àquele estado miserável... de modo que ignoramos o momento em que a nossa juventude morre em nós, embora, na realidade, isso seja uma morte mais dura do que a dissolução final de um corpo agonizante, do que a morte devido à velhice".

Embora eu tenha nascido três anos após o limite estabelecido para o fim da geração dos *baby boomers* (1964), ainda assim participei da grande fantasia geracional deles, na qual acreditavam que, de algum modo, nunca envelheceriam. Envelhecer era algo que acontecia com outras pessoas, nossos pais e avós. Nós, de alguma maneira, seríamos imunes. É um exagero, obviamente, mas o que transformou a terceira idade em algo real para mim não foi o fato de que meus pais estavam chegando aos 70 anos de idade, ou mesmo a proximidade da minha luta encarniçada contra a meia-idade; eu finalmente senti isso na pele quando ela afetou os meus cães.

Eu tinha dois cães de caça mestiços da raça *redbone coonhound*, iguais aos que aparecem no clássico da literatura infantil *Where the red fern grows*. Eu tinha Theo desde que era um filhote, e Lizzy desde que era bem jovem, e agora os dois podiam ser considerados idosos da raça canina. O mais interessante é que, embora Theo continuasse a ser e agir mais ou menos como um filhote, Lizzy havia ficado com o focinho grisalho por volta dos 7 ou 8 anos e desenvolvido um modo de caminhar com as patas rígidas, não muito diferente daquele exibido por uma caminhoneira. As pessoas se aproximavam de nós na rua e perguntavam sem qualquer respeito pela considerável vaidade de Lizzy: "Ela é a mãe?".

Nada disso: eram irmão e irmã, ambos nascidos na mesma ninhada. Mas a aparência dos dois era tão diferente que a situação me lembrava novamente a do meu avô e de Emerson: um deles parecia muito mais velho, e ainda assim os dois tinham praticamente a mesma idade. A diferença era que, com os cães, não havia uma explicação óbvia como a Ciência Cristã. Eles tinham basicamente os mesmos genes, comiam a mesma comida e iam para os mesmos passeios desde que eram jovens. Assim como o meu avô e seu irmão, aqueles dois não podiam ser mais parecidos – ou mais diferentes.

Todos já perceberam isso – como as pessoas parecem envelhecer em ritmos diferentes. Vamos a um encontro com os amigos com quem íamos à escola e alguns dos nossos ex-colegas se transformaram em seus pais, enquanto outros parecem que acabaram de voltar para casa depois de um desfile de moda. O que causa essa diferença? Isso se deve apenas aos "bons genes", como a maioria das pessoas parece pensar? Ou é algo que pode ser controlado, como as coisas que você come? Ou o quanto você se hidrata? Responder a essa questão enorme – por que algumas pessoas envelhecem mais lentamente do que outras – será uma das principais missões deste livro.

Com Theo e Lizzy, eu acreditava que isso se devia a algum fator aleatório – algo que realmente desempenha uma função significativa no envelhecimento, pelo que os cientistas acreditam. Mas, na verdade, as coisas não eram exatamente assim, e as aparências podem enganar. Em um domingo de outubro, voltei para a minha casa após um passeio de bicicleta e encontrei Theo à minha espera na varanda, bastante empolgado. Ele adorava correr comigo nas trilhas quando era mais novo, e mesmo agora, já com quase 12 anos, ainda se animava com a possibilidade de um trote rápido ao redor do quarteirão. Assim, abri o portão e ele se aproximou para uma volta, depois duas, e depois três. Parecia estar ótimo e pronto para mais. Por isso mesmo, foi um choque levá-lo ao veterinário quatro dias depois e descobrir que ele estava com câncer.

O veterinário da nossa cidade é um homem bastante gentil chamado Tracy Sane, rapaz que veio do interior e se perdeu em Manhattan. Sempre que via os meus cachorros, assumia um ar mais nostálgico, dizendo algo como "Esses dois são cachorros *de verdade*". Levei Theo até o consultório para que uma pequena verruga fosse removida, algo que não deveria ser motivo para grande preocupação. Para fazer a cirurgia, seria necessário colocá-lo sob anestesia geral, e por isso o dr. Sane colocou o estetoscópio nas orelhas para auscultar o coração. Conforme escutava diferentes pontos do peito de Theo, o doutor ficava com a expressão cada vez mais taciturna. "Theo está com um pequeno murmúrio no coração."

O murmúrio indicava que o coração de Theo estava inchado e enfraquecido. Isso também acontece com os seres humanos, e é um dos sinais mais comuns de envelhecimento. E geralmente indica que alguma outra coisa não vai bem. O raio X do tórax revelou o que era: o espaço onde o baço e o fígado deveriam aparecer estava ocupado por uma massa grande e amorfa, mais ou menos do tamanho de um ovo de pata. "Isso aqui é um problema", disse o dr. Sane. Ele chamou aquilo de "massa esplênica", uma maneira mais sutil de dizer "tumor". E precisava ser extirpado – se pudesse ser removido com segurança, disse ele. Marcamos uma consulta para o primeiro horário da segunda-feira de manhã. "Theo terá que percorrer um caminho difícil daqui por diante", avisou ele, taciturno.

Durante o fim de semana, minha namorada Elizabeth e eu tentamos não pensar em Theo e seu tumor. As notícias falavam sobre um furacão chamado Sandy que estava se preparando para atingir a cidade. Dizia-se que seria uma das tempestades mais fortes que atingiriam Nova York. No sábado, fomos até a feira da vizinhança, onde Theo e Lizzy nos puxaram até a sua barraca favorita, aquela que vendia linguiças de frango e dava petiscos grátis para os cachorros. Depois, nos aconchegamos no sofá com a TV ligada, assistindo o enorme veleiro *Bounty* afundar no litoral da Carolina do Norte. Sandy estava a caminho.

No domingo, nos preparamos para a chegada da tempestade, lendo o jornal e tomando café, antes de mudar a bebida para o vinho. Depois do jantar tentamos levar os cães para um último passeio, mas Theo não queria ir. Isso não era estranho. Ele detestava tempestades e já houve ocasiões em que passava horas se segurando em vez de sair na chuva para fazer xixi. Era um cara teimoso e não houve como forçá-lo a vir conosco. Assim, dei a ele uma espécie de massagem canina para tentar fazê-lo relaxar, esfregando suas costas para cima e para baixo enquanto ficava deitado na cama. Mas não pensamos que havia qualquer outro problema, com exceção do tempo. Na manhã seguinte, quando a tempestade já havia passado, nós o levaríamos para a cirurgia. Faltavam três semanas para ele completar 12 anos.

Mas Theo tinha outros planos e a cirurgia não estava incluída neles. Nós o encontramos antes do dia raiar, deitado ao lado da cama, o corpo ainda quente, com exceção dos lábios. Fechei os seus olhos, Elizabeth puxou um cobertor sobre seus ombros e nós choramos juntos.

∞

Nas semanas seguintes à morte de Theo, mais de um amigo veio dizer que chorou mais intensamente pela morte de um cão do que quando seus próprios pais faleceram. Não é que não amassem seus pais menos do que os cães (ou, pelo menos, não totalmente assim). Mas nossos pais envelhecem de maneira lenta e gradual, e nós esperamos que isso aconteça. Há algo na vida curta de um animal e em sua morte rápida que nos atinge de maneira muito profunda. Algo que nos faz lembrar do quanto é tênue a nossa existência. Durante a vida de Theo, deixei de ser um homem bonito e jovem que acabava de passar dos 30 anos e me transformado em outro, não tão jovem, que já começava a se aproximar dos 50.

Eu era tão velho que estava trabalhando em um livro sobre o envelhecimento.

Eu queria saber *tudo* sobre o envelhecimento, esse processo universal, mas ainda assim pouco compreendido, que afeta praticamente todas as coisas vivas. Como sou jornalista de carreira, decidi abordar o assunto em forma de reportagem investigativa, seguindo as evidências aonde quer que elas levassem. Eu estava disposto a ler cada estudo, cada livro sobre envelhecimento que conseguisse encontrar. Tentaria penetrar nos laboratórios custeados por verbas escassas onde se faz ciência em seu estado mais puro, e atacaria os líderes e especialistas no assunto com minhas perguntas. Mas eu também queria procurar os mais ousados, os rebeldes da ciência – aqueles que tinham a coragem de promover ideias audaciosas, independente dos dogmas ou dos modismos atuais. Também procuraria pelas pessoas mais velhas que estão mostrando o caminho para o resto de nós: aqueles que estão nadando de braçada rumo aos 70 anos e os líderes do pensamento moderno aos 80. Pensava até mesmo em selecionar alguns figurões do mercado de ações que haviam passado dos 100 anos.

Eu tinha questões enormes: como o tempo nos transforma? O que estava acontecendo comigo conforme eu entrava na meia-idade e além? Como o meu eu de quarenta e poucos anos era diferente do meu eu adolescente? O que mudava entre os 40 e os 70? E já que estamos falando nisso, por que a minha sobrinha de 10 anos é "jovem", mas os meus cães de 12 anos são velhos? O que é essa força invisível chamada envelhecimento que afeta todas as pessoas que eu conheço? Todos aqueles que estão lendo estas páginas? Todos aqueles que já viveram?

Indo mais a fundo, o quanto do envelhecimento está sob o nosso controle e o quanto é determinado pelo destino, ou pelo acaso? Minha motivação era pessoal. Honestamente, eu queria me apegar à minha juventude, ou ao que restava dela, pelo máximo de tempo que conseguisse. Queria chegar até onde meu avô chegou, mergulhando em ondas e podando árvores frutíferas quando já fosse idoso em vez de estar confinado a uma cadeira de balanço como seu pobre irmão Emerson.

E embora temesse, no começo de minha pesquisa, que só viria a descobrir um monte de coisas deprimentes, não foi bem isso que aconteceu. Cientistas estão descobrindo que o envelhecimento é uma coisa muito mais maleável do que pensávamos – algo que pode até mesmo ser hackeado. Você não precisa passar pelo martírio da velhice do seu avô (ou, no meu caso, do meu tio-avô). A maneira como você envelhece está, pelo menos parcialmente, sob seu controle. Dois dos principais males relacionados ao envelhecimento – doenças cardiovasculares e diabetes – podem ser evitados, e são até mesmo reversíveis em alguns casos. Um terceiro, o temido mal de Alzheimer, pode ser prevenido em até 50 por cento dos casos.

A história dos cachorros me ensinou que a longevidade engloba mais fatores do que simplesmente saber se você vai ou não ao médico ou se aplica uma máscara hidratante no rosto uma vez por semana. O mistério é muito mais profundo do que isso. O que é realmente legal e surpreendente, entretanto, é o número de maneiras pelas quais o envelhecimento pode ser modificado e até mesmo retardado, no nível celular. A ciência descobriu rotas e mecanismos secretos que promovem a longevidade embutidos profundamente em nossas células, e isso pode ajudar a retardar ou mesmo vencer alguns dos efeitos do envelhecimento – se conseguirmos descobrir como fazê-los funcionar. Algumas dessas rotas evolutivas são tão antigas que nós as compartilhamos com as formas de vida mais simples do planeta, como vermes microscópicos e até mesmo leveduras; há outras que estamos apenas começando a identificar através do enorme poder do sequenciamento genômico.

Já sabemos que certos genes parecem estar ligados à longevidade extrema e à boa saúde, e outras centenas de genes do mesmo tipo estão prestes a ser descobertos. Alguns deles podem até mesmo ser ativados ou simulados por compostos medicamentosos que já estão sendo pesquisados em laboratório. Mas nem tudo é tão fácil: há mecanismos importantes de promoção da longevidade presentes na nossa biologia que podem ser ativados agora mesmo, simplesmente saindo de casa para dar uma rápida corrida pelo bairro ou até mesmo deixando de fazer uma refeição ou duas. Um pouco de conhecimento e prevenção, na realidade, contribuem bastante; podem até mesmo ser a diferença entre cortar as ondas com o próprio corpo pelo resto da sua vida ou passar seus anos em uma cadeira de balanço na varanda.

CAPÍTULO 2
A ERA DO ENVELHECIMENTO

Os anos de nossa vida chegam a 70, ou a 80 para os que têm mais vigor; entretanto, são anos difíceis e cheios de sofrimento, pois a vida passa depressa, e nós voamos para longe.

Salmo 90:10

Os destinos divergentes do meu tio-avô Emerson e do meu avô Leonard refletem o vasto aumento da expectativa de vida humana que ocorreu no decorrer do último século. Emerson viveu sua vida como um homem do final do século 19, quando a Ciência Cristã foi fundada: uma juventude breve e exuberante, seguida por um longo e doloroso declínio que começou na meia-idade. Francamente, é incrível que ele tenha conseguido passar dos 70. Meu avô, por outro lado, era um típico homem do século 20: com um pensamento progressista e adepto da ciência, dispôs do melhor que a medicina moderna tinha a oferecer. Não é surpresa ele ter vivido uma vida bem mais longa do que o seu irmão.

E mesmo assim os dois homens, até mesmo Emerson, ultrapassaram em muito a expectativa de vida humana da época do seu nascimento. Quando nasceram, em 1914-15, o típico homem americano branco podia esperar passar 52 anos na Terra. A principal causa de morte entre os americanos, tanto naquela época quanto agora, eram as doenças cardíacas – que tinham acabado de ultrapassar a tuberculose e a pneumonia, em declínio graças ao advento dos antibióticos. A gripe chegaria ao topo da lista e ficaria por ali durante algum tempo graças à pandemia de 1918 mas, pela primeira vez na história, mais pessoas estavam morrendo devido a uma doença típica do envelhecimento do que qualquer outra causa. A Era do Envelhecimento havia começado.

Hoje os americanos do sexo masculino têm uma expectativa de vida de aproximadamente 77 anos, e as mulheres têm 5 anos a mais do que eles de acordo com a Organização Mundial de Saúde (OMS). Numa escala global, entretanto, isso não é motivo para se gabar: os americanos estão apenas na trigésima segunda posição, atrás de países como Costa Rica, Portugal e Líbano, apesar dos gastos de saúde por pessoa serem bem maiores. E mesmo assim a situação não é das melhores: para alguns subgrupos da população americana, a expectativa de vida provavelmente já começou a declinar. Enquanto isso, de acordo com algumas estimativas, metade de todas as crianças alemãs nascidas no ano de 2015 viverá o bastante para celebrar seu 105º aniversário.

Essa explosão na longevidade é sem precedentes na história humana. Dê um passeio por qualquer cemitério antigo e leia as datas nas lápides: você vai encontrar uma quantidade enorme de bebês e crianças, juntamente com jovens mulheres que morreram dando à luz, enquanto os homens mais afortunados geralmente conseguiram passar dos 40 anos, e uns poucos indivíduos excepcionais conseguiram passar dos 70 – a idade descrita na passagem da Bíblia. Ainda era possível viver por um tempo bem longo: uma antepassada muito distante do meu avô, uma mulher chamada Elisabeth Alden Pabodie, cujos pais chegaram aos Estados Unidos no *Mayflower*,[3] conseguiu viver por quase um século, morrendo em 1717, aos 96 anos de idade. Naquela época, particularmente na região inóspita da colônia da baía de Massachusetts, envelhecer era considerado uma conquista, não uma doença. Como disse Montaigne: "Morrer de velhice é uma morte rara, extraordinária e singular, e, desta forma, muito menos natural do que as outras; é a última e mais extrema forma de morrer".

As coisas começaram a mudar lá pela metade do século 19, com o surgimento dos esgotos urbanos e da medicina semimoderna; a simples inclusão do hábito de lavar as mãos à rotina dos médicos reduziu incrivelmente as taxas de mortalidade. Em 1881, por exemplo, a causa da morte do presidente americano James Garfield não foi a bala que seu assassino disparou, mas a enorme infecção causada pelos dedos sujos dos médicos que o socorreu. A morte no parto, que já foi algo bem comum, ficou cada vez mais rara graças aos milagres da anestesia, dos antibióticos e das cesarianas, sem a qual eu e minha mãe certamente morreríamos devido ao trauma de dar à luz uma criança de 4,5 quilos. Como o acesso à água limpa se estendeu (e a distância do esgoto não tratado ficou maior), a medicina fez progressos contra doenças infecciosas e a mortalidade infantil diminuiu, as expectativas de vida aumentaram rapidamente. E uma quantidade maior de pessoas do que jamais houve no planeta passaram pela experiência bizarra e inexplicável do fenômeno natural conhecido como envelhecimento.

∞

---

3 *Mayflower* (em tradução literal, "flor de maio"), foi o nome dado ao famoso navio que, no ano de 1620, transportou os primeiros *peregrinos* – nome dado a um grupo de separatistas ingleses – do porto de Southampton, Inglaterra, para a América. (N. dos E.)

Jovem para sempre (ou morra tentando)

Se você der um passeio pela Abadia de Westminster em Londres, talvez consiga avistar uma lápide extraordinária de mármore na parte sul do prédio. Ela marca o jazigo de um certo Thomas Parr, que, de acordo com o epitáfio, viveu por 152 anos e durante os reinados de dez monarcas. Sim, a informação está correta. Parr era um trabalhador da região de Shropshire que tinha a fama de ter vivido por mais de um século; ele realmente parecia ser bem velho e tinha a reputação de ter sido pai aos 122 anos. Algum nobre ouviu falar de Parr e convidou-o para ir à corte do rei Carlos I em 1635, onde desfrutou brevemente do status de celebridade que incluiu ter o seu retrato pintado por ninguém menos do que Peter Paul Rubens. Mas seu passeio no trem da fama foi interrompido, quando faleceu após ficar exposto por algumas semanas às inúmeras doenças e à horrenda poluição de Londres.

O velho Parr seria o ser humano mais velho que já viveu... se a idade que alegava ter estivesse remotamente próxima da verdade. Dúvidas começaram a surgir pouco tempo depois da autópsia feita pelo famoso cirurgião William Harvey, que declarou que seus órgãos internos estavam num estado muito bom para um homem com mais de um século e meio de vida. Independentemente da idade registrada em sua lápide, os estudiosos modernos agora acreditam que o velho Parr era, na verdade, o neto do velho Parr *original* – o título simplesmente foi passado de pai para filho. Não havia muito cuidado com os registros de nascimentos em Shropshire no século 16, então quem pode ter certeza disso?

Mais recentemente, na década de 1960, dizia-se que os habitantes da região da Abkházia, da antiga União Soviética, nos rincões mais longínquos das montanhas do Cáucaso, também passavam rotineiramente dos 140 anos. Sua longevidade era atribuída ao consumo de iogurte, que se tornou um alimento muito popular desde então, apesar do fato de que aquelas afirmações já terem sido desmentidas há muito tempo. Nos últimos anos, rumores similares voltaram a surgir, com alguns indivíduos bastante envelhecidos em lugares como a Bolívia e a China rural alegando ter 125 anos de idade ou mais. Esses charlatões encarquilhados compartilham com o velho Parr o fato de não terem certidões de nascimento confiáveis e, desta forma, suas alegações não podem ser confirmadas.

O ser humano de vida mais longa comprovada com documentos históricos oficiais é uma francesa, sem nenhuma outra característica notável, chamada Madame Jeanne Calment, que nasceu em Arles em 1875, e dizia ter conhecido Vincent van Gogh na loja de artes do seu tio (e ele não era um homem muito gentil, na opinião dela). Quando tinha cerca de 80 anos, Madame Calment fechou uma negociação para vender seu apartamento a um amigo advogado que, na época, estava já com seus quarenta e tantos anos. Nos termos do acordo, comum na França, o comprador lhe pagaria 2.500 francos por mês pelo resto da vida e tomaria posse do lugar quando ela morresse. Só que houve um problema: ela não morria, ano após ano.

Pedalou sua bicicleta até completar 100 anos e fumou até os 117; parar de fumar pode ter sido um erro fatal, porque ela só viveu mais cinco anos antes de bater as botas, aos 122.

"Eu só tive uma única ruga", disse ela em uma ocasião particular. "E estou sentada nela."

Portanto, isso é a definição de *duração de vida*. Ninguém bateu Madame Calment, nem antes e nem depois. E ponto final.

A *expectativa* de vida, por outro lado, é uma previsão estatística de quanto tempo um bebê que nasceu neste ano provavelmente viverá, baseado num documento aparentemente enfadonho conhecido como a tabela de expectativa de vida. Para você e para mim, a tabela de expectativa de vida parece um compêndio confuso de números aleatórios, algo tão empolgante quanto uma lista telefônica. A tabela de expectativa de vida lista as taxas de mortalidade atuais – ou seja, o risco de morrer para indivíduos, classificados em todas as idades, no decorrer do ano passado. Assim, por exemplo, a probabilidade de morrer para uma mulher americana de 40 anos em 2010 era de 1,3 em 1000, ou 0,13 por cento. Para uma mulher de 60 anos, a probabilidade era de 6,5 em 1000, um índice cinco vezes maior. Considerando o nosso bebê hipotético, é possível levá-lo por todas essas estatísticas e descobrir qual é a sua expectativa média de vida.

Os demógrafos tratam a tabela de expectativa de vida com uma reverência talmúdica. É o alicerce sobre o qual a indústria dos seguros e o sistema de aposentadoria são construídos. E ela também é uma espécie de janela para o futuro. De acordo com a tabela de expectativa de vida compilada pela Administração de Seguridade Social dos Estados Unidos, e usada como base da sua calculadora online, um homem americano e branco de 47 anos (ou seja, eu) pode esperar viver por mais 35. Isso me levaria até os 82. Não é ruim, mas não é tão bom quanto a marca do meu avô. Assim, procurei uma segunda opinião. Fiz o download de um aplicativo (de verdade) chamado Days of Life, que também se propõe a calcular a expectativa de vida restante de uma pessoa baseada em seu sexo, idade e país de residência. Infelizmente, o aplicativo disse que eu tenho *menos* tempo ainda, algo mais próximo de 30 anos – e, durante os dias seguintes, meu telefone apitava com lembretes diários: "Ainda lhe restam 10.832 dias de vida..."

Desnecessário dizer que eu deletei o aplicativo. No mundo real, não há como saber se morreremos com 82, 62 ou 92 anos. Ou às duas da tarde de amanhã. E, por sorte, o único aspecto confiável das previsões sobre expectativa de vida, assim como as previsões do tempo, é que as coisas vão mudar.

Na década de 1920 um proeminente demógrafo americano chamado Louis I. Dublin, atuário-chefe da seguradora Metropolitan Life Insurance Company, declarou que a média da expectativa de vida humana chegaria ao ponto máximo de 64 anos e 9 meses – coincidentemente, apenas três meses antes da idade oficial de aposentadoria, 65, definida pelo Ato de Seguridade Social de 1933. Naquela época, uma pessoa típica de 65 anos parecia velha, sentia-se velha e cheirava a velhice. Mas não era o limite, de modo algum. Quando Dublin foi informado de que as mulheres na Nova Zelândia já estavam passando dos 66 anos, revisou sua estimativa para cima, chegando a quase 70. Mas esse número também acabou se mostrando ser baixo demais; até mesmo o meu pobre tio-avô Emerson conseguiu superá-lo.

Por todo o mundo as expectativas de vida vêm subindo incansavelmente há quase dois séculos. Há cerca de uma década, outro destacado demógrafo americano chamado James Vaupel compilou todas as estatísticas históricas – e confiáveis – sobre expectativa de vida que conseguiu encontrar, remontando até o século 18, na Suécia, que sempre manteve registros excelentes sobre nascimentos e mortes. Para cada ano, Vaupel e seu coautor, Jim Oeppen, com o auxílio de sua hercúlea equipe de pesquisa, identificaram o país onde as pessoas viviam por mais tempo, de acordo com os dados disponíveis – os líderes da longevidade, se quiser chamá-los assim. Para a surpresa deles, os dados podiam ser traduzidos em uma linha reta e contínua que ascendia de maneira tão constante quanto um jato que decola do aeroporto de Nova York.

EXPECTATIVA DE VIDA

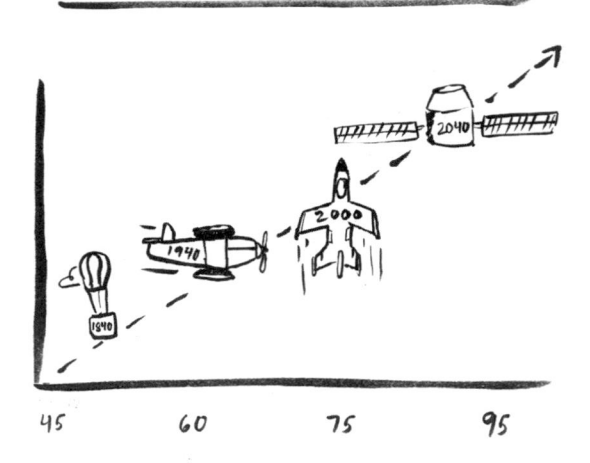

Começando por volta de 1840, de acordo com o gráfico de Vaupel, a expectativa de vida média entre as mulheres no país mais longevo do mundo aumentava num ritmo constante de cerca de 2,4 anos por década. E, embora o título de país mais longevo mudasse de mãos algumas vezes, passando da Suécia para a Noruega, da Nova Zelândia para a Islândia e agora para o Japão, uma coisa continuava a ser verdadeira: a cada quatro anos, humanos ganham constantemente um ano de expectativa de vida potencial. Ou, se preferir, cada dia nos dá seis horas a mais.

"A linha reta me deixou completamente espantado", diz Vaupel, em seu escritório no Instituto Max Planck de Pesquisas Demográficas na Alemanha. "O fato de isso ter se mantido constante durante dois séculos é realmente impressionante." E isso não foi tudo: a linha derrubou as previsões de muitas pessoas inteligentes de que a expectativa de vida atingiria um patamar estável, desde Dublin até várias outras agências da Organização das Nações Unidas e outros demógrafos, sem dar sinais de que está perdendo força. Provocativamente, ele intitulou seu estudo como "A quebra dos limites da expectativa de vida".

As explicações para esse aumento inabalável do tempo de vida invariavelmente retornam a um pequeno grupo de fatores que já discutimos: melhor saneamento e melhor assistência médica. Coisas como a penicilina, esterilização e até mesmo medicamentos para controlar a pressão arterial nos permitem viver por mais tempo porque nos fazem escapar das mortes precoces que assolavam nossos ancestrais. E, no mundo em desenvolvimento, esta mudança ainda está acontecendo: globalmente, de acordo com a OMS, a expectativa de vida média aumentou em seis anos desde 1990.

Mas, no mundo desenvolvido, Vaupel postula que o aumento constante do tempo de vida das pessoas, na realidade, reflete mudanças ambientais muito mais profundas que estão afetando a maneira pela qual todos nós envelhecemos. "Antes de 1950, a maior parte dos aumentos na expectativa de vida se deveu a grandes reduções das taxas de mortalidade de pessoas mais jovens", escreveu ele em um artigo influente publicado na revista *Science* em 2002. "Na segunda metade do século 20, melhorias nas taxas de sobrevivência após os 65 anos de idade estiveram por trás do aumento na extensão das vidas das pessoas."

Tudo começou com melhores tecnologias médicas: o simples fato de o vice-presidente americano Dick Cheney ainda estar vivo, após múltiplos ataques cardíacos e cirurgias, deve ser considerado uma proeza extraordinária. Mesmo que nossas válvulas cardíacas não sejam substituídas, nós ainda assim bebemos uma água mais limpa, respiramos um ar mais limpo, moramos em residências melhores e passamos por menos epidemias em massa do que há 50 anos. Isso ajuda a explicar por que o irmão do meu avô conseguiu passar dos 70 anos sem qualquer tipo de cuidado médico: seu mundo era muito mais limpo e seguro do que o mundo dos seus antepassados. Na verdade, se não fumasse – sua única divergência com o pensamento ortodoxo da Ciência Cristã –, Emerson poderia ter sobrevivido quase tanto quanto seu irmão.

De fato, proibições cada vez mais amplas do ato de fumar reduziram a exposição de todos à fumaça do tabaco, um potente elemento cancerígeno, o que provavelmente serviu para estender ainda mais a expectativa de vida (embora algumas tragadas não pareçam ter feito mal à Madame Calment). Graças ao nosso meio ambiente cada vez mais protegido, de acordo com Vaupel, não somente escapamos de uma morte precoce como estamos realmente envelhecendo mais lentamente do que nossos ancestrais sujos, sem conforto, inaladores de fumaça e que lutavam contra doenças. "A expectativa de vida é algo maravilhosamente maleável", diz ele. "As pessoas de 70 anos dos dias atuais são tão saudáveis quanto aquelas de 60 há algumas décadas. São afetadas por doenças e deficiências mais tarde; aqueles cinco anos ruins do fim da vida agora estão começando aos 80 ou 85 em vez dos 70."

A velhice não é mais tão velha, em outras palavras. As pessoas estão vivendo menos como Emerson – que já era bastante idoso quando chegou aos 60 – e mais como o meu avô, que permaneceu relativamente jovem no decorrer da sua septuagésima década de vida. Os limites da "velhice" continuam a ser empurrados para longe por pessoas como Diana Nyad, que nadou de Cuba a Key West, na Flórida, aos 64 anos, apenas alguns meses antes da idade tradicional de se aposentar. "Os 60 de hoje são os 40 de ontem" era praticamente o seu mantra. Ela não era um ponto tão fora da curva: dois dos meus amigos com quem saio para andar de bicicleta recebem os benefícios do plano de saúde Medicare do governo americano, e eu sofro para conseguir acompanhá-los. E ainda assim, quando Humphrey Bogart interpretou Rick, um personagem esgotado pela vida e de aparência decrépita em *Casablanca* – filmado em 1942 –, estava com 42 anos. (Talvez tenha sido culpa do cigarro?)

Se os 60 de hoje são os 40 de ontem, então os 90 de hoje também podem ser os 80 de ontem: um recente estudo dinamarquês sobre o envelhecimento cognitivo mostrou que a safra atual de pessoas de 95 anos atingiu essa idade com a cabeça em melhores condições do que o mesmo grupo de pessoas que está uma década adiante deles. Vaupel, junto com outros pesquisadores, acredita que essas pessoas mais idosas estão realmente envelhecendo mais lentamente do que as pessoas de gerações anteriores. "O que ficou aparente durante os últimos trinta anos é que um fator impulsionador da longevidade completamente novo e não previsto anteriormente acabou por emergir", diz Thomas Kirkwood, um proeminente biólogo da Universidade de Newcastle na Inglaterra, que conduziu um estudo sobre "os velhos mais velhos": as pessoas com mais de 85 anos. "O fato é que as pessoas estão chegando à velhice em condições melhores do que antes."

Mas esse aumento que já ocorre há dois séculos no tempo de vida pode continuar? A reta de Vaupel continuará a manter sua trajetória sólida e ascendente?

Nem todos pensam assim, e um dos principais especialistas acredita que a longevidade humana está prestes a dar uma guinada na direção oposta.

Jay Olshansky me encontrou na porta da sua casa nos subúrbios de Chicago, e fomos até uma lanchonete bastante popular especializada em cachorros-quentes chamada Superdawg – porque, se há uma coisa que Chicago sabe fazer, são embutidos de carne. Olshansky admitiu que adorava cachorros-quentes e, embora alegasse que raramente os comia, parecia ter uma excelente noção sobre onde encontrar os melhores. "Desde que não coma isso todos os dias, você vai ficar bem", ele me garantiu quando entramos no estacionamento.

E isso foi interessante, porque há uma coisa pela qual ele é bem conhecido: sua firme convicção de que coisas como "estilos de vida saudável" não chegam a afetar tanto a longevidade. Na área de expectativa de vida, ele é conhecido por ser um cético contumaz. No caminho até a lanchonete, reclamou sobre um outdoor da empresa Prudential, de serviços financeiros, que avisava: "A primeira pessoa que viverá até os 150 anos de idade já nasceu. É melhor se preparar".

"Eles estão usando números inventados", bufou ele. "Isso não tem nenhuma base científica."

O pior é que, se a Prudential estiver certa, Olshansky vai perder uma grana preta. Em 2000 ele fez uma aposta com um colega, um biólogo evolucionário chamado Steven Austad (que conheceremos mais adiante). Austad apostou que, no ano 2150, haveria pelo menos uma pessoa de 150 anos vivendo na terra – em outras palavras, que a Prudential estaria certa. Olshansky disse que isso seria impossível. Cada um apostou uma quantia simbólica de 150 dólares – mas, graças aos investimentos eficazes que fez em ouro, de acordo com o próprio Olshansky, os 300 dólares originais já se transformaram em 1.200. Em 2150, se a taxa de retorno do investimento continuar como está, a aposta estará valendo em torno de um bilhão de dólares, algo que ele espera que seus tataranetos recebam.

Olshansky acredita que os 122 anos de Madame Calment representam o limite *máximo* do tempo de uma vida humana, um limite programado em nosso genoma, talvez até mesmo em nossa bioquímica. E esse valor máximo não mudou; se pararmos para pensar, a velha senhora francesa era um ponto fora da curva. Ninguém chegou perto de superá-la desde sua morte, em 1997. No momento em que este livro está sendo escrito, a pessoa mais velha do mundo é uma japonesa de 116 anos chamada Misao Okawa, nascida em 1898, seguida de perto por Gertrude Weaver, uma afro-americana que nasceu no estado do Arkansas numa família de pequenos lavradores; as duas estão entre as 10 pessoas que mais viveram em todos os tempos, mas não parecem ter chance de roubar a coroa de *La Calment*.

Em relação à *média* de expectativa de vida, Olshansky espera que ela se estabilize ao redor de 85 anos para a maior parte do mundo – e, dependendo de alguns fatores, que comece a declinar em alguns países, tais como os Estados Unidos.

Mas o que dizer da tabela de Vaupel?

"Isso é uma fantasia. Fantasia pura", grunhe ele por entre mordidas do lanche carnudo. E explica o seu raciocínio: "Se extrapolarmos os registros históricos da corrida atlética de uma milha, usando essa mesma metodologia, você chegaria à conclusão de que, em duzentos anos, as pessoas conseguiriam correr uma milha instantaneamente. E isso é ridículo."

Claro que é, embora haja uma diferença importante: os recordes da corrida de uma milha estão ficando menores, enquanto o tempo de vida está ficando mais longo. "Há uma razão pela qual não se pode correr uma milha instantaneamente, mas não há limite para quanto tempo você poderá viver", insiste Vaupel. E ninguém está dizendo que o tempo de vida chegará a ser infinito algum dia. (Bem, na realidade, existe um cara que está defendendo esse argumento, e vamos conhecê-lo em breve).

O debate entre Olshanky e Vaupel ficou tão acalorado e pessoal que, durante algum tempo, os dois homens faziam de tudo para evitar participar das mesmas conferências para não correrem o risco de dar de cara um com o outro. Mas, no cerne dessa rivalidade, existe uma questão importante: qual é a verdadeira flexibilidade da longevidade humana? Qual é o limite, se houver algum?

A premissa básica de Olshansky é algo que vale a pena investigar: "Há forças biológicas que influenciam a velocidade na qual somos capazes de correr, e forças biológicas que limitam o quanto podemos viver", insiste ele. "É como inflar um pneu com ar", prossegue, com mais uma analogia fácil de compreender. "Quando você começa a bombear, é fácil, mas conforme o pneu se enche, fica cada vez mais difícil."

Por exemplo, diz ele, mesmo se conseguíssemos curar metade de todos os cânceres fatais – a segunda maior causa de morte nos Estados Unidos – a expectativa de vida média aumentaria pouco mais de três anos. E só. E mesmo se conseguíssemos curar doenças cardíacas, cânceres *e* AVCs – os três principais assassinos –, ainda assim só ganharíamos uns dez anos – um salto substancial, mas isso não nos faz passar da marca de um século. "Não chegamos perto dos 100", diz ele, "e 120 é um valor ainda mais louco, em várias ordens de magnitude".

Mas vários de seus colegas discordariam – a começar por Vaupel, que destaca alegremente que sua famosa reta já deixou para trás os limites previstos por Olshansky para a expectativa de vida. Em 1990, Olshansky declarou com bastante convicção que as expectativas de vida logo atingiriam seu patamar máximo, ao redor de 85 anos. Depois de uma década, entretanto, as mulheres japonesas já estavam chegando aos 88. Os homens e mulheres de Mônaco, a "nação" mais rica do mundo, já estão começando a derrubar o limite dos 90.

"Você pode pensar na reta como a fronteira da possibilidade, a fronteira do que os humanos podem fazer em termos de atingir a expectativa de vida", disse Vaupel.

∞

"Sim", responde Olshansky, "a fronteira é uma coisa; mas a maneira como as pessoas estão realmente vivendo, e mais importante do que isso, a maneira como elas estão morrendo, é algo bem diferente". Desta forma, ele acredita que o tempo de vida logo vai começar a *declinar* em muitas áreas do mundo desenvolvido – algo raramente visto na história moderna, exceto em tempos de guerra ou de doenças que atingiram uma parte significativa da população. "Há muitas coisas que você pode fazer para encurtar sua vida, mas estendê-la é uma questão bem diferente", diz ele.

Uma boa maneira de encurtar sua vida, estatisticamente, é tornar-se uma pessoa obesa. Olshansky diz que a epidemia de sobrepeso que teve início nos Estados Unidos no início da década de 1980 já diminuiu o crescimento da expectativa de vida. Um terço da população do país é oficialmente obesa, enquanto outro terço é classificado como a parcela com sobrepeso – como alguém que tem um índice de massa corporal (IMC) entre 25 e 30. Como resultado, em quase metade de todos os condados dos Estados Unidos – muitos deles nas regiões rurais do sudeste – as taxas de mortalidade entre as mulheres já começou a aumentar novamente, depois de várias décadas em queda. Em algumas partes dos estados do Mississipi e da Virgínia Ocidental, a expectativa de vida para homens e mulheres é menor do que a da Guatemala.

O problema não está limitado à população rural: um estudo recente publicado no *Journal of the American Medical Association* (*JAMA*) mostrou que a geração do *baby boom* é a primeira em vários séculos que mostrou ser *menos* saudável do que seus pais, devido principalmente a causas como o diabetes, dietas inadequadas e preguiça física generalizada. A porcentagem de mulheres que dizem nunca ter feito atividades físicas triplicou desde 1994, passando de 19 por cento para quase 60. Gerações mais novas estão numa situação ainda pior, sucumbindo à obesidade cada vez mais cedo – particularmente as mulheres entre 19 e 39 anos. Outro estudo compilou dados de autópsias de pessoas que morreram em acidentes anteriores aos 64 anos e mostrou que seus fatores de risco para problemas cardiovasculares foram muito piores do que o esperado, o que significa que a melhoria constante na saúde cardíaca dos americanos que vinha ocorrendo desde a década de 1960 parece ter perdido o impulso. Para essas pessoas, os 60 de hoje não são os 40 de ontem; os 40 de hoje são os 60 de ontem.

"A saúde geral da população está piorando, não melhorando", diz Olshansky. "E está piorando mais rápido do que pensávamos." De acordo com suas estimativas, de maneira geral, a expectativa de vida dos Estados Unidos pode diminuir entre 2 e 5 anos no decorrer das próximas duas décadas, uma queda que contrastaria bastante com a reta ascendente de Vaupel.

O problema não está restrito aos Estados Unidos: Taxas de obesidade e diabetes estão aumentando muito em lugares como a Índia e até mesmo na ilha japonesa de Okinawa, que tem a fama de ser uma "Zona Azul" devido ao seu grande número de pessoas centenárias. Graças em parte a uma forte presença militar dos Estados Unidos, os nativos de meia-idade de Okinawa comem com frequência em lanchonetes de fast-food e agora são um dos povos menos saudáveis do Japão. A Zona Azul está se transformando em uma zona vermelha.

Todo mundo envelhece, mas nem todo mundo envelhece igualmente. Em países mais pobres, estados mais pobres e bairros mais pobres, as expectativas de vida tendem a ser muito menores do que a média; um estudo sobre os residentes de Londres mostrou que o lugar onde você desembarca do metrô pode fazer uma diferença enorme no tempo que você vive. Níveis educacionais mais baixos, de acordo com Olshansky, são um fator preditivo ainda mais forte da mortalidade precoce. Mesmo assim, outras pesquisas sugerem que o nível educacional da mãe de uma pessoa é um fator determinante da saúde na parte final da vida. "A América está divergindo", disse ele. "Veremos algumas conquistas impressionantes para alguns, juntamente com uma queda na expectativa de vida para grandes subgrupos da população."

Ele olha para o último pedaço do meu *whoopskidawg*, uma enorme salsicha polonesa enterrada em mostarda e cebolas grelhadas. "E aí, como estava o lanche?"

∞

"Jay Olshansky é um cara esperto, e é meu amigo", diz Aubrey de Grey, com sua barba extravagante vibrando com cada sílaba forte. "Mas ele fala algumas coisas que são *incrivelmente* idiotas. Chega a ser constrangedor."

O veredicto fica mais pungente pelo sotaque típico de um professor de um colégio interno britânico – uma voz que ele usa para desdenhar, desafiar e intimidar seus críticos e oponentes em debates há mais de uma década. Estávamos conversando no sofá surrado nos escritórios da sua fundação quando uma emergência ocorreu: sua cerveja acabou. Assim, levantamos acampamento e fomos até um pub nas proximidades, que fica relativamente vazio às quatro da tarde aqui em Mountain View, o coração saudável e produtivo do Vale do Silício.

Ele estava se referindo à insistência de Olshansky em dizer que a expectativa de vida em si é algo finito, programada de algum modo em nosso genoma com a imutabilidade de um mandamento bíblico: não viverás mais do que 120 anos. Para Aubrey, o tempo potencial de vida do ser humano não termina em 120; em vez disso, é somente um começo. Ele é famoso pelas seguintes coisas, em ordem decrescente: seu consumo de cerveja (prodigioso, embora não debilitante); sua barba (imagine algo como Osama Bin Laden); e suas perspectivas sobre envelhecimento, que já foram consideradas extremas, mas são cada vez mais, mesmo que relutantemente, aceitas entre os cientistas mais bem-conceituados.

Com a tez da cor da névoa londrina, olhos marcados pelas veias vermelhas e constituição típica de um viciado em heroína, aos 52 anos, de Grey parece estar bastante deslocado sob o sol robusto da Califórnia, como um ermitão religioso num navio de cruzeiro. Na verdade, ele pode ser muitas coisas, menos um recluso: acabou de retornar de uma reunião de palestrantes do TED e logo viajará de volta à Inglaterra.

Mantém uma longa programação de reuniões, palestras, conferências e entrevistas como esta, as quais ele conduz enquanto também responde e-mails ao ritmo de um a cada cinco minutos.

Você talvez o tenha visto no programa *60 Minutos* da TV americana há alguns anos quando, com uma caneca de cerveja na mão, ele disse ao apresentador Morley Safer que algumas pessoas que estão vivas agora viverão até os mil anos de idade. Em um artigo que foi publicado num periódico científico na época em que o programa foi ao ar, ele foi ainda mais longe, alegando que pessoas nascidas no final deste século poderiam desfrutar de vidas que durariam 5 mil anos ou mais. Isso seria mais ou menos o equivalente a uma pessoa da Idade do Bronze vivendo tempo suficiente para criar uma conta no Facebook.

Esse tipo de conversa deixa Olshansky totalmente ensandecido. "Ele inventa esses números dependendo da pessoa com quem está conversando!", esbravejou ele – mas Grey responde a essas reclamações com um argumento simples: "Simplesmente porque algo ainda não aconteceu, não significa que não poderá acontecer *algum dia*".

Exemplo A: o voo autopropelido de um objeto mais pesado do que o ar, proposto por Leonardo da Vinci por volta de 1500, realizado pelos irmãos Wright cerca de quatro séculos depois, acelerado por turbinas a jato apenas cinquenta anos depois e que chegou a velocidades supersônicas em mais uma década. Ah, e estivemos na Lua. Cada uma dessas conquistas, escreveu Grey, era "tecnologicamente inimaginável para os pioneiros que desenvolveram o avanço anterior". Por que as coisas deveriam ser diferentes em relação ao envelhecimento?

∞

Filho de uma mãe solteira artista, Aubrey Nicholas David Jasper de Grey frequentou a badalada Harrow School de Londres como aluno bolsista e posteriormente estudou Ciências da Computação em Cambridge. Embarcou em uma carreira de engenheiro de software, mas logo começou a gravitar rumo a um problema ainda mais intratável: o envelhecimento.

Seu interesse era mais do que puramente acadêmico. Em 1991, já no fim da sua segunda década de vida, se casou com Adelaide Carpenter, uma professora de genética de Cambridge, 19 anos mais velha do que ele. Sob a tutela da esposa, começou a se educar, devorando artigos científicos sobre a ciência do envelhecimento e postando nos fóruns online da época. Conseguiu comprovar um rápido estudo, publicando seu primeiro artigo científico em 1997, uma nova teoria sobre a função das mitocôndrias, as pequenas usinas de energia que existem em todas as nossas células. Mais tarde aquele artigo se transformou em um livro suficientemente impressionante para lhe dar um PhD em Cambridge, de acordo com as "regras especiais" da universidade para alunos não convencionais que não houvessem realmente estudado lá (o filósofo Ludwig Wittgenstein ganhou seu doutorado em Cambridge do mesmo jeito). Armado com essa credencial, de Gray abriu caminho por entre o mundo da ciência do envelhecimento, brandindo um estilo de debate ágil e ligeiro, carregado de uma arrogância que foi mais do que suficiente para conseguir se destacar. "Sou a figura mais importante no estudo do envelhecimento atualmente", disse ele enquanto tomávamos nossas cervejas.

Possivelmente. Durante a última década, ou até há mais tempo, de Grey vem fazendo uma pergunta simples, mas provocadora: E se houvesse uma maneira de "curar" o envelhecimento em si? E se pudéssemos derrotá-lo completamente, assim como vencemos a varíola e a poliomielite?

Em um manifesto elaborado em 2002, que expandiu no livro publicado em 2007, intitulado *Ending aging*, de Grey descreve um programa de sete pontos a partir do qual seria possível (pelo menos em teoria) fazer exatamente isso. Seu programa, ao qual ele chamou de SENS (sigla em inglês para "Estratégias para a Engenharia da Senescência Desprezível"), iria basicamente remover os efeitos do envelhecimento das nossas próprias células... de algum modo. Uma dessas maneiras, por exemplo, seria limpar o "lixo" que se acumula no interior das nossas células no decorrer do tempo. "Sua casa funciona bem se você retirar o lixo de dentro dela toda semana, porque isso é uma quantidade administrável" diz ele. "É somente se você deixar de tirar o lixo durante um mês inteiro que os problemas vão começar."

Assim, tudo que precisamos fazer para refrear ou interromper esses efeitos particulares do envelhecimento é descobrir como remover o nosso lixo celular. De algum modo.

Chamar o SENS de ambicioso seria pouco; um dos sete pilares do programa resultaria, com efeito, na cura do câncer. Mas, se conseguir fazer com que isso venha a funcionar, insiste de Grey, a reta de Vaupel vai ficar ainda mais íngreme, até chegarmos ao ponto que de Grey chama de "velocidade de escape da longevidade", onde, a cada ano, acrescentaríamos *mais* doze meses à nossa expectativa de vida. E assim, alguns de nós poderiam teoricamente viver o bastante para curtir o que as pessoas estarão fazendo em 3015 em vez de dar aquela olhadinha no Facebook.

Isso parece assustador, e talvez até mesmo meio louco. Olshansky e 27 outros cientistas respeitáveis se reuniram em 2005 e publicaram um artigo atacando de Grey e seu projeto SENS, basicamente dizendo *Ei, ei, calma lá, cowboy*. "Cada uma das propostas que fazem parte do SENS é, no nosso estágio atual de ignorância, excepcionalmente otimista", diz uma das passagens mais comedidas. Palavras como *absurdo*, *fantasioso* e até mesmo *mistifório* (uma mistura confusa, uma barafunda) foram usadas sem piedade. "Jornalistas que precisam vender jornais ou que precisem encher linguiça na TV frequentemente se deixam seduzir pela ideia de um cientista de Cambridge que diz que pode nos ajudar a viver para sempre", bufam eles. E aproveitam para enfatizar que, na realidade, de Grey não é um "cientista de Cambridge", pois nunca teve nenhum compromisso acadêmico lá, nem em qualquer outro lugar. (Ele foi funcionário da universidade, mas seu cargo era de técnico de informática em um laboratório de genética).

De maneira até previsível, o ataque teve o efeito oposto: serviu para tornar de Grey famoso. Em vez de ignorá-lo, os cientistas bateram de frente com ele. A revista *Technology Review*, publicada pelo MIT (Instituto de Tecnologia de Massachusetts), ofereceu um prêmio de 20 mil dólares para qualquer pessoa que conseguisse refutar definitivamente as teorias postuladas por de Grey diante de um painel de juízes neutros. Três grupos de cientistas aceitaram o desafio, mas nenhum dos seus argumentos foi considerado suficiente para ganhar o prêmio. Mais uma vitória para de Grey.

A controvérsia continua até hoje, dividindo a ciência do envelhecimento em duas facções: não somente entre pró-Aubrey e anti-Aubrey, mas entre aqueles que acham que não podemos fazer muita coisa em relação ao envelhecimento além de conquistar uns poucos anos saudáveis aos nossos oitenta conquistados com muito custo, e aqueles que são como Aubrey, que pensam que podemos fazer muito mais, talvez até mesmo reprogramando a biologia humana para transcender todos os limites anteriores.

Com relação a quando isso poderia realmente acontecer, o corpo de jurados continua sem uma resposta definitiva e nem mesmo de Grey espera que eles retornem com um veredicto tão cedo. Ele mesmo se registrou para ser criogenicamente preservado após sua morte, como em *Austin Powers* – seu corpo será mergulhado em um tanque de nitrogênio líquido na esperança de que, algum dia, possa ser trazido de volta à vida. E não está sozinho: dezenas de outras pessoas, talvez centenas, já assinaram formulários e pagaram até 200 mil dólares pelo procedimento. A mais famosa pessoa criogenicamente congelada, ou a parte de uma pessoa, é a cabeça de Ted Williams, que hoje reside em um tanque de nitrogênio líquido congelado nas imediações da cidade de Phoenix. O único detalhe é que a tecnologia necessária para congelar e reviver uma criatura viva, até mesmo um rato, ainda não existe. A ideia de que poderemos trazer a cabeça de Ted Williams de volta à vida e encaixá-la em um novo corpo – sem mencionar o fato de que isso teria que estar na lista de prioridades de alguma longínqua civilização futura – talvez seja ainda mais difícil de aceitar do que a ideia de que podemos construir nossa própria rota rumo à imortalidade. Assim, não imaginei que de Grey estivesse dando um voto de confiança tão importante para isso.

∞

Entretanto, de modo até meio esquisito, embora discordem violentamente e completamente, de Grey e Olshansky estão dizendo a mesma coisa: o envelhecimento é um problema que precisa ser resolvido. Urgentemente. Independente da opinião que alguns cientistas mais renomados tenham sobre de Grey, sua grande contribuição foi fazer com que o envelhecimento em si – que sempre foi aceito como parte da existência humana – se transformasse num objeto de *repulsa*.

"O envelhecimento é a principal causa de mortes no mundo de hoje", escreve ele em *Ending aging*. Basta examinar a lista das principais causas de morte – doenças cardiovasculares, câncer, diabetes, Alzheimer, AVCs – e você perceberá que o envelhecimento é a base, ou um importante fator de risco, em males que matam 100 mil pessoas a cada dia em todo o mundo. Ou, como ele gosta de dizer, "trinta World Trade Centers *todos os dias*".

Mesmo assim, o termo "velhice", por si só, não aparece em certidões de óbito como causa da morte desde mais ou menos 1952.

Grey acha que isso é uma consequência da negação latente da sociedade de que o envelhecimento realmente existe. As estatísticas o apoiam aqui: conforme o gráfico a seguir demonstra, o risco de uma pessoa desenvolver doenças crônicas aumenta exponencialmente de acordo com a idade, começando com doenças cardíacas na meia-idade, seguidas por diabetes, câncer, até chegar ao mal de Alzheimer (assim como AVCs e doenças respiratórias, que também aumentam dramaticamente conforme a idade avança).

Some tudo isso e você terá a explicação sobre por que o seu risco de morrer dobra aproximadamente a cada oito anos, um fenômeno que foi observado pela primeira vez pelo taciturno matemático Benjamin Gompertz, em 1825. Quando somos jovens o risco é relativamente mínimo; não há muita diferença entre as idades de 25 e, talvez, 35 anos. Mas há um grande salto entre 35 e 45, e, aos 50, nossos amigos estão começando a descobrir cânceres de mama e de intestino, pressão arterial alta e outros problemas assustadores. (Sem mencionar princípios de artrite, algo que não vai matá-lo, mas que ainda assim dói bastante).

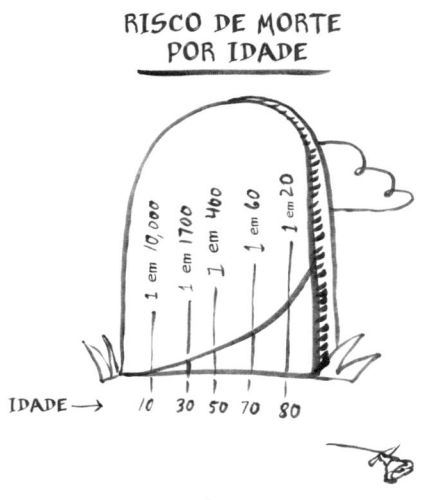

RISCO DE MORTE POR IDADE

1 em 10.000 | 1 em 1700 | 1 em 400 | 1 em 60 | 1 em 20

IDADE → 10 30 50 70 80

Atacar essas doenças uma a uma – da maneira que a medicina ocidental vem fazendo há mais de um século – não nos levou muito longe. Durante as últimas quatro décadas, o número de mortes devido a doenças cardíacas caiu pela metade, porque o vovô agora toma um comprimido para a sua pressão arterial, outro para controlar o colesterol, e pode até ter passado por uma cirurgia que implantou um *stent* ou substituiu uma válvula cardíaca, opções que não existiam há poucas décadas. O ataque cardíaco fulminante aos 50 anos de idade é uma coisa do passado; ainda assim, o tempo de vida não se estendeu tanto quanto os cientistas esperavam. O paciente sobrevive a uma doença e tomba devido à próxima da fila.

"Salvamos as pessoas das doenças cardiovasculares, e dois anos depois elas estavam morrendo por causa de cânceres ou outros problemas", diz Nir Barzilai, diretor do Instituto de Pesquisas sobre o Envelhecimento na Faculdade de Medicina Albert Einstein do Bronx. É verdade que o câncer agora é a segunda principal causa de mortes, atrás apenas das doenças cardíacas, e está encurtando a distância rapidamente – porque as pessoas estão sobrevivendo aos ataques cardíacos e convivendo bem com doenças cardíacas, o que faz com que vivam mais tempo para desenvolver o câncer. É como correr por uma pista com obstáculos, sabendo que ao final dela está a doença mais temida de todas, a deterioração cognitiva que chamamos de mal de Alzheimer, a qual afeta quase metade de todas as pessoas que tem a sorte de passar dos 85 anos.

Assim, se vivemos por mais tempo, mas passamos mais desses anos com pouca saúde, não estaremos numa situação muito melhor do que os Struldbrugs de Jonathan Swift, uma raça fictícia de seres humanos que receberam a dádiva da imortalidade, mas não a da juventude eterna; assim, continuam a ficar cada vez mais velhos, cada vez mais. A situação ideal é o contrário: permanecer radiantemente saudável até os 85 ou 90 anos (ou seja lá qual for a idade), e então sair de cena rapidamente – preferencialmente pilotando uma motocicleta ou praticando *BASE jumping*.

Infelizmente, a cultura estabelecida das pesquisas médicas ainda insiste em tentar enfrentar as doenças do envelhecimento individualmente: os Institutos Nacionais de Saúde (NIH) englobam institutos separados com verbas de muitos bilhões de dólares para fazer pesquisas sobre o câncer, diabetes, doenças cardíacas e circulatórias, e assim por diante. Na área de pesquisas médicas dá-se o nome de "modelo dos silos" para esse tipo de organização, porque cada doença é isolada das outras. Mesmo nos dias atuais, uma quantidade relativamente pequena de cientistas renomados – para não citar políticos ou pessoas encarregadas de definir diretrizes de pesquisa – reconhecem que o envelhecimento é um fator de risco crucial e subjacente que conecta todos esses problemas. Nos Estados Unidos, o Instituto Nacional do Câncer recebe uma verba de mais de 5,8 bilhões de dólares todos os anos; o Instituto do Coração, Pulmão e do Sangue recebe 3 bilhões, e o Instituto Nacional do Diabete e Doenças Digestivas e Renais recebe 2 bilhões. Enquanto isso, o Instituto Nacional do Envelhecimento (NIA – National Institute on Aging) recebe apenas 1,1 bilhão de dólares, e a maior parte dessa quantia é direcionada para pesquisas sobre a doença de Alzheimer. Os americanos gastaram quase o mesmo valor em cirurgias plásticas em 2012 (11 bilhões de dólares) do que as verbas destinadas para pesquisas científicas sobre doenças relacionadas ao envelhecimento. Pesquisas que estão focadas na própria biologia do envelhecimento recebem apenas cerca de 40 milhões de dólares, uma fatia ínfima do bolo; é possível gastar mais do que isso com um apartamento em Manhattan.

E isso é uma pena, porque alguns pesquisadores estão começando a perceber que o envelhecimento em si é o principal fator de risco para o diabetes, ou para as doenças cardíacas, ou para o câncer, ou para o mal de Alzheimer – e que alguma coisa inerente ao processo do envelhecimento pode ser o elo entre todos esses problemas. Cada uma dessas doenças tem um início longo e invisível, no qual a doença está se desenvolvendo sem que apresentemos sintomas. As disfunções celulares que resultam no Alzheimer começam *décadas* antes de percebermos quaisquer mudanças cognitivas; o mesmo acontece com as doenças cardíacas e o diabetes. A questão é a seguinte: quando realmente desenvolvemos a doença, já é quase tarde demais para fazer qualquer coisa para revertê-la. E se investigássemos mais profundamente para tentar encontrar o fator-chave do envelhecimento que nos torna suscetíveis a essas doenças?

Em laboratório, cientistas conseguiram fazer progressos enormes contra o envelhecimento, estendendo amplamente a duração das vidas de vermes, ratos e moscas, frequentemente com intervenções genéticas bastante simples. Em animais inferiores, e até mesmo em ratos, desativar um único gene pode dobrar o tempo de vida de uma criatura, ou até mais. Para Aubrey de Grey, isso é apenas um bom começo. Ele está propondo uma reengenharia radical da biologia humana, algo que pode ou não vir a ser possível, com o objetivo de eliminar ou reduzir os efeitos celulares do envelhecimento. De qualquer forma, essa é uma ideia provocativa, e já serviu para promover um longo debate entre aqueles que acham que podemos fundamentalmente alterar o próprio processo de envelhecimento e aqueles que acham que o melhor que podemos fazer é viver com muito mais saúde por um período um pouco maior.

O público americano acredita que a segunda opção é melhor. Uma pesquisa de 2013, feita pelo Pew Research Center, descobriu que a "duração média de vida" dos americanos – o quanto eles realmente querem viver – é de 90 anos, ou cerca de dez anos a mais do que estamos vivendo agora. Mas somente 8 por cento querem passar dos 100 anos, talvez por temerem também acabar como os Struldbrugs, cambaleando e resmungando em uma senescência artificialmente prolongada. Como Jonathan Swift imaginou, a imortalidade tem um encanto limitado. Assim como morrer enquanto se é jovem. Quando o filósofo da saúde pública Ezekiel Emmanuel declarou, em um texto publicado no *Atlantic*, que queria morrer aos 75 anos – argumentando que, em décadas recentes, aumentos na longevidade parecem chegar acompanhados por aumentos em problemas de saúde – os protestos foram ferozes.

Alguns conservadores religiosos também se colocaram publicamente contra as pesquisas focadas no envelhecimento. De acordo com eles, violar o envelhecimento é algo que vai contra a vontade de Deus (embora não usassem do mesmo argumento quando o uso de antibióticos começou a ir contra os micróbios de Deus). O último papa foi enfático em se colocar contra a ciência da extensão da vida, e o Conselho de Bioética oficial do presidente americano George W. Bush – as mesmas pessoas que conseguiram proibir pesquisas com células-tronco embrionárias nos Estados Unidos – emitiu um relatório em 2003 declarando que, basicamente, o único resultado das pesquisas científicas focadas no envelhecimento seria uma enorme quantidade de pessoas idosas e infelizes por todos os lados, ficando cada vez mais doentes, gastando o dinheiro dos outros e fazendo comentários rabugentos durante os jantares de família nos feriados.

É claro, eles estavam completamente equivocados. Pesquisas descobriram que, em geral, as pessoas mais velhas são muito *mais felizes* do que seus filhos de meia-idade e seus netos. Mais diretamente, o relatório do conselho e o ceticismo do público refletem um medo comum, do qual Emanuel também compartilhava: o de que uma vida mais longa corresponderá a uma vida mais longa *sem saúde*. Esse medo é fundamentado: quem iria querer passar seus dez ou quinze anos extras em um asilo?

Os cientistas que você vai conhecer em *Permaneça jovem para sempre (ou morra tentando)* enxergam um futuro bem diferente, e muito mais feliz, para o envelhecimento. Eles sentem que estão prestes a fazer descobertas importantes que contribuirão para a nossa compreensão do processo de envelhecimento, e como poderemos até mesmo começar a modificar o seu curso de maneira que possam fazer com que a maioria das pessoas que estão lendo este livro tenham vidas mais longas e saudáveis – mais como o meu avô e menos como o meu tio-avô.

Até mesmo Jay Olshansky concorda com isso, apesar de sua reputação de pessimista. "Acho que estamos próximos de uma grande descoberta, e o impacto dela vai chegar ao mesmo nível da descoberta da penicilina", declarou ele inesperadamente, durante o nosso banquete a base de salsichas em Chicago. Essa descoberta, provavelmente alguma espécie de medicamento, provavelmente algo que afete o metabolismo, tornaria possível para a maioria das pessoas retardar as doenças mais debilitantes do envelhecimento, pelo menos por algum tempo. "Mas ainda não chegamos lá", advertiu ele.

Isso cria uma espécie de dilema. Você tenta esperar pela pílula da longevidade – se ela chegar a ser inventada – e cuida de si mesmo o máximo que puder? Ou é melhor sairmos mais vezes para nos enchermos de cachorros-quentes? (Ou até mesmo de cigarros. Vamos sonhar alto).

É óbvio que não – ninguém quer ser o último a deixar passar a oportunidade de beber da Fonte da Juventude, curar o envelhecimento e derrotar a morte, um dos maiores desejos da humanidade há literalmente milhares de anos. Seja lá o que for, é melhor que aconteça rápido, porque muitas das pessoas que estão se esforçando o máximo para derrotar o envelhecimento – aquelas que Emanuel chamou de "os imortais americanos" –, na realidade, só estão deixando as coisas piores para si mesmas.

CAPÍTULO 3
A FONTE DA JUVENTUDE

Nada faz com que você pareça mais velho do que tentar parecer jovem.

Karl Lagerfeld

Alguém poderia se perguntar o que o professor Brown-Séquard poderia pensar a respeito de Suzanne Somers. A loira conhecida por usar shorts bem curtos que interpretou a personagem Chrissy no seriado *Um é pouco, dois é bom, três é demais* na década de 1970 acabou se transformando em uma guru que dá conselhos bastante populares sobre saúde. Autora de mais de vinte livros, revelou em muitos deles detalhes sobre sua própria luta, por vezes bastante elaborada, contra os demônios da idade. "Sou meu próprio experimento", disse ela diante de uma audiência extasiada de médicos e outros profissionais de saúde no vigésimo congresso da Associação Americana de Medicina Antienvelhecimento (A4M) em Orlando, em maio de 2012.

E como era: todas as manhãs, conforme revelou à Oprah Winfrey em uma entrevista vista amplamente em 2009, Somers engole não menos do que quarenta suplementos diferentes, seguidos por uma injeção de estrógeno puro, administrada diretamente na vagina. Como se isso já não fosse o bastante, ela também toma uma injeção diária de hormônio de crescimento humano, alegando que isso faz com que ela se sinta jovem constantemente. O jantar é servido com mais vinte comprimidos, provavelmente similares às fórmulas denominadas "Renovação e Restauração do Sono", "Renovação Óssea" e "Renovação das Pernas Sensuais" que ela vende em seu website. Isso não é nada quando comparado aos duzentos suplementos ingeridos diariamente por Ray

Kurzweil, futurista e inventor, que disse que planeja viver uma vida longa o bastante para testemunhar o fenômeno da Singularidade – quando o cérebro humano poderá ser transferido para um computador –, mas é um ótimo começo.

Somers foi a principal palestrante na conferência bienal da A4M, e continua a ostentar o título de celebridade mais famosa a promover medicamentos antienvelhecimento, uma das especializações da medicina que mais cresce nos Estados Unidos. Ela mesma havia recentemente completado 65 anos, mas, da poltrona em que eu estava, mais ou menos na décima quinta fileira, podia vê-la com uma aparência estonteante: desde a cabeleira loira iluminada por trás, os ombros tonificados, até o sorriso luminoso em forma de lua crescente, capaz de fazer alguém pensar que qualquer coisa é possível.

Alguns passos atrás e à direita do *derriere* bem-cuidado da moça estavam os doutores Ronald Rothenberg e Robert Goldman, duas das figuras de maior destaque na A4M, a qual Goldman, atleta de competições de levantamento de peso, osteopata e formado pela Faculdade de Medicina de Belize, cofundou em 1993. Naquela época os congressos anuais da organização atraíam um punhado de médicos renegados e entusiastas da longevidade que se sentavam em cadeiras dobráveis sob uma tenda; na manhã de hoje, mais de 2 mil profissionais da área médica lotavam o salão de festas do Marriott World Center, um resort e centro de conferências em Orlando, e havia um evento ainda maior em Las Vegas programado para dezembro. Por todo o mundo, a A4M diz ter mais de 20 mil membros.

Nada mau para uma especialidade que mal existia há vinte anos – e que, de fato, ainda não foi formalmente reconhecida pelo Conselho Americano de Especialidades Médicas, o órgão que toma as decisões em relação a assuntos como esse.

A área de medicamentos antienvelhecimento continua a ser um assunto extremamente controverso na profissão médica. Há alguns anos, Olshansky e seu colega Thomas Perls concederam a Goldman e ao outro cofundador da A4M (também formado pela Faculdade de Medicina de Belize), o dr. Ronald Klatz, um "velocino de prata" fajuto em uma conferência na Austrália. Klatz e Goldman reagiram a isso processando Olshansky e Perls, exigindo uma indenização de 150 milhões de dólares, mas acabaram desistindo do caso. "Não existe essa coisa de 'medicamentos antienvelhecimento'", insistiu Olshansky, enquanto comíamos nossos cachorros-quentes. O segredo do envelhecimento, de acordo com ele, é o fato de que não há nenhum segredo. "Não existe nenhuma droga, hormônio, suplemento ou creme comprovadamente capaz de reverter o envelhecimento, e ponto final".

Muitos dos participantes dos congressos da A4M preferem acreditar no contrário. Além do discurso de Somers, os especialistas podiam participar de palestras sobre como prescrever testosterona a homens mais velhos (apresentadas pelo próprio Rothenberg, de 67 anos, que orgulhosamente admite aplicar o hormônio em si mesmo até estar no mesmo nível de um rapaz de 20 anos para poder continuar a surfar).

Além desses, outros seminários populares incluíam palestras de negócios que explicavam como converter a carreira para algo a base apenas de dinheiro vivo. Tratamentos antienvelhecimento raramente são cobertos por planos de saúde, e é desnecessário dizer que "Obamacare"[4] era um palavrão naquela ocasião. No salão de exposições, adjacente ao de convenções, os corredores estavam apinhados de mulheres esculturais de 40 anos que, ao serem inquiridas a respeito, revelaram estar com cerca de 60. Estavam ocupadas examinando os produtos, desde uma balança que dizia o que a pessoa deve comer até um casulo para dormir que deixa a pessoa numa atmosfera hiperoxigenada, ao custo de 6 mil dólares. Olshansky me avisou para tomar cuidado com "qualquer pessoa que esteja tentando vender alguma coisa", e quase todos ali estavam alardeando algum tipo de suplemento, dieta especial, regime a base de hormônios, testes incrementados ou aparelhos que conseguiriam vencer o avanço inexorável do tempo. Meu favorito foi um suplemento a base de ervas, supostamente derivado da medicina chinesa, chamado Novamente Virgem.

"Temos uma longa história nesse negócio", suspirou Olshansky. "E a maior parte dela é sórdida".

Somers estava vendendo livros, de maneira geral. Diferente da maioria dos tipos de Hollywood que não abrem o bico em relação à batalha contra a idade, Somers sempre foi extremamente explícita em relação à sua, documentando a luta em uma série de obras literárias, começando com *The sexy years* em 2004. E embora muitos dos seus conselhos não sejam muito mais do que o senso comum básico (coma legumes frescos, faça exercícios, durma bem e fique atento aos níveis de estresse) e fosse difícil discordar das críticas que ela tecia sobre a medicina americana, que faz com que as mulheres mais velhas tenham que "se encher de comprimidos" – em suas próprias palavras –, tudo parecia depender daquela reposição hormonal. "Eu me sinto ótima, estou adorando a minha vida, tenho desejo sexual", disse ela à plateia da A4M, com risadas típicas de uma garotinha. "É maravilhoso! Meus amigos... bem, nenhum deles está fazendo sexo. Nenhum! E dá para perceber."

Ela e seu marido de oitenta e poucos anos vão para a cama *duas vezes por dia*, conforme relatou ao âncora Sean Hannity da Fox News, que demonstrava um desconforto notável durante a entrevista.

O professor Brown-Séquard ficaria embasbacado, e não seria por causa das curvas de Somers, delineadas pelas roupas vermelhas: ele não se importava muito com sexo, agindo de acordo com a crença comum do século 19 que pregava que o ato sexual minava a vitalidade das pessoas. Mas sua intuição de que os testículos produziam

---

[4] "Obamacare" foi o nome criado para se referir ao Patient Protection and Affordable Care Act (Lei de Proteção e Cuidado ao Paciente), uma lei federal dos Estados Unidos sancionada pelo presidente Barack Obama em 23 de março de 2010. Em essência, o Obamacare visa controlar o valor dos planos de saúde e expandi-los, para que se tornem acessíveis a uma parcela maior da população do país. (N. dos E.)

alguma substância que dava aos homens sua vitalidade provou estar correta quando os cientistas da Alemanha nazista identificaram o hormônio da testosterona em 1935 (e isso lhes concedeu o Prêmio Nobel um ano depois). O próprio Adolf Hitler, de acordo com relatos, combatia a fadiga causada pela tirania injetando um extrato de testículos de touro chamado Orchikrin, muito parecido com o elixir de Séquard. (Mas ele não gostou dos efeitos colaterais e parou de usar o medicamento logo depois).

Brown-Séquard havia especulado que também devia haver algo equivalente para as mulheres, e também tinha razão sobre isso: o estrógeno, também identificado na Alemanha na década de 1930. Milhões de mulheres já fizeram uso de terapias de suplementação de estrógeno, um hábito que se iniciou cerca de quinze minutos depois que a Food and Drug Administration (FDA) aprovou o seu uso em 1941, para vencer aquilo que Somers chama de "Os Sete Anões da Menopausa": *Comichão, Rabugento, Suarento, Dorminhoco, Inchado, Esquecido e Todo-Seco.*

Sabendo desse fato ou não, a maioria dos médicos nesse salão deve muito ao bravo pioneiro francês, o primeiro médico moderno que tentou usar medicamentos para combater o envelhecimento. Mas hoje quem estava recebendo todas as glórias era a sra. Somers. Já faz uma década que ela é a principal celebridade que fala em nome da A4M, aquela que leva a mensagem hormonalmente suplementada ao público; seus livros venderam mais de 10 milhões de exemplares, e cada vez que um título novo chega às livrarias, ela dá entrevistas em praticamente todos os canais de TV a cabo. Os jornalistas costumavam ser bem petulantes com ela, já que Somers tentava converter as pessoas a essa causa em nome de oncologistas renegados como Stanislaw Burzynski e Richard Gonzalez, ambos com passados muito controversos. Burzynski criou inimizade tanto com o FDA quanto com o Conselho de Medicina do Texas, enquanto Gonzalez trata pacientes de câncer pancreático com um regime nutricional bizarro centrado em lavagens intestinais a base de café, duas vezes ao dia. Em 2009, a revista *Newsweek* ridicularizou Somers e Oprah por sua "Conversa de Maluco", de acordo com a manchete de capa. Hoje em dia a mídia em geral fica longe da discussão, e Somers continua a pressionar. Na reunião da A4M, ela anunciou que havia acabado de assinar um contrato com sua editora para publicar mais três livros. "Eles não conseguem se livrar de mim", comemorou ela.

Mas enquanto a indústria editorial a adora, juntamente com suas vendas que rivalizam com as dos livros de Oprah, muitos especialistas veem problemas nos tratamentos agressivos a base de hormônios que Somers defende, elevando seus níveis de estrógeno e testosterona ao mesmo patamar de uma mulher de 30 anos no ápice da sua vida sexual (digamos, como Chrissy em *Um é pouco, dois é bom, três é demais*). Quando *Ageless* foi publicado em 2006, sete proeminentes especialistas em saúde da mulher (dos quais três foram citados no livro) escreveram uma carta aberta criticando-a por promover o "Protocolo Wiley", um regime intensivo de hormônios criado por outra escritora e atriz cujas credenciais médicas se resumiam a um bacharelado em antropologia. "É saudável receber doses equivalentes às de uma mulher de 30 anos quando você está com 60?", pergunta a dra. JoAnn Pinkerton, diretora do Centro de Saúde da Meia-Idade no Sistema de Saúde da Universidade da Virgínia. "Mostre-me as evidências."

∞

Terapias hormonais são uma tentativa de resolver um dos problemas mais óbvios do envelhecimento: nós murchamos. Perdemos nossa energia. Homens ficam menos viris, mulheres ficam menos femininas. O estrógeno é uma substância maravilhosa que mantém os corpos femininos férteis, sua pele espessa e lisa; a testosterona cria músculos e dá aos homens a autoconfiança que desejam. Ambos os hormônios podem declinar na meia-idade – gradualmente para os homens, subitamente para as mulheres. Sem eles nós perdemos altura, ganhamos gordura e, às vezes, ficamos mal-humorados. Assim, colocá-los de volta no corpo deveria resolver o problema, certo?

Seria lógico, mas, na realidade, as evidências hoje sugerem que resolver um problema pode criar outros que são ainda piores. A terapia hormonal para mulheres que passam pela menopausa foi extremamente popular e fortemente alardeada pela indústria farmacêutica até 2002, quando um enorme estudo promovido pela Women's Health Initiative (WHI) foi interrompido porque as mulheres que recebiam reposição de estrógeno estavam desenvolvendo cânceres de mama – e também doenças cardíacas, coágulos sanguíneos, AVCs e até mesmo demência – em taxas maiores do que as esperadas. Tudo indicava que a terapia hormonal estava efetivamente *acelerando* o envelhecimento dessas mulheres.

Da noite para o dia, as vendas dos medicamentos mais populares para a reposição hormonal despencaram, assim como o preço das ações da Wyeth, o laboratório responsável pela sua produção. Outro dado que caiu por terra foram as taxas de incidência de câncer de mama, que despencaram quase 9 por cento nos dois anos subsequentes à interrupção do estudo da WHI. Muitos cientistas acham que essas duas coisas estão relacionadas: menos mulheres recebendo terapia de reposição hormonal é igual a menos casos de câncer de mama. Mas algumas mulheres continuaram desesperadas por uma dose, o que é bem compreensível. Assim, Somers veio preencher essa lacuna dois anos depois com o livro *The sexy years*, no qual oferecia uma alternativa: os chamados hormônios bioidênticos, que são quimicamente idênticos aos hormônios produzidos pelo corpo feminino. Ela alegava que essas substâncias eram mais seguras que os produtos do laboratório Wyeth, sintetizados a partir da urina de éguas prenhas (daí o seu nome, Premarin, formado a partir de sílabas da expressão *pregnant mares' urine*). Somers vem fazendo uma campanha incansável em prol dos hormônios bioidênticos desde então, alegando que são menos perigosos e mais "naturais".

"Os bioidênticos são substâncias naturais e não podem ser patenteados", escreve ela em *Ageless*. "Portanto, é impossível ganhar dinheiro com a venda da melhor solução para mulheres que estão na menopausa."

Isso não é bem verdade: hormônios bioidênticos são manipulados individualmente para cada paciente por farmácias de manipulação que provavelmente lucram com a venda deles. (Além disso, a compra desses produtos raramente é coberta por planos de saúde, fazendo com que custem mais caro para as mulheres). Geralmente, contêm não apenas estrógeno, mas hormônios equilibradores como a progesterona e às vezes a testosterona, entre outros. O lado positivo é que isso permite aos médicos prescreverem uma mistura precisa para cada paciente. O lado negativo está relacionado à forma como são produzidos e no que pode haver nesses produtos: farmácias de manipulação têm uma regulamentação branda, diferente dos laboratórios farmacêuticos que estão sujeitos às regras rígidas do FDA. Estudos que analisaram medicamentos manipulados descobriram que as dosagens reais dos componentes podem variar enormemente e, em 2012, um caso de contaminação em uma farmácia de manipulação em Framingham, Massachusetts, causou um surto de meningite fungal que matou 64 pessoas e deixou mais de 700 doentes. O farmacêutico responsável foi indiciado em setembro de 2014.

"No meu trabalho eu acabo juntando os pedaços das pessoas que acreditaram [em Somers]", diz a dra. Nanette Santoro, especialista em menopausa da Universidade do Colorado em Denver. "Uma das minhas pacientes trouxe os seus cabelos em um saco plástico porque uma farmácia de manipulação errou feio quando produziu a sua prescrição."

As mulheres não precisam mais ir às farmácias de manipulação; já há vários tratamentos a base de hormônios bioidênticos aprovados pelo FDA no mercado, um fato que Somers nunca menciona. "Aprovado pelo FDA" significa que um medicamento foi testado em termos de segurança, eficácia, dosagem e absorção; tão importante quanto tudo isso, seu médico sabe exatamente o quanto você realmente precisa tomar. Mas, diferentemente dos medicamentos manipulados, exige-se que os hormônios aprovados pelo FDA tragam uma "tarja preta" assustadora no rótulo, mesmo que contenham basicamente os mesmos componentes.

De acordo com ela mesma, Somers vem fazendo uso da terapia hormonal há pelo menos vinte anos, mesmo depois de sobreviver a uma experiência com câncer de mama. Em seu livro mais recente, *I'm too young for this!*, ela recomenda terapia hormonal para mulheres ainda mais jovens, começando no final da casa dos 30. Assim, ela essencialmente endossa o uso de hormônios durante mais de metade da vida de uma mulher – apesar das evidências que mostram que o uso durante tanto tempo claramente não é algo seguro. Na verdade, diz a dra. Pinkerton da Universidade da Virgínia, as evidências mostram que o uso de hormônios é seguro apenas durante períodos curtos que variam entre três e cinco anos – e que, após os 60 anos de idade, o risco aumenta dramaticamente. "A teoria atual é que existe uma janela crítica, na qual se as mulheres receberem hormônios por um curto período por volta da época da menopausa, podem ter benefícios no coração e no cérebro", diz Pinkerton. "Mas, quando se tem plaquetas nas artérias ou neurônios envelhecidos, a aplicação de estrógeno pode acelerar esses problemas."

"As mulheres são bem mais suscetíveis, porque têm essa mudança abrupta em suas vidas", observa Santoro. "Além da sabedoria que a idade traz, todo o resto é um problema."

∞

Da mesma forma que as mulheres vêm se equiparando aos homens em todas as áreas da vida (exceto no caso da igualdade de salários, violência doméstica e direitos reprodutivos), os homens agora podem dizer que a igualdade alcançou um aspecto importante: agora nós também passamos pela menopausa. O processo é chamado *andropausa* e refere-se à diminuição lenta e gradual da testosterona que fica perceptível por volta dos 40 anos. Não é nem um pouco parecida com a menopausa, obviamente – os hormônios femininos despencam abruptamente, como se houvessem sido jogados de um penhasco, enquanto os níveis masculinos de testosterona diminuem numa trajetória suave e constante – mas, mesmo assim, a reposição de testosterona para homens se transformou em algo tão popular quanto a reposição de estrógeno antes do estudo da WHI acabar com a festa. De acordo com algumas estimativas, terapias focadas na reposição de testosterona são um negócio que vale 2 bilhões de dólares atualmente, e isso pode chegar a dobrar em 2019.

É certo que Brown-Séquard ficaria impressionado com o progresso que fizemos. Em vez daquele velho e nauseabundo extrato de testículos de touro, homens mais velhos agora podem aplicar um gel conveniente embaixo dos braços, que é anunciado durante todos os jogos de futebol americano da NFL (mas que suas esposas não podem tocar sob nenhuma circunstância, de acordo com a advertência no rótulo). Nos comerciais, homens de meia-idade flácidos e tristonhos são transformados em sátiros sorridentes e cheios de autoconfiança, embora a realidade não seja tão simples. Em estudos menores e mais curtos, verificou-se que a testosterona aumenta a massa muscular, melhora a acuidade mental e o bem-estar geral do homem (e também que aumenta a libido, embora essa parte seja surpreendentemente controversa entre os cientistas). Há até mesmo um estudo que alega demonstrar que a administração de testosterona torna os homens menos propensos a mentir. Mas há poucos dados sobre a segurança do uso da testosterona por períodos mais longos. A preocupação mais comum, a de que o hormônio aumenta a probabilidade de desenvolver câncer de próstata, não encontrou respaldo em evidências; essa noção existe devido a um único caso registrado em 1941. Em estudos recentes, médicos tentaram usar a testosterona para prevenir ou tratar problemas na próstata, mas com sucesso limitado.

Há outras questões mais sérias, entretanto. Um estudo feito em 2010 sobre a testosterona em homens com problemas no coração teve que ser interrompido porque pareceu aumentar o risco de eventos cardíacos. Outro estudo apontava para um aumento no risco de derrame. Outras pesquisas financiadas por fabricantes de medicamentos mostraram que o risco variava entre "pouco" e "nenhum", mas, nas palavras ácidas dos autores de uma das resenhas, "Os efeitos da testosterona em eventos cardiovasculares variaram de acordo com a fonte da verba de pesquisa".

Espera-se que muitas dessas perguntas sejam respondidas por um grande estudo clínico dos Institutos Nacionais de Saúde sobre a testosterona em homens com mais de 65 anos, algo comparável ao estudo sobre a saúde da mulher, que finalmente está ocorrendo após mais de uma década de atrasos, embora os resultados só tenham aparecido no final de 2015. Enquanto isso, entretanto, o FDA vem investigando relatos de que a reposição de testosterona causou ataques cardíacos, AVCs e mortes – e os advogados das vítimas apareceram logo em seguida. Mas os médicos estão prescrevendo os medicamentos ainda mais rápido, impulsionados pela publicidade e promoções em vez de uma necessidade médica real, de acordo com o pesquisador australiano especializado em testosterona David Handelsman. Handelsman diz que as prescrições de testosterona estão aumentando excessivamente, e crê que o conceito da própria andropausa seja uma "falsa analogia" à mudança bastante severa e real na vida das mulheres que é a menopausa.

Seja lá qual for o resultado dos estudos sobre a testosterona – legais ou clínicos –, parece improvável que um resultado negativo venha a diminuir o ânimo de Somers ou de seus seguidores da A4M. No palco ela radiava autoconfiança, encantando a plateia com seu discurso apaixonado. O fato que a deixava mais empolgada era o advento das "nanopartículas", entidades minúsculas que viajarão pela nossa corrente sanguínea, coletando informações e administrando tratamentos dentro do nosso corpo. Ray Kurzweil falou a ela sobre o assunto.

"Mal consigo acreditar no quanto as coisas são lindas aos 65 anos!", disse ela. "Ray Kurzweil me perguntou quanto tempo eu acho que vou viver, e eu disse: 'Honestamente, Ray, eu consigo me ver vivendo até os 110. Honestamente. Pela maneira como me sinto. Com força'."

∞

Sentado na plateia, admirando a loira saltitante que foi o símbolo sexual da minha adolescência, tentei imaginar a aparência de Suzanne Somers aos 110 anos. Resposta: provavelmente seria muito boa para uma mulher de 110. Ela certamente não estava disposta a se render sem luta. Mas eu tinha algumas dúvidas em relação à eficácia dos métodos que ela escolheu para chegar até lá.

Intelectualmente, minha curiosidade ficou atiçada por algo que ela mencionou muito rapidamente, mas que estava na base de muito do que se passava na conferência da A4M: o hormônio de crescimento humano, ou HGH (da sigla em inglês *Human Growth Hormone*), prescrito por muitos, senão todos os médicos especializados em terapias antienvelhecimento presentes naquela conferência. O próprio nome da substância é algo quase talismânico: *hormônio de crescimento humano*. Quem não iria querer algo assim?

Somers não apenas o toma diariamente, mas um dos textos fundamentais do movimento antienvelhecimento é um livro de 1997 chamado *Grow young with HGH: the amazing medically proven plan to reverse aging* (*Rejuvenesça com o HGH: o impressionante plano clinicamente comprovado para reverter o envelhecimento*), escrito por Ronald Klatz, cofundador da A4M. O livro exaltava os maravilhosos poderes do hormônio de crescimento humano, uma substância potente usada predominantemente por crianças com problemas de desenvolvimento e por atletas agressivamente trapaceiros como Barry Bonds. Desde então, o mercado do HGH decolou. De acordo com as minhas conversas com vários dos médicos presentes, ficou claro que o HGH e injeções de reposição hormonal estavam entre os fatores que mais impulsionavam os lucros na medicina. As vacinas, juntamente com os exames sanguíneos adjuntos, podem custar mais de 2 mil dólares por mês aos pacientes. "O HGH mudou a minha vida", disse um clínico da Flórida, um ex-médico de família que declarou que a sua renda triplicou depois que começou a vender hormônios para *baby boomers* já velhos.

Mas o que dizer sobre a parte "clinicamente comprovado" do subtítulo do livro? O HGH é realmente capaz de "reverter o envelhecimento", como o livro de Klatz alega? Seria realmente a solução mágica para o problema? Com certeza, atletas desonestos, desde Lance Armstrong até Alex Rodriguez parecem pensar que o hormônio fez *alguma coisa* por eles. E Somers, certamente, não é a única celebridade hollywoodiana a aproveitar a ocasião. Sylvester Stallone foi pego com uma mala cheia de HGH há alguns anos, por exemplo, e a falecida modelo e atriz Anna Nicole Smith também era usuária de HGH quando morreu em 2007, aos 39 anos de idade.

"Vou lhe dizer qual foi a principal razão que me fez tomar HGH", disse um homem de sessenta e poucos anos identificado como um "diretor de cinema tradicional de Hollywood" à revista *Vanity Fair* em 2012: "Adoro transar".

É impossível pagar por uma publicidade melhor do que essa. Entre 2005 e 2011, as vendas de hormônio de crescimento nos Estados Unidos cresceram em 69 por cento, chegando a 1,4 bilhão de dólares, de acordo com uma investigação feita pela Associated Press. Ninguém sabe o quanto mais é importado ilegalmente da China, Índia e México. Os números altos desmentem o fato de que é extremamente difícil prescrever HGH legalmente. O hormônio é aprovado pelo FDA apenas para um conjunto restrito de problemas relativamente raros, incluindo "baixa estatura" em crianças e definhamento em pacientes com Aids. A prescrição de HGH para outras doenças não especificadas pelo FDA é uma prática oficialmente malvista; inclusive, o HGH é governado por regulamentações ainda mais rígidas do que a cocaína de uso medicinal, em grande parte para impedir abusos por parte de atletas. Médicos especializados em terapias antienvelhecimento conseguem ignorar essas restrições diagnosticando seus pacientes com algo chamado de deficiência de hormônio de crescimento adulto, um problema cuja definição é tão vaga que pode ser aplicada para quase todos os adultos mais velhos, já que o hormônio de crescimento diminui naturalmente após os 20 anos de idade. A Pfizer foi multada em quase 35 milhões de dólares em 2007, após promover ilegalmente a prescrição de HGH para tratar outras doenças além daquelas oficialmente aprovadas pelo FDA. Mas isso foi uma gota no balde quando comparado ao volume de vendas da substância. De acordo com a AP, "Pelo menos metade das vendas [de 2011] provavelmente chegou às mãos de pacientes que não poderiam receber legalmente o medicamento".

Mais recentemente, o governo federal começou a fechar o cerco, promovendo operações contra clínicas especializadas em terapias antienvelhecimento, como um estabelecimento em Miami frequentado por Rodriguez. Talvez não seja surpreendente o fato de que a turma da A4M relute em falar sobre HGH em caráter oficial. Na verdade, "relutar" seria uma forma suave de apresentar a situação: a representante de relações públicas disse casualmente que a organização poderia considerar a possibilidade de mover um processo contra mim, assim como fizeram com Jay Olshansky. A rusga estava criada. Assim, viajei para Las Vegas para encontrar o mais franco usuário de hormônio de crescimento que consegui encontrar.

∞

Se você já folheou as últimas páginas de qualquer revista publicada por companhias aéreas, é certo que vai reconhecer o dr. Life: ele é o vovô sorridente e calvo com um tronco musculoso implausível. Incrivelmente, dr. Life é o seu nome verdadeiro: ele tem 75 anos de idade, mas seu corpo se parece com o de um dançarino de 25 do grupo Chippendale (aqueles que fazem shows de *striptease* masculino). O dr. Jeffry Life é o rosto de uma empresa sediada em Las Vegas chamada Cenegenics, que administra mais de vinte clínicas especializadas em antienvelhecimento por todo o país.

Pessoalmente, Jeff Life é uma pessoa amigável, realista, e tão musculoso quanto o seu famoso retrato, que está pendurado na parede do seu escritório na sede da Cenegenics, um palácio de mármore branco a cerca de vinte minutos da famosa *Strip*, a área dos cassinos de Las Vegas. Seus bíceps famosos marcam as mangas de uma camiseta simples quando ele se recosta na cadeira e coloca os pés sobre a escrivaninha, perfeitamente limpa. As estantes estão ocupadas por exemplares dos seus dois best-sellers: *The life plan* e *Mastering the life plan*. Não parece ser um escritório onde alguém trabalha muito; deve ser muito bom ser o dr. Life.

Outra coisa que eu percebo é que, embora o seu tronco musculoso diga *astro pornô gay*, seu rosto e os poucos cabelos dizem *Larry David*. É visível que ele não passou por nenhuma cirurgia plástica ou transplantes capilares. Parece ter a idade que tem, com exceção dos enormes peitorais. Isso faz com que eu queira gostar dele, mas os motivos são diferentes daqueles que me fizeram gostar de Suzanne Somers.

No lado oposto do escritório há outro retrato emoldurado pendurado na parede, que mostra um homem atarracado e com uma bela barriga de cerveja, com o corpo largado em um veleiro em um lago barrento. Aquele ali também é o dr. Life. Ou, melhor dizendo, era o dr. Life. Quando a foto foi tirada, ele era um médico de família de 57 anos na região nordeste da Pensilvânia, com um casamento ruim, uma barriga flácida e um gosto por bebidas alcoólicas. Não sabia ainda, mas estava a caminho de desenvolver diabetes tipo 2 e já tinha problemas em suas artérias coronarianas. Alguns anos depois, de acordo com ele, um paciente deixou um exemplar de uma revista sobre fisiculturismo em sua sala de espera, e ele a levou para casa e a leu de cabo a rabo.

Algumas edições mais tarde, ele decidiu entrar em uma competição patrocinada pela revista, que oferecia um prêmio a homens e mulheres que remodelassem mais drasticamente o próprio corpo exercitando-se com pesos. Sua namorada Annie, sua atual esposa, tirou uma foto do tipo "antes" usando o porão como cenário. Em seguida ele se matriculou em uma academia, contratou um *personal trainer* e um nutricionista e começou a malhar como louco. Doze semanas depois, ele enviou a sua foto mostrando o "depois", que também está emoldurada na mesma parede. O moleirão com a barriga de cerveja no veleiro havia se transformado em um Schwarzenegger de porão, e tinha a musculatura ainda mais definida do que as fotos usadas nos famosos anúncios. Ele venceu a competição da "Body-for-Life", mas também mudou a própria vida. Em doze semanas, transformou-se praticamente em uma pessoa diferente.

"Isso é incrível", eu disse.

Ele faz que sim com a cabeça. "Eu digo às pessoas que, se eu consegui fazer isso, então qualquer pessoa também consegue", disse ele. "Não sou especial. Na verdade, herdei genes ruins, e consegui vencer meus próprios genes. Sou uma pessoa gorda em um corpo magro."

Entretanto – como você já deve ter adivinhado – exercícios e uma dieta balanceada não são seus únicos segredos. Ele continuou treinando intensivamente, mas quando chegou ao meio da casa dos 60, sentiu que estava perdendo terreno. "Eu ainda ia à academia e tentava comer de maneira saudável, mas estava recuperando a minha barriga e perdendo massa muscular e força", diz ele. Em 2003, participou de uma conferência da Cenegenics em Las Vegas, onde aprendeu sobre a importância de "níveis hormonais saudáveis". Ficou um dia a mais para passar pela avaliação inicial de pacientes de 3 mil dólares, que incluía exames de sangue, exames de aptidão física e muitas varreduras corporais para determinar sua composição corporal e detectar cânceres.

Os exames de sangue mostraram que ele estava no nível mais baixo da escala normal de testosterona e hormônio de crescimento, mesmo para um homem da sua idade. Seu novo médico o colocou em uma terapia que mantinha os exercícios intensivos com pesos, mas acrescentou duas injeções semanais de testosterona e uma injeção diária de HGH. "Comecei a me sentir melhor em cerca de duas semanas", diz ele.

Em menos de um ano, o dr. Life se mudou para Las Vegas, onde logo se transformou no garoto-propaganda da Cenegenics e pupilo do seu fundador, o dr. Alan Mintz, um ex-radiologista e halterofilista de competição, que havia entrado na casa dos 60 há pouco tempo. O próprio Mintz era um proponente bastante loquaz e usuário declarado de hormônio de crescimento humano, entre outras coisas. De acordo com uma história, houve uma ocasião em que Mintz correu a maratona de Nova York levando consigo seringas cheias de analgésicos (porque estava com o joelho machucado).

O outro pilar do programa do dr. Life, é claro, é um programa de exercícios e treinamento extremamente brutal, alternando entre treinamentos intensos para desenvolver a força e sessões igualmente intensas de exercícios cardiovasculares – como pedalar uma bicicleta ergométrica enquanto assiste a DVDs de seriados de ação como *Breaking Bad*. Ele precisou implantar dois *stents* no coração por causa de uma doença coronariana, mas não deixou que isso o desanimasse. O jantar daquela noite consistiria de um peito de frango sem pele, arroz integral e brócolis. E ele havia largado a bebida há vários anos. "Você não pode beber e achar que vai ter um físico como o meu", reconhece ele. É melhor eu pensar bem nisso.

Mas ele ainda insiste que as injeções são essenciais. "Percebi que o elo que faltava eram os hormônios", diz ele. "Sem o hormônio de crescimento, tenho 100 por cento de certeza de que não teria a aparência que tenho, não me sentiria como me sinto, não faria o que faço e não pensaria como penso hoje."

∞

Tudo isso é fantástico; estou louco para ser igual ao dr. Life quando chegar aos meus 65 anos. Mas, conforme investigava as reais pesquisas científicas sobre o hormônio de crescimento humano – e a história recente da própria Cenegenics –, descobri que essa droga milagrosa não é exatamente a Fonte da Juventude que muitas pessoas acreditam ser. Longe disso; na verdade, muitos cientistas acreditam que o hormônio pode até mesmo ajudar a *acelerar* o processo de envelhecimento.

Incrivelmente, grande parte do furor em prol do HGH está baseado em um único e pequeno estudo publicado em 1990 – e que já foi repudiado pelo próprio periódico no qual foi publicado. No estudo, um pesquisador da Faculdade de Medicina de Wisconsin chamado Daniel Rudman deu injeções de HGH a doze pacientes do estado da Virgínia com mais de 60 anos e com níveis de hormônio de crescimento abaixo da média para a idade. Após seis meses de injeções aplicadas três vezes por semana, Rudman notou que os homens haviam ganhado mais de quatro quilos de "massa magra" (ou seja, músculos) e perdido mais de três quilos de gordura.

Até aquele ponto, o HGH recombinante era um medicamento bastante obscuro, conhecido apenas por pediatras que tratavam crianças com deficiências de crescimento. Depois que o estudo apareceu, o mercado de hormônio de crescimento adulto explodiu praticamente da noite para o dia. Finalmente havia um medicamento "cientificamente comprovado" que podia aumentar a massa muscular e fazer a gordura desaparecer. Ron Klatz, em sinal de gratidão, dedicou seu livro *Grow young with HGH* a Rudman – mas o próprio Rudman, que faleceu em 1994, ficou horrorizado pela maneira com a qual o seu trabalho foi utilizado. Seu pequeno estudo foi citado em tantos anúncios publicitários feitos por farmácias que vendiam produtos por catálogo e clínicas antienvelhecimento de reputação duvidosa que em 2003 o *New England Journal of Medicine* tomou a decisão inusitada de denunciar seu próprio periódico em um editorial bastante severo: "Embora as descobertas do estudo fossem biologicamente interessantes, a duração do tratamento foi tão curta que possíveis efeitos colaterais não tiveram tempo suficiente para emergir, e ficou claro que os resultados não eram suficientes para servir como base para a recomendação de tratamentos".

Tarde demais. O cavalo já havia fugido do celeiro – e já havia injetado uma quantidade enorme de HGH em si mesmo. Mas, conforme descobri ao continuar com minhas pesquisas, talvez o HGH não consiga corresponder às expectativas. Embora realmente pareça aumentar a massa muscular e vaporizar a gordura dos seus usuários, não parece aumentar realmente a *força* muscular. Levantar pesos (e tomar testosterona) aumentam realmente a força; além disso, outros estudos demonstraram que o treinamento com pesos e exercícios vigorosos – como corridas rápidas de curta distância – parecem aumentar os níveis de hormônio de crescimento naturalmente. O sono profundo tem o mesmo efeito. E isso me fez imaginar se o dr. Life realmente precisava da substância: ele se alimenta bem, não bebe e se exercita vigorosamente, uma combinação de treinamento para desenvolver a força física e condicionamento aeróbico. Perfeito. Ele realmente precisa de mais ajuda?

Ele insiste que sim: injeções de hormônio de crescimento são a única maneira de fazer com que um cara da idade dele se pareça com... o dr. Life. Mas, infelizmente, as injeções também fazem outras coisas. O HGH está associado a uma longa lista de efeitos colaterais que incluem edemas, dores nas articulações (incluindo a síndrome do túnel carpal) e um aumento drástico de intolerância a glicose e até mesmo diabetes para pacientes mais velhos, particularmente para os homens. Em relação aos efeitos de longo prazo, é difícil dizer. Diferentemente do estrógeno, não existem testes clínicos mais amplos e de duração mais longa sobre o uso do HGH em adultos mais velhos – em parte porque é tecnicamente ilegal utilizá-lo para retardar o envelhecimento, mas também porque nem as empresas farmacêuticas que fabricam o produto e nem os médicos que o prescrevem demonstraram qualquer entusiasmo para realizar esse tipo de estudo. Assim, seus milhões de pacientes estão essencialmente fazendo experimentos consigo mesmos, assim como Suzanne Sommers (e Brown-Séquard).

Por algum tempo, considerei a hipótese de fazer o mesmo, registrando-me para fazer uma terapia de reposição de testosterona e possivelmente até tomar hormônio de crescimento humano, só para ver como iria me sentir. Cheguei até mesmo a me submeter a alguns testes, mas descobri que meus níveis de testosterona – não que eu queira me gabar – já eram bem altos. O hormônio de crescimento continuava a ser algo intrigante, entretanto. Mas não levou muito tempo para eu descobrir dados científicos de laboratório que explicavam por que tomar doses extras desse hormônio pode não ser uma ideia tão interessante. Ciência de laboratório e também o filme *A princesa prometida*.

Vamos começar pelo laboratório. Os camundongos de laboratório com o maior tempo de vida já observados, na realidade, não tinham *nenhum* receptor de hormônio de crescimento em suas células. Foram modificados geneticamente para serem imunes à substância. Considere atentamente a situação. Nada de hormônio de crescimento, vida mais longa. Esse fenômeno foi descoberto por uma aluna de pós-doutorado chamada Holly Brown-Borg, que estava selecionando indivíduos de um conjunto de camundongos e separando os animais mais velhos para um estudo sobre o envelhecimento que havia planejado, quando percebeu que muitos dos camundongos mais velhos eram de um tipo chamado de "anão de Ames", os quais apresentavam uma mutação estranha que havia desativado os seus receptores de hormônio de crescimento. E eles também pareciam viver mais tempo do que os outros. "Foi quando eu pensei: uau, talvez o hormônio de crescimento tenha algo a ver com isso", disse Brown-Borg, que hoje é professora titular na Universidade de Dakota do Norte.

Resumo da história: ela e seu mentor Andrzej Bartke, da Universidade do Sul do Illinois, descobriram que o hormônio de crescimento e a longevidade eram inversamente proporcionais. Algumas linhagens de camundongos sem receptores de hormônio de crescimento haviam vivido quase duas vezes mais do que camundongos normais, ou quase cinco anos. Eram muito menos propensos a desenvolver as doenças da velhice, como o câncer, o que significa que eles estão realmente envelhecendo mais lentamente. Ao mesmo tempo, camundongos que foram criados para produzir quantidades maiores de hormônio de crescimento tendem a viver apenas metade do tempo de vida médio dos camundongos normais. Tudo isso sugere que hormônio de crescimento em excesso pode não ser algo saudável. Assim, qual seria o motivo para se injetar com quantidades maiores?

"Eu não tomaria hormônio de crescimento quando estivesse mais velha", diz Brown-Borg. "O HGH acelera o envelhecimento, especialmente no longo prazo. Não entendo por que motivo as pessoas chegam a considerar a possibilidade de tomar isso."

Eu entendo: os usuários parecem acreditar que o HGH faz com que se sintam mais jovens, pelo menos por algum tempo. Mas o mesmo aconteceria se fizessem *piercings* nos mamilos. Considerando o longo prazo, nenhuma dessas escolhas parece ser particularmente inteligente.

Se quiser mais evidências, não é preciso procurar muito longe. Basta ir até o parque mais próximo que permite a entrada de cachorros. Cães pequenos como os chihuahuas podem viver quinze anos ou mais, enquanto os enormes pastores dinamarqueses raramente passam dos sete ou oito. A razão pela enorme diferença em tamanho se resume a um único gene que regula o fator de crescimento 1, um hormônio similar à insulina (identificado pela sigla IGF-1), o mensageiro que diz às nossas células para crescerem e se dividirem, e que trabalha junto com o hormônio de crescimento. Cães maiores produzem mais IGF-1, enquanto a reprodução seletiva ao longo de centenas de anos acabou por criar exemplares que secretavam quantidades cada vez menores dessas substâncias. Será que isso também explicaria por que os cachorros menores, com menos hormônio de crescimento e menos IGF-1 quase sempre vivem mais do que os cães maiores? E será que a mesma explicação vale para os seres humanos?

É certo que o excesso de hormônio de crescimento humano não foi uma coisa boa para André, o Gigante, o carismático lutador de luta livre que se transformou em ator. Ele sofria de uma doença rara chamada acromegalia, causada por um tumor benigno na glândula hipófise, o que a fez produzir quantidades excessivas de hormônio de crescimento. André tinha bem mais de 2,10 m de altura e pesava mais de 225 quilos no auge da sua carreira; a epítome de alguém que tem "ossos grandes". André também vivia como um gigante: quando não estava arrancando a maquiagem de Hulk Hogan aos murros, ou fugindo com *A princesa prometida*, ele era capaz de beber mais de cem garrafas de cerveja em uma mesma noite. Isso pode ter ajudado a apressar sua morte precoce em 1993, quando tinha apenas 46 anos, mas pessoas com acromegalia geralmente morrem quando ainda são relativamente jovens.

Uma das razões pode estar relacionada ao câncer. Sabe-se que o excesso de hormônio de crescimento pode estimular a proliferação de células cancerosas, embora não se saiba se usuários de hormônio de crescimento correm mais riscos porque os estudos específicos não foram executados. Em 2004, uma mulher de 56 anos que vivia na Califórnia chamada Hanneke Hops procurou a Cenegenics em busca de um tratamento antienvelhecimento porque queria continuar a desfrutar do seu estilo de vida ativo, correndo maratonas e cavalgando. Como muitos – se não como a maioria dos outros pacientes da Cenegenics –, ela recebeu injeções de hormônio de crescimento, que podem custar de 1 mil a 2 mil dólares por mês (que cobrem as vacinas, os exames exigidos e as visitas ao consultório). Ela perdeu 7 quilos rapidamente. "Isso faz com que eu me sinta bem", disse ela ao jornal *San Francisco Chronicle*. Mas o tratamento não durou muito tempo, porque seis meses depois ela estava morta, com o fígado entupido de tumores malignos. Sua família alegou que o tratamento a base de hormônio de crescimento causou ou acelerou o câncer, mas o dr. Mintz insistia que não era o caso.

Alguns anos mais tarde o dr. Mintz apareceu no programa *60 Minutos*, que estava investigando a controvérsia que englobava os medicamentos antienvelhecimento – mas antes que a história fosse ao ar, o dr. Mintz também morreu em circunstâncias misteriosas. No início, a empresa disse que ele havia sofrido um ataque cardíaco enquanto levantava pesos, mas descobriu-se posteriormente que ele havia sucumbido a complicações de uma biópsia no cérebro – em outras palavras, um exame de raio X revelou uma lesão que poderia ser devida a um câncer, e os médicos estavam-na investigando. A biópsia não revelou nenhum problema, de acordo com a empresa. Contudo os resultados da autópsia nunca foram revelados ao público. Assim, a verdadeira causa da sua morte em 2007, aos 69 anos (uma idade que não chegava a ser muito avançada talvez nunca venha a ser conhecida).

O que está claro é o fato de que o envelhecimento é algo bem mais complicado do que a maioria das pessoas imaginam – e que simplesmente colocar algo de volta no corpo, como hormônio de crescimento ou qualquer suplemento seja a mania do momento que não vai resolver o problema, assim como aconteceu com o Elixir de Séquard. Não existe cura rápida, apesar do que os vários mascates do evento da A4M estavam oferecendo: programas de reposição hormonal, sim, mas também sintonizadores de ondas cerebrais, câmaras de sono hiperoxigenadas e uma gama aparentemente infinita de suplementos, todos prometendo curar este ou aquele desagradável efeito colateral do envelhecimento.

"Imagine que você tem uma sinfonia escrita por Mozart", diz Valter Longo, professor titular de biologia da Universidade da Carolina do Sul e um dos principais pesquisadores do envelhecimento. "Tomar hormônio de crescimento, um suplemento ou qualquer outra coisa é como chegar até o violoncelista e dizer: 'Você consegue tocar seu instrumento bem mais alto?' Provavelmente isso só vai servir para estragar todo o conjunto".

∞

Ainda assim, Brown-Séquard havia descoberto algo importante – e o mesmo ocorreu com Suzanne Somers e o dr. Life em seus próprios devaneios iludidos. Por dentro, um corpo mais velho é fundamentalmente diferente de um corpo jovem.

No início dos anos 1970, um cientista alemão chamado Frederick Ludwig, na Universidade da Califórnia-Irvine, demonstrou o quanto isso é importante em um experimento inusitado e radical: ele fez um corte no lado direito de um rato de 3 meses de idade, e outro do lado esquerdo de um rato com 18 meses, o equivalente de uma pessoa com 60 anos de idade. Em seguida, costurou os dois animais um ao outro, da altura dos ombros até o flanco, como se fossem gêmeos siameses. Fez isso várias e várias vezes até ter 235 pares em diferentes combinações: velhos com jovens, velhos com velhos, jovens com jovens.

A técnica era chamada de parabiose, e se parece ser algo da época de Brown-Séquard, é porque é exatamente isso: ela data dos anos 1860, quando um médico francês chamado Paul Bert uniu dois ratos albinos dessa maneira pela primeira vez. Descobriu que os sistemas circulatórios de ambos os animais acabaram se unindo, e assim o mesmo sangue fluía pelas veias dos dois. Desde então, a parabiose vem sendo usada para estudar o sistema imune, as funções renais, o câncer e os efeitos da radiação. A pergunta de Ludwig era elegantemente simples: o que aconteceria se você ligasse um animal velho a uma fonte de sangue jovem?

A ideia não era apenas dele: a noção de parabiose "heterocrônica", pareando animais jovens e velhos, já havia sido sugerida vários anos antes por Alex Comfort, um dos primeiros gerontologistas britânicos que intuiu que havia algo muito especial na juventude – como as pessoas jovens resistem a fatores como estresse, lesões e doenças de maneira muito mais intensa do que seus pais. "Se conseguirmos manter durante toda a vida a mesma resistência ao estresse, às lesões e às doenças que tínhamos aos 10 anos de idade, cerca de metade de nós que estamos aqui atualmente poderia chegar a viver 700 anos."

Não há erro algum nessa transcrição: *700 anos*. É algo que está nos sonhos de Aubrey de Grey. Tudo que você precisa é permanecer igual, em termos biológicos, a como você era aos 10 anos de idade. Aí está o x da questão.

Comfort suspeitava que havia algo nos corpos jovens que lhes dá seus maravilhosos e joviais poderes de resistência e regeneração e, embora essa coisa seja extremamente potente, também é efêmera, aparentemente desaparecendo em cerca de uma década. Mas Comfort estava ocupado demais para fazer seus próprios experimentos, já que, aos 66 anos de idade, estava ocupado com os toques finais em sua obra mais popular, um belo manual de instruções ilustrado chamado de *The joy of sex*. Assim, o trabalho pesado ficou por conta de Ludwig e seus assistentes no laboratório, que passaram várias semanas trabalhando para costurar animais uns nos outros.

Com certeza a parabiose é algo bem assustador; o procedimento foi, inclusive, proibido na Alemanha. Mas a coisa parece bem pior do que realmente é. Eu observei uma cirurgia de parabiose em dois ratos em um laboratório da Faculdade de Medicina Albert Einstein no Bronx, e foram necessários vinte minutos praticamente sem qualquer traço de sangue para cortá-los e costurá-los um ao outro. Dentro de uma semana, mais ou menos, a incisão cicatrizaria e seus sistemas circulatórios se mesclariam um ao outro, de modo que o mesmo sangue poderia circular por ambos os corpos. É bem verdade que mais de um terço dos pares de Ludwig morreu, mas os índices de sobrevivência são bem mais altos hoje em dia, e os animais acabam por viver vidas bem mais sossegadas quando decidem qual dos animais vai "conduzir" o outro, tal como nas danças de salão. É certo que essa existência nova e conjugada é bem mais interessante do que passar o dia inteiro sozinho em uma gaiola. "Quando você pensa na situação, ser um rato de laboratório é uma coisa bem chata", disse um dos cientistas envolvidos em experimentos de parabiose, num tom que tentava se aproximar de uma piada.

Em seguida, Ludwig e sua equipe fizeram o que os cientistas sempre fazem em estudos sobre o envelhecimento: esperaram até que os animais morressem. (Pois é, aquele cientista falou mesmo sobre essas coisas serem chatas). Mas os resultados não foram nem um pouco entediantes. Os ratos velhos que haviam sido pareados com animais jovens conseguiram viver por um tempo incrivelmente longo, entre quatro e cinco meses a mais do que ratos unidos a parceiros de idades similares. Chegaram até mesmo a sobreviver um pouco a mais do que os 65 ratos individuais do grupo de controle de Ludwig que não foram submetidos à cirurgia traumática. Considerando que ratos de laboratório normalmente vivem pouco mais de dois anos, isso correspondia a estender a expectativa de vida humana de cerca de 80 para quase 100 anos.

Em outras palavras, Ludwig descobriu que a juventude é contagiosa. Mas por quê?

A melhor explicação que ele conseguiu oferecer foi a de que os animais mais velhos acabaram sendo protegidos de possíveis infecções, beneficiando-se do acesso ao sistema imune dos mais novos. O sistema imune certamente é importante no processo do envelhecimento, como logo veremos, mas será que há alguma razão mais profunda? Será que há algo no sangue jovem, alguma espécie de fator que promove a juventude, que ajudou os animais mais velhos a viverem por mais tempo?

> Jovem para sempre (ou morra tentando)

Essa é uma indagação muito, muito antiga. No distante século 13, o alquimista-filósofo Roger Bacon afirmava que um velho poderia ser rejuvenescido se inalasse o hálito de virgens (homens virgens, supostamente). Muitos velhos (e velhas) desde então vêm procurando a companhia da juventude, em caráter sexual ou não, talvez com objetivos similares em mente. No século 16, sir Francis Bacon (sem parentesco com Roger) fez uma transfusão de sangue de um cão jovem para outro mais velho, que lhe pareceu rejuvenescer bastante pela experiência. E, por falar em sangue jovem, não podemos deixar de mencionar o fictício Drácula, que não se alimentava de nada além de sangue, e que dizia ter vários séculos de idade – embora, na vida real, o verdadeiro conde Vlad "O Empalador" Drácula chegou somente até meados dos 40.

Nem mesmo Ludwig conseguiu dar uma explicação melhor ao que havia observado, e a parabiose acabou perdendo popularidade outra vez. Mas as perguntas que o processo havia levantado eram muito profundas: alguma coisa no sangue jovem devia ter esse poder de rejuvenescer animais mais velhos. Mas o que seria? E por que perdemos seja-lá-o-que-for com a idade? O que é que muda dentro de nós de maneira tão profunda a ponto de alterar a composição do nosso próprio sangue?

Ou seria melhor parar de fazer essas perguntas e fazer uma transfusão de sangue doado pela minha jovem sobrinha – que, no momento em que escrevo este livro, está com exatamente 10 anos de idade?

É isso que eu precisava descobrir.

CAPÍTULO 4
ATENCIOSAMENTE, MORRENDO DE VELHO

A coisa mais espantosa para mim, todos os dias, é o espelho. Não consigo acreditar que tenho essa aparência.

Neil Young

Acordei ao raiar do dia e percebi que havia um homem estranho sentado ao lado da minha cama, preparando-se para prender uma máscara de borracha ao meu rosto. Trabalhando rapidamente, mas de maneira gentil, ele a encaixou sobre o meu nariz e minha boca, tirando-me de um estado ainda meio grogue e meio sonolento e me causando uma sensação de pânico claustrofóbico e instantâneo. "Está tudo bem", disse ele, tentando me tranquilizar. "É só relaxar."

"Humpf", eu resmunguei por trás da máscara, enquanto meus braços se debatiam espasmodicamente.

"Ssshhhhhh", disse ele, agarrando meu braço errante e segurando-o firmemente ao lado do meu corpo. "Fique deitado aí e não se mexa."

Voltei a me recostar e tentei pensar em qualquer outra coisa que não fosse a máscara justa sobre o meu rosto e a minha fobia, bastante real, de morrer sufocado. O homem no meu quarto se chamava Edgar e era um enfermeiro do turno da noite no Hospital Portuário de Baltimore, onde eu havia acabado de passar minha terceira noite seguida. Eu não estava aqui por causa de alguma doença, mas sim porque estava saudável; havia me oferecido como voluntário para participar de algo chamado de Estudo Longitudinal do Envelhecimento de Baltimore, ou BLSA (*Baltimore Longitudinal Study of Aging*), o estudo mais antigo do mundo sobre o envelhecimento que continua em andamento. Desde 1958, pesquisadores do governo monitoram um grupo cada vez maior de sujeitos nos altos e baixos da montanha-russa do tempo.

O estudo foi concebido por um gerontologista pioneiro chamado Nathan Shock, um dos primeiros cientistas americanos que se dedicou a estudar o envelhecimento. Depois de concluir sua pós-graduação, passou a trabalhar na filial dos Institutos Nacionais de Saúde localizada em Baltimore, onde logo percebeu que, basicamente, os cientistas não faziam a menor ideia de como as pessoas naturalmente envelhecem. Um dos motivos para isso era o fato de que, até a metade do século 20, nunca houve muitas pessoas idosas. Além disso, os gerontologistas da época tinham a tendência de estudar apenas as pessoas que *já eram* velhas ou mesmo as que haviam morrido.

O toque de genialidade de Shock foi a característica "longitudinal" do seu estudo: em vez de espetar e cutucar gente mais velha, ele começaria o estudo com pessoas saudáveis que ainda não eram tão velhas, e observaria o que acontecia com elas conforme envelheciam. Assim, em vez de comparar uma pessoa hipotética de 70 anos com outra pessoa hipotética de 40, os cientistas acompanhariam cada indivíduo em sua jornada única até a velhice. Ele reuniu um grupo central de pessoas, em sua maioria colegas cientistas e médicos na comunidade médica de Baltimore, e fez todos os tipos de medições e testes básicos nessas pessoas. Em seguida, pretendia observar como os resultados se modificavam no decorrer do tempo.

Um projeto de longa duração como esse seria quase inconcebível com prazos de financiamento curtos dos dias de hoje e as pressões acadêmicas sobre os cientistas, mas o pequeno estudo de Shock amadureceu bem. Hoje em dia, o BLSA acompanha mais de 1.300 indivíduos com idades entre 20 e 105 anos. O pequeno escritório que ele ocupava se transformou no Instituto Nacional do Envelhecimento. Com o passar dos anos, os cientistas do NIA responsáveis pelo BLSA compilaram um banco de dados incrivelmente detalhado sobre os crimes cometidos contra o corpo humano pelo envelhecimento. De acordo com um estudo do BLSA que eu abri no meu computador, o nível médio de $VO_{2máx}$ – a capacidade do corpo de processar oxigênio enquanto se exercita – diminui 10 por cento quando a pessoa está na casa dos 40 anos, 15 por cento na casa dos 50, e 20 por cento na casa dos 60 – e, ah, sim, 30 por cento na casa dos 70. Uma coisa que não diminui, entretanto, é o peso dos indivíduos, que aumenta constantemente, e até implacavelmente, a partir dos 40 anos (obrigado, ciência).

Algumas dessas informações chegaram realmente a ajudar pessoas. Uma das descobertas mais importantes do BLSA foi que, para os homens, níveis de antígeno prostático específico (PSA) – um indicador de câncer de próstata – não são realmente importantes. O que importa é a *taxa de mudança* do PSA. Isso, por si só, evitou que milhares de homens passassem por exames dolorosos desnecessários e cirurgias. Mais recentemente, os dados do BLSA vêm sendo usados para estabelecer os critérios diagnósticos para o diabetes, e também ajudaram pesquisadores a entender os padrões de progressão de doenças cardiovasculares e do mal de Alzheimer. Mas a grande questão continua sem resposta: Como é que se *mede* o envelhecimento? É possível determinar a idade biológica de uma pessoa em contraponto à sua idade cronológica?

O BLSA não aceita qualquer pessoa que se ofereça como voluntário. Eu tive que passar por um conjunto completo de testes, com exames de sangue, um exame físico completo (com exceção do exame de próstata) e muitas perguntas bisbilhoteiras sobre o meu histórico médico. Tudo isso para certificar que eu fosse suficientemente saudável para o governo querer observar o meu envelhecimento e deterioração. Se tivesse qualquer doença crônica ou estivesse tomando qualquer medicação, mesmo que fosse apenas ibuprofeno, eu acabaria sendo desqualificado. "Estas são algumas das pessoas mais saudáveis que você vai encontrar", disse a enfermeira responsável pela triagem.

Pelo privilégio de poder me juntar a esse grupo de elite, aceitei de bom grado abrir mão de três dias perfeitos do mês de agosto para servir de cobaia para o governo. Cada momento em que eu não estava dormindo, passava por testes de um tipo ou de outro, chegando até mesmo a dormir em um quarto do hospital com uma bela vista para o porto de Baltimore. Ao todo, o governo viria a coletar cerca de 6 mil dados sobre mim e, de tempos em tempos, eu teria que voltar para lhes dar mais. Embora tivesse liberdade para desistir do estudo a qualquer momento, as coisas não chegariam necessariamente a terminar quando eu morresse: havia um livreto que descrevia a opção de doar o próprio cadáver para o BLSA. Em troca, eu receberia – gratuitamente – a melhor e mais completa avaliação médica que o dinheiro dos contribuintes poderia financiar. E também, de certa forma, a mais estranha.

Nos dois dias anteriores eu já havia sido espetado, cutucado, cortado, drenado e examinado de todas as maneiras possíveis e imagináveis. Tudo começou bem cedo na terça-feira, quando uma enfermeira retirou uma quantidade equivalente a trinta ampolas de sangue do meu corpo. Já meio tonto após esse martírio – assim como a maioria dos homens, eu não gosto de ver meu sangue sair do corpo –, tive que engolir uma garrafa de uma bebida com sabor de laranja que era enjoativa de tão doce e ficar sentado enquanto ela arrancava ainda mais do meu sangue, a cada vinte minutos durante duas horas, para testar como o meu corpo lidava com doses enormes de açúcar líquido. Ou, como dizem na Geórgia, com "o café da manhã".

Uma parcela do meu sangue foi analisada imediatamente, mas a maior parte ficaria armazenada nos freezers do NIA para ser usado em futuros projetos de pesquisas. (Lembrete para as civilizações futuras: por favor, encontrem essas ampolas e me clonem). Em seguida, passamos para uma série enlouquecedora de testes cognitivos nos quais eu precisava memorizar e recitar uma lista de compras que parecia ter sido compilada por uma pessoa insana, ou possivelmente pela minha namorada: "Lula, coentro, serrote, perfume...".

Tudo que podia ser medido foi medido. Durante as primeiras 24 horas, fui proibido de urinar em qualquer lugar que não fosse uma jarra laranja, que residia em uma caixa térmica no meu banheiro. E não era só isso: uma moça bonita havia tirado fotos em *close* da minha língua, que havia tingido de azul antes. "Esta não é a minha parte favorita", admitiu ela. Também não era a minha. Em outra sala, um cara amistoso e rechonchudo grudou eletrodos no meu rosto e bateu levemente na minha testa vinte vezes com um martelinho de borracha. De acordo com ele, isso servia para avaliar os nervos que estabilizam a nossa visão, como se fossem uma *Steadicam* interna. Uma enfermeira cortou as unhas dos meus pés e guardou as lascas em uma ampola para que pudessem analisar o meu "microbioma", a comunidade de micróbios que vive dentro, sobre e ao redor de nós, e cuja importância foi reconhecida apenas recentemente. Para deixar o teste ainda mais completo, eu soube em seguida, horrorizado, que iriam coletar também uma amostra do meu cocô. Para isso, recebi um aparelho especial para coleta, parecido com um daqueles chapéus que as senhoras usavam antigamente, como no seriado *Downton Abbey*.

Tive medo somente do aparelho de ressonância magnética, no qual eu seria enfiado por um tubo branco estreito e claustrofóbico que fazia ruídos horríveis e estridentes por mais de uma hora conforme examinavam o meu cérebro e as minhas pernas. Não seria muito diferente de viajar de avião para Cleveland na classe econômica, mas ainda assim eu detestava aquela ideia. Depois de ser convencido pela responsável técnica, cujo nome era Bree – "vou estar *logo ali*", disse ela com a voz suave, tocando o meu braço –, relaxei e deixei que ela me prendesse à maca e me colocasse dentro da máquina, que passou a registrar imagens do meu cérebro fazendo uma viagem imaginária com Bree a um *resort* tropical com todas as mordomias incluídas no pacote.

∞

O tempo que passei no BLSA foi, sem dúvida, o ponto mais alto da minha pesquisa para este livro. Não vou mentir: até que foi legal ser o foco de tanta atenção durante três dias, especialmente para um cara que normalmente trabalha em casa, sozinho. Foi legal estar ocupado. E os testes me pareceram ser ridiculamente fáceis (bem, exceto aquele onde eu tive que memorizar a lista de compras). Foi tão divertido que eu resolvi chamá-lo de "O Estouro".

No meu primeiro dia, por exemplo, fui escoltado até um corredor e instruído a me levantar e sentar dez vezes, com os braços cruzados diante do peito, enquanto um fisiologista da equipe me monitorava com um cronômetro, como um caçador de talentos para um time de futebol americano. Em seguida, tive que me equilibrar sobre um dos pés por 30 segundos, e depois sobre o outro, um teste de equilíbrio. *Sem problema*. O fisiologista também me cronometrou enquanto eu caminhava de um lado para outro no corredor com uma máscara de oxigênio presa ao rosto. Fiz esse teste sem nenhum problema, também. No dia seguinte, tive que caminhar um pouco mais – desta vez, em um laboratório de última geração que analisa o jeito de andar da pessoa, no qual meus movimentos foram gravados com o mesmo tipo de câmera de alta velocidade usados pela Pixar. Coloquei um pé diante do outro com bastante sucesso.

O exame de visão também foi tranquilo, mesmo quando acenderam faróis diante do meu rosto para simular o tráfego na direção oposta, e consegui ouvir até mesmo os tons de rangido mais baixos durante o teste de audição. Também enfrentei sem grandes problemas o medidor de força de pegada e os exercícios na cadeira extensora para as pernas, exatamente como Brown-Séquard.

Mas a melhor parte foi ouvir o pessoal do Estouro dizer o quanto eu era "jovem", o que era verdade se considerarmos a clientela típica que passa por aqueles testes. Por si só, isso já fez com que a experiência fosse maravilhosa. Os enfermeiros, médicos e fisiologistas ficaram felizes porque eu só precisava receber instruções para os testes uma vez, e eu fazia tudo rapidamente. Eu estava arrebentando no Estouro.

Foi somente mais tarde que eu percebi o que isso significava: eu só havia *começado* a sentir os verdadeiros efeitos do envelhecimento. Eu deveria voltar ao hospital a cada três anos, e a cada vez a maioria das coisas que eles mediam provavelmente ficaria pior, não melhor: porcentagem de gordura corporal, densidade óssea, visão, audição, força física, saúde cardiovascular, tolerância a glicose (uma medição simples, mas extremamente importante da capacidade do corpo de eliminar açúcar). Oh, e também a memória, obviamente. Logo eu começaria a me esquecer de ligar o telefone celular. A entrevista sobre os meus hábitos urinários iria ficar cada vez mais longa e constrangedora. Para continuar com as metáforas líquidas, envelhecer era como um rio que corre num único sentido: morro abaixo.

Comecei a me dar conta disso mais ou menos na metade do teste de caminhada, em teria que percorrer 400 metros, indo e voltando vinte vezes pelo corredor o mais rápido que conseguisse. Embora caminhasse "a passos rápidos", conforme as instruções, mal cheguei a suar. Mas foi então que percebi: *algum dia, fazer isso será difícil*. Levantar de uma cadeira se tornará uma tarefa dolorosa e humilhante. O simples ato de caminhar por alguns quarteirões vai parecer uma tarefa monumental. E, pouco tempo depois, eu vou morrer. Este, na realidade, foi um dos testes mais importantes pelos quais passei. Graças aos dados do Estouro, hoje os pesquisadores sabem que a velocidade natural de caminhada é um dos preditores de mortalidade mais exatos de que dispomos. Quanto mais vagarosamente você caminha, estatisticamente falando, mais rápido você vai passar dessa para melhor.

Comecei a ficar deprimido. Sim, eu ainda estava com uma forma física admirável. Por enquanto. Mas o envelhecimento mal havia começado a me afetar e, francamente, eu estava agindo como um bebê chorão em relação a tudo aquilo. Mesmo assim, percebi que o Estouro iria na verdade medir o meu longo e inevitável declínio, que havia acabado de começar. Esse era o melhor resultado que eu alcançaria nos testes. Até mesmo a minha altura iria mudar – eu provavelmente nunca voltaria a ser tão alto quanto sou hoje, pois o estudo documentou um declínio longo e constante na altura (devido à perda de água nos discos entre nossas vértebras, se você quer saber a razão). O estudo não terminaria até que eu morresse, e mesmo assim continuaria por mais algum tempo; eu recebi um formulário para assinar o meu consentimento com o processo de autópsia.

Naquela noite, saí e devorei meia dúzia de caranguejos azuis de Chesapeake, um dos alimentos com o maior teor de colesterol conhecidos pela humanidade, junto com várias cervejas. Afinal de contas, por que não aproveitar enquanto ainda posso?

∞

Algumas semanas depois de voltar para casa, telefonei para o dr. Luigi Ferrucci, que havia assumido o controle do Estouro em 2002. O estudo estava jogado às moscas, particularmente depois que Nathan Shock morreu, em 1989. Considerava-se que estudar o envelhecimento em seres humanos era algo fora de moda, um exercício que alguns biólogos moleculares apelidavam desdenhosamente de "contagem de rugas". Em vez disso, o Instituto Nacional do Envelhecimento havia gastado milhares de dólares em estudos com camundongos em uma busca fútil por "biomarcadores" do envelhecimento, coisas como níveis de colesterol e outros compostos presentes no sangue que mudam com a idade – tudo isso para nada. Ainda não havia uma boa maneira de se mensurar o envelhecimento.

Ferrucci era um geriatra – um médico que cuida de pessoas idosas – quando foi recrutado em sua cidade natal de Florença, na Itália. No Estouro, Ferrucci percebeu uma oportunidade gigantesca: não havia nenhum outro estudo como esse, nada que lhe permitisse acompanhar a trajetória individual de sujeitos conforme envelhecessem. Ele modernizou os procedimentos dos testes e introduziu novas tecnologias de diagnóstico por imagem, como os exames de ressonância magnética e tomografia computadorizada, além de ampliar o escopo do estudo.

Em nossa primeira conversa, Ferrucci disse algo que eu nunca esqueci: "O envelhecimento está escondido em nossos corpos".

O envelhecimento está escondido em nossos corpos. O que ele quis dizer com isso?

Duas coisas. Em primeiro lugar, em termos da nossa biologia, o envelhecimento é um processo profundo, quase subterrâneo, que começa muito antes de percebermos que ele está realmente acontecendo. Pesquisadores acreditam que alguns aspectos do envelhecimento começam a agir ainda quando estamos dentro do útero. Essas mudanças aceleram quando paramos de crescer, por volta dos 20 anos, e quando nos damos conta de que chegamos à meia-idade (com ou sem a ajuda de velas de aniversário em forma de lápide), elas já estão ocorrendo a todo vapor. Muitos estudos demonstraram que uma saúde ruim na meia-idade é um preditor direto tanto de uma expectativa de vida mais curta quanto de uma expectativa de saúde mais curta. Um estudo publicado no *JAMA* em 1999, baseado nos dados do Estouro, chegou até mesmo a descobrir que a simples força da pegada na meia-idade predizia a chegada de incapacidades na velhice. Portanto, o dr. Brown-Séquard tinha razão sobre isso também.

Em segundo lugar, o envelhecimento "está escondido em nossos corpos" porque nos esforçamos muito para escondê-lo, assim como os antigos proprietários da minha casa centenária na Pensilvânia disfarçaram sua verdadeira condição apodrecida por meio de aplicações cuidadosas de massa corrida, telhas e tinta. De acordo com Ferrucci, a evolução nos deu várias maneiras de compensar os efeitos do envelhecimento "para que essas mudanças tenham o mínimo possível de consequências".

Compensamos de maneiras predominantemente inconscientes. Por exemplo, conforme o tumor cresceu dentro do cão Theo, seu coração compensou a situação trabalhando muito mais, e foi por essa razão que ele ainda conseguia correr ao redor do quarteirão comigo, apenas uma semana antes de morrer. Ou, para pegar um exemplo não tão dramático, estudos mostraram que pessoas com um nível maior de desenvolvimento intelectual – mais educação, mais estímulos mentais – são capazes de resistir à doença de Alzheimer por muito mais tempo do que aqueles com um nível educacional menor. Os cérebros dessas pessoas desenvolveram mais conexões, e essa rede de interligações mais forte é capaz de manter a aparência de um funcionamento cognitivo normal, pelo menos por algum tempo.

Mas o aspecto mais importante do envelhecimento, de acordo com Ferrucci, tem a ver com a energia: como nós a armazenamos e como a usamos. Foi por isso que Edgar me aplicou aquele tratamento com a máscara naquela manhã. Nossa taxa metabólica basal – a energia que o corpo consome quando está em repouso, como um carro com o motor ligado em ponto morto – é uma medida eficaz de eficiência energética. Quanto maior é a taxa de uma pessoa em "ponto morto", menos energia está disponível para outras necessidades, tais como combater infecções ou reparar danos aos tecidos. Vi estudos que relacionavam uma taxa basal maior com um risco aumentado de mortalidade, então não fiquei muito feliz ao lembrar que Edgar havia murmurado no meu ouvido: "Você tem um metabolismo alto, não é mesmo?".

Ferrucci era obcecado pela eficiência energética, e é por essa razão que tantos dos testes do Estouro mediam o desempenho físico, como se estivéssemos sendo recrutados para um time de futebol americano composto por jogadores com mais de 45 anos – tais como a caminhada de 400 metros pelo corredor, por exemplo, e o excruciante teste de $VO_{2máx}$ na esteira. Um dos testes mais importantes – e um dos indicadores mais precoces do envelhecimento – é o teste de equilíbrio: ficar sobre uma perna só durante 30 segundos e assim por diante. De acordo com Ferrucci, o sentido delicado do equilíbrio é uma das primeiras coisas que desaparece. "Posso sair daqui e correr 15 quilômetros agora mesmo", disse o médico (que tem 60 anos). "Mas duvido que consiga passar pelo teste de equilíbrio."

Talvez isso não pareça ser algo tão importante, mas há um efeito cascata que é sentido literalmente pelo resto da vida. Conforme o nosso equilíbrio enfraquece, nós compensamos isso tornando nossa postura mais larga, por assim dizer, afastando nossos pés um do outro para chegarmos a uma plataforma mais estável. Mas essa postura mais larga, por sua vez, faz com que o ato de caminhar e correr seja muito menos eficiente do que o passo mais estreito que tínhamos na juventude. Isso, em parte, é o motivo pelo qual pessoas mais velhas parecem caminhar arrastando os pés, mesmo quando estão tentando correr. O resultado é que desperdiçamos energia e nos movemos ainda mais vagarosamente. Essa é a principal razão pela qual a nossa velocidade de caminhada – e a nossa eficiência de caminhada – são tão importantes, pensa Ferrucci. Basicamente, são um sinal de quanto combustível ainda temos para queimar.

Há uma ironia trágica aqui: temos menos energia conforme envelhecemos – e ainda assim, usamos o que temos de uma maneira muito menos eficiente. Não consegui evitar de lembrar da minha velha cadela Lizzy, que já passou do seu 13º aniversário, uma idade bastante avançada para qualquer espécie de cão de caça. Ela anda tão devagar agora que às vezes temos que sair do caminho para que as velhinhas com carrinhos de compras possam passar por nós nas calçadas estreitas do bairro onde moramos. Ela estava ficando sem combustível bem diante dos meus olhos.

A mobilidade é um aspecto primordial para a sobrevivência: isso surgiu várias e várias vezes na minha pesquisa. É interessante perceber que essa constante continua sendo válida até mesmo para os animais mais primitivos, como o humilde *Caenorhabditis elegans*, um verme pequeno, translúcido e sinuoso que vive nas frutas. O *C. elegans* é um animal muito querido pelos cientistas porque contém todos os principais sistemas corporais que nós temos, e ainda assim é menor do que uma vírgula, de modo que não custa muito para alimentá-lo. Eles também são ótimos para estudar o envelhecimento, porque só vivem cerca de três semanas. No laboratório, sua morte é sempre precedida por uma fase na qual eles simplesmente param de se mover.

Isso explica por que o teste de caminhada de 400 metros é considerado uma das partes mais importantes do Estouro: quanto mais devagar você caminha, menos energia você tem para queimar (e, provavelmente, pior é o seu senso de equilíbrio). A verdadeira razão pela qual a energia e a mobilidade são tão importantes, de acordo com a explicação de Ferrucci, é que elas indicam que há outras coisas acontecendo dentro de nós que ainda não podemos ver. Coisas que acontecem até mesmo em nível celular.

Nós diminuímos a velocidade de marcha porque temos problemas mais sérios por dentro, como aquele velho Chevette na rodovia que não consegue rodar a mais de 80 quilômetros por hora, mesmo se o motorista pisar com tudo no acelerador.

"Você se esforça mais, até certo ponto, mas chega um momento em que você não é mais capaz de aguentar", disse Ferrucci.

Quando nosso combustível acaba completamente, chegamos a um estado chamado de debilidade, um dos estágios finais do envelhecimento. Isso não é apenas um estado de fragilidade, e sim algo mais próximo de um estado de fraqueza e exaustão frequentemente caracterizado pela vagarosidade, baixos níveis de atividade e perda de peso não intencional. Você começa a definhar, basicamente, e nesse momento, não é preciso muita coisa para bater as botas.

Dessa forma, se a minha cadela Lizzy chegasse ao estado de debilidade, eu teria que pensar em fazer uma viagem só de ida com ela ao consultório do veterinário, num ato de benevolência. A vovó e o vovô não têm tanta sorte: para eles, a debilidade marca o ponto no qual até mesmo um pequeno problema, tal como uma doença corriqueira ou uma pequena cirurgia pode rapidamente se transformar num problema enorme, porque o corpo simplesmente não consegue se recuperar. Por causa da sua debilidade, por exemplo, a infecção urinária que o meu avô tinha rotineiramente desencadeou uma cadeia de eventos que acabou levando à sua morte.

Para a sorte dele, meu avô não passou muito tempo no estado de debilidade. Ele foi capaz de cuidar de si quase até o fim, executando quase todas as atividades da vida diária, até mesmo cortar as unhas dos pés – uma das tarefas mais difíceis para pessoas idosas, já que requer uma visão clara, movimentos precisos e, acima de tudo, flexibilidade. De certa forma, foi uma bênção o fato de ele ter falecido relativamente rápido, sem passar por um longo processo de deterioração. Ainda assim, entretanto, foi uma situação horrível.

Enquanto isso, sua esposa – a minha avó – ainda está viva enquanto escrevo este livro, apesar de praticamente nunca ter praticado nenhuma atividade saudável durante toda a sua vida. Hoje, aos 97 anos, ela vive em uma casa de repouso para idosos na Flórida e está quase cega, mas ainda cozinha e cuida de si. Seu café da manhã é o mesmo há várias décadas: um delicioso e doce confeito dinamarquês, ou, nos dias em que se sente mais aventureira, uma rosca glaceada em forma de pata de urso.

∞

Acordei na manhã seguinte com um toque de ressaca e um gosto de água do mar na boca. A cerveja e os caranguejos não haviam funcionado muito bem; eu ainda estava chafurdando na autopiedade provocada pela meia-idade. Precisava me livrar daquilo: uma das descobertas mais interessantes do Estouro tem a ver com a atitude das pessoas em relação ao envelhecimento em si. Pessoas que estão na parte "jovem" da meia-idade (nas casas dos 40 e 50) com sentimentos positivos em relação a envelhecer – adquirindo sabedoria, libertando-se do trabalho, oportunidades de viajar e de aprender mais – tinham a tendência de desfrutar de uma saúde melhor, e particularmente de uma saúde cognitiva melhor nas partes posteriores da vida.

Outro corpo de pesquisa importante descobriu que, em geral, tanto homens quanto mulheres parecem ficar *mais felizes* com a idade. Alguns estudos identificaram que a porção central da casa dos 40 anos é o ponto mais baixo em termos de felicidade durante a vida – especificamente, aos 46 anos. É como uma curva em forma de U, maior na juventude e na velhice e menor na parte do meio. As conclusões basicamente respaldavam o que a minha mãe vem me dizendo: cada década da sua vida foi melhor do que a anterior. Por que eu não conseguia acreditar nela?

Comecei a recuperar a esperança depois que conheci minha vizinha, uma elegante afro-americana que já estava no meio da sétima década da sua vida, que chamarei de Cláudia. Funcionária federal aposentada de Washington, DC – que também é a minha cidade natal –, ela está participando do estudo há quinze anos, desde que leu a respeito no *Washington Post*. Sua presença ali, por si só, já foi uma marca de mudança: durante os primeiros vinte anos, incrivelmente (ou talvez previsivelmente) o estudo sobre o envelhecimento do dr. Nathan Shock somente estava aberto a homens brancos.

Mas isso já não acontece há um bom tempo: hoje em dia, o NIA recruta ativamente participantes de ambos os sexos e de todas raças, e Cláudia já era uma veterana. Conversamos um pouco sobre as amenidades da região de Washington por algum tempo e, em seguida, ela generosamente se ofereceu para me dar uma perspectiva privilegiada, o ponto de vista de alguém que já conhece o Estouro por dentro. Mesmo assim, eu logo descobri a verdadeira razão pela qual ela estava conversando comigo. Cláudia estava vestida com uma roupa esportiva Ellesse para tenistas, já que havia acabado de terminar o teste na esteira, programado para medir a frequência cardíaca máxima e o $VO_{2máx}$. Era o teste mais temido em todo o estudo, e também o mais competitivo. Minha vez chegaria após o almoço e, como já havia feito aquele teste várias vezes no passado, tinha uma ideia do sofrimento que ele traria consigo. Mesmo assim, Cláudia nem parecia estar suando.

— Não se sinta mal se eu ganhar de você nesse teste – disse ela, observando-me. – É bem difícil.

— É mesmo? – perguntei, sentindo meu pavor aumentar.

Ela fez que sim com a cabeça, um gesto bastante grave.

— É bom que você saiba que eles me chamam de "O Animal" – acrescentou ela.

Espere aí. É sério que uma mulher mais velha do que a minha mãe estava fazendo pouco caso de mim?

Sim. Sim, é sério.

Mas isso foi algo bom. Na verdade, essa situação ilustrou uma das principais descobertas do Estouro. Embora o estudo houvesse sido preparado para descobrir marcadores uniformes do envelhecimento, ele descobriu que, na prática, não há nenhum. O envelhecimento é variado demais, caótico demais e idiossincrático demais – é diferente para cada indivíduo, e os dados refletem isso. Inicialmente os cientistas do Estouro ficaram desanimados com essa constatação. Sendo cientistas, gostavam quando seus resultados surgiam em curvas sólidas e bem definidas, e também que todos os sujeitos testados ficassem ordenados de maneira bem organizada.

Em vez disso, o gráfico que eles obtiveram se parecia mais com um disparo de escopeta, com pontos de dados por toda parte.

VELOCIDADE DE CAMINHADA x IDADE

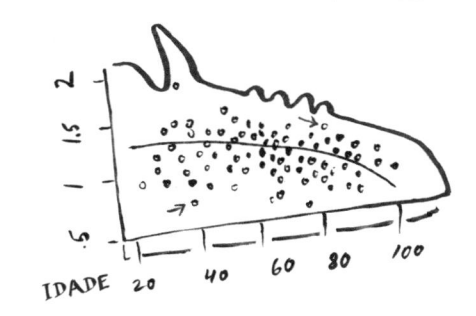

É claro que, sendo cientistas, eles ainda gostam de desenhar uma curva sólida e bem definida em seus gráficos, mas Ferrucci está muito mais interessado nas enormes variações que existem entre indivíduos: alguns idosos de 80 anos, por exemplo, são quase imóveis, mas outros parecem caminhar com a mesma velocidade da média das pessoas de 40 anos. De fato, alguns octogenários chegam a caminhar mais rápido do que pessoas que são três décadas mais jovens. Não que isso tenha realmente acontecido, mas é até mesmo possível que certas afro-americanas de 74 anos possam ter um desempenho capaz de fazer corar de vergonha certos homens caucasianos de 46 anos no teste da esteira.

Independentemente disso, a questão é a seguinte: todos nós envelhecemos de maneira diferente. Muito diferente. De fato, como Ferrucci observou, os caminhos que trilhamos posteriormente na vida são bem mais divergentes do que o processo altamente programado do nosso desenvolvimento. Duas pessoas de 20 anos escolhidas aleatoriamente terão muito mais em comum uma com a outra, biologicamente, do que quaisquer duas pessoas de 75.

E ainda assim, conforme o Estouro demonstrou, as diferenças já são perceptíveis na meia-idade: em um estudo recente, Ferrucci examinou os históricos médicos de participantes do Estouro que haviam sido diagnosticados recentemente com diabetes, procurando pelos primeiros sinais da doença. Ele descobriu que os sinais de alerta estavam presentes décadas antes de serem diagnosticados; mesmo há 30 anos os diabéticos eram sutilmente diferentes, em termos de certos biomarcadores sanguíneos, de outras pessoas que continuaram saudáveis.

Na verdade, um enorme corpo de pesquisa mostra que a trajetória de envelhecimento de uma pessoa é determinada predominantemente por como essa pessoa atravessa a meia-idade. Não somente o diabetes, mas a saúde cardiovascular futura e até mesmo a demência podem ser previstos, com um alto índice de acerto, muito mais cedo na vida. Para citar apenas um exemplo, um estudo de quatro décadas que acompanhou milhares de homens nipo-americanos no Havaí descobriu que sua saúde em um período posterior da vida estava diretamente ligada a certos fatores-chave de risco na meia-idade. Homens com menor pressão arterial, colesterol LDL, glicose no sangue e índice de massa corporal (IMC) durante a quarta e quinta décadas de vida tinham chances muito maiores de sobreviver até os 85 anos sem grandes problemas de saúde. Em contraste, outro grande estudo descobriu que a obesidade, o colesterol alto e pressão arterial alta aumentavam enormemente a probabilidade de se desenvolver demência posteriormente.

O mais interessante é que todos esses marcadores são bastante maleáveis; dependem amplamente do comportamento e de escolhas. E isso diz aos cientistas que muitos aspectos do envelhecimento são variáveis e, portanto, modificáveis. "Isso é uma coisa maravilhosa, é uma janela de oportunidade", diz Ferrucci. "Se todos estivessem na mesma trajetória biológica determinista, não haveria qualquer esperança de poder mudar essa situação. Mas a variabilidade incrível indica que o potencial de envelhecer bem existe para todo mundo. E algumas pessoas estão nos mostrando o caminho."

Eu queria encontrar essa gente, as pessoas de 70 anos que têm a aparência, que agem e cujos exames têm resultados iguais aos de pessoas de 50 anos de idade ou menos. Eram essas pessoas que eu queria recrutar para o meu time de *softball* da terceira idade. E então, percebi que já conhecia pelo menos um indivíduo desses extremamente bem: meu próprio pai.

CAPÍTULO 5
COMO VIVER ATÉ OS 108 ANOS SEM MUITO ESFORÇO

> *Se você conseguir chegar aos 100 anos, pode se considerar um felizardo. Poucas pessoas morrem depois dessa idade.*
>
> George Burns

Eu estava em uma esquina na região de Lower Manhattan num certo dia, há alguns anos, esperando para me encontrar com meu pai para irmos almoçar, quando percebi algo que se parecia com um espantalho vindo em minha direção. Seu terno escuro pendia sobre os ombros e esvoaçava ao sabor da brisa conforme ele caminhava, mas, mesmo estando a um quarteirão de distância, eu reconheci o balanço característico do caminhar do meu pai.

Nós nos parecemos muito, meu pai e eu. Temos os mesmos cabelos loiros ralos, o mesmo estilo de vestir que usa calças cáqui como item básico (típico dos homens brancos), e temos até o mesmo nome. Conforme ele engordava na meia-idade, eu herdava as calças e paletós que já não lhe serviam mais. Décadas de viagens de negócios por todo o mundo e jantares em restaurantes de Manhattan que ocorriam tarde da noite – literalmente, entre 250 e 300 por ano – têm esse efeito em um cara. O homem que vinha caminhando em minha direção podia ser uma pessoa completamente diferente. E, de certa maneira, realmente era.

Quando chegou ao meio da casa dos 60 anos, meu pai fez uma série de mudanças radicais em seu estilo de vida que esperava poderem ajudá-lo a evitar alguns dos efeitos do envelhecimento. Ele tinha motivos para se preocupar: seu próprio irmão havia morrido subitamente de câncer antes de chegar aos 50 anos, e seus pais não tiveram um fim muito agradável. Depois de 69 anos alimentando-se de uma dieta típica do meio-oeste a base de filés e uma vida inteira de tabagismo pesado, seu pai descobriu que precisava de uma cirurgia para colocar três pontes de safena no coração – um dos "reparos" cirúrgicos que ajudaram a aumentar a expectativa de vida para além do tradicional primeiro ataque cardíaco que ocorria na quinta década da vida. Ele sobreviveu à cirurgia, e sua esposa (minha avó) cuidou dele por dois anos. Até que um dia, enquanto se preparava para levá-lo para uma consulta com o médico, ela se deitou na cama para uma rápida soneca e morreu devido a um inesperado ataque cardíaco fulminante, quando ainda tinha apenas 71 anos.

Nunca chegamos realmente a falar em termos numéricos, mas tenho a impressão de que meu pai prefere morrer mais perto dos 100 anos – morto instantaneamente ao ser atingido por uma bola de golfe, talvez. Ele já teve um contato bastante assustador com a doença, pouco tempo antes do nosso almoço e, embora o pior já houvesse passado, não é surpresa o fato de que ele detesta a ideia de envelhecer, de ficar doente e de morrer. Nada de partir tranquilamente rumo ao que houver depois. Seu plano de cuidados para o fim da vida, caso ele acabe ficando incapacitado ou demente em alguma casa de repouso, consiste de quatro palavras: "Simplesmente atire em mim".

Meu irmão, minha irmã e eu temos certeza absoluta de que ele está falando sério[5].

Assim, aos 67 anos, ele fugiu de Nova York e seus estresses e voltou a viver no seu estado natal de Illinois, onde essencialmente reconstruiu sua vida. Ele agora passa seus dias dedicando-se à sua grande paixão, o golfe. Cozinheiro habilidoso e carnívoro contumaz, ele passou a se alimentar de uma dieta predominantemente vegetariana, assim como Bill Clinton, esperando evitar a calamitosa taxa de mortalidade associada aos hábitos alimentares ocidentais e seu consumo de carne e gordura. Diferente de Clinton, ele nunca gostou de Big Macs, mas eu fiquei chocado ao saber que meu pai também havia praticamente parado de beber vinho; afinal de contas, esse era um homem cuja ideia de uma viagem perfeita junto com o filho era dirigir pela região da Borgonha, empanturrando-se nos restaurantes classificados com mais estrelas de acordo com os guias da Michelin. (Eu tinha 16 anos naquela época).

Tive sorte: cresci com o protótipico pai *hipster*. Por mais constrangedor que seja admitir, meu pai me apresentou algumas das bandas que eu adoro até hoje, quando eu ainda era adolescente e ele já havia passado dos 40. Era um tecnófilo dedicado, sempre trazendo para casa os mais recentes aparelhos tecnológicos, tais como aquele enorme telefone celular da Motorola parecido com um tijolo que Michael Douglas brandia no filme *Wall Street – Poder e Cobiça*, um clássico dos anos 1980. Fanático por curiosidades

---

5   Meu irmão, um advogado corporativo, foi designado como a pessoa responsável por cumprir a vontade do meu pai, se as condições forem satisfeitas.

e informação durante toda a vida, pesquisou obsessivamente seus vários interesses, e no decorrer do tempo conseguiu reunir uma biblioteca formidável, incluindo centenas de livros sobre comida e culinária e mais de mil volumes sobre o golfe. Um pouco dessa mania acabou passando para mim: em vez de passarmos o tempo jogando uma bola de futebol americano de um lado para outro, ele me levava até a biblioteca, onde eu me enterrava em livros e desenvolvia o estranho desejo de escrevê-los algum dia.

Agora ele tornou-se obcecado com sua saúde, buscando as dietas mais recentes e estratégias antienvelhecimento para estender seu tempo de vida e, mais importante do que isso, sua expectativa de saúde. Quatro vezes por semana, mais ou menos, ele monta em sua nova bicicleta e vai até uma ferrovia desativada que foi transformada em ciclovia, pedalando pelas pradarias por uma hora e meia. Nos outros três dias, ele pode ir até o seu clube de golfe e disputar uma partida rápida (caminhando de um ponto a outro, nunca usando um daqueles carrinhos elétricos). Ou, se o tempo estiver ruim (como normalmente acontece em Chicago), ele abusa do seu aparelho de remo durante uma hora inteira enquanto assiste DVDs de palestras universitárias. Para o jantar, ele e sua namorada (que tem quase a mesma idade) fazem uma refeição a base de legumes, ou talvez dividem um corte de peixe acompanhado de salada. Como lanche, ele come todos os dias precisamente vinte e três amêndoas.

Durante o almoço, ele perguntou se eu queria alguma das calças que ele agora estava magro demais para usar. Imaginei ter percebido um sorriso malandro. Em vez de documentos jurídicos, sua maleta estava cheia de suplementos, incluindo óleo de peixe, coenzima Q10 (que dizem fazer bem para o funcionamento do coração) e também o resveratrol, o poderoso composto químico presente no vinho tinto que comprovadamente aumentou a expectativa de vida de camundongos obesos. Assinava várias revistas e boletins sobre saúde, incluindo a *Life Extension*, que publicava longos artigos sobre os benefícios de vários suplementos (e que é editada por uma empresa que vende esses mesmos suplementos).

Sua última descoberta foi a curcumina, um composto derivado do açafrão-da--terra que está presente na medicina ayurvédica. Em tempos recentes, pesquisas sobre a curcumina tiveram resultados fascinantes em laboratório, sugerindo que ela pode agir no combate a uma ampla gama de malefícios, como diabetes, síndrome do cólon irritável e até mesmo alguns tipos de câncer, incluindo o câncer colorretal. Alguns estudos preliminares demonstraram resultados positivos, especialmente contra doenças inflamatórias; nas placas de Petri, pelo menos, parece que a curcumina também é capaz de estraçalhar células cancerosas. Mas as evidências ainda estão muito longe de serem conclusivas, e ainda não houve nenhum estudo clínico randomizado em grande escala em seres humanos; o veredicto ainda está indefinido. Mesmo assim, seguro morreu de velho: meu pai toma oito *gramas* de curcumina todos os dias, algo em torno de meia colher de sopa, o que parece ser uma quantidade enorme.

Ele certamente parece estar mais saudável, mais do que da última vez em que o vi; sua pele tinha um certo brilho, embora o único efeito de toda essa curcumina foi o fato de fazer com que certas funções corporais tenham uma cor amarelada bem forte (algo que eu me arrependi de ter perguntado a respeito). Será que estava também atacando algumas células cancerosas incipientes escondidas em seu corpo? Quem poderia saber com certeza? E mesmo assim, quem poderia culpá-lo por temer a decrepitude, doenças e uma morte longa e agonizante? Se esses hábitos novos e relativamente excêntricos ajudassem a afastar o temido dia do "apenas atire em mim", então valeria a pena. É certo que nada disso pode lhe fazer mal, embora Jay Olshansky diria que ele também se beneficia dos dois medicamentos antienvelhecimento mais poderosos que o ser humano conhece: dinheiro e educação.

Até o momento, ele parece estar indo na direção certa: mesmo agora, no início da casa dos 70, ele é capaz de lançar uma bola de golfe tão longe e com uma pontaria tão aguçada que outros caras com metade da sua idade interrompem suas tacadas e exclamam "uau!". Em seis meses de 2013, ele pedalou mais quilômetros em sua bicicleta do que eu durante o ano inteiro. Mais importante do que isso, ele conseguiu se livrar dos comprimidos para regular a pressão arterial, e agora não toma mais nenhum medicamento. De fato, ele é tão saudável que também foi aceito no estudo do Estouro, uma conquista que o encheu de orgulho (e que fez com que eu me rebaixasse moralmente, a ponto de mentir sobre meus resultados em certos testes). De maneira geral, ele parece estar pronto para viver por tempo suficiente para gastar cada centavo da herança que deixaria para seus netos.

Mas, sendo o filho jornalista cético e preocupado que sou, não consegui evitar de me perguntar: *será que alguma dessas coisas que ele ingere vai realmente levá-lo até aos 100 anos?*

∞

De acordo com Nir Barzilai, não. Há mais de uma década, Barzilai vem estudando um grupo de judeus asquenazes centenários que moram na região de Nova York, o que o levou a algumas conclusões notáveis. Um brincalhão bastante afável com óculos de lentes grossas e rosto de bebê, aos 56 anos, Barzilai poderia ser o irmão mais velho de Austin Powers, o personagem de Mike Myers. Mas, por baixo daqueles maneirismos agradáveis, há a mente penetrante de um cientista com uma missão.

Ele estudou para ser endocrinologista em Israel, sua terra natal, e quando era um médico jovem na década de 1980, trabalhou em clínicas de Soweto, o grupo de bairros pobres nos arredores de Johannesburgo, na África do Sul. Mesmo nos dias de hoje, ele ainda reserva algum tempo para receber pacientes, de modo a se manter atualizado com os problemas de pessoas reais. Conforme seus interesses se concentraram no envelhecimento, ele começou a se perguntar por que a maioria das pessoas fica doente quando envelhece, enquanto uma pequena minoria continua saudável.

Ele decidiu concentrar suas pesquisas nos mais longevos dentre nós, os centenários. O que faz com que essas pessoas sejam diferentes?

Ele descobriu que recrutar pessoas para participar dos seus testes não era uma tarefa fácil; judeus idosos geralmente tinham sentimentos complicados em relação a pesquisas médicas. Sendo o filho único de um casal sobrevivente do Holocausto, Barzilai era sensível às preocupações deles. Após passar inúmeros *shabats* visitando sinagogas por toda a área metropolitana de Nova York, ele recrutou mais de quinhentos indivíduos judeus — que precisavam ter mais de 95 anos para se qualificar — no seu estudo singular sobre o envelhecimento. (Ele também brinca dizendo que aceita pessoas que se converteram, desde que tenham mais de 100 anos). Vamos chamar essas pessoas de Super*Bubbes*, usando a palavra em iídiche para "avó", já que a maioria dessas pessoas são mulheres. Todos os anos, ele e seus assistentes no laboratório submetem os Super*Bubbes* a um conjunto de exames físicos, testes cognitivos, questionários sobre o estilo de vida e análises sanguíneas — algo bem parecido como uma versão ampliada do Estouro.

Como regra geral, ele descobriu que Super*Bubbes* geralmente não têm uma dieta "saudável" nem competem em triatlos, ou qualquer outro tipo de exercício definível como tal. Quando estão com fome, eles provavelmente vão comer *knish* — uma espécie de pão salgado recheado típico do leste europeu — em vez de quinoa (desculpe, pai). E não é só isso: Barzilai descobriu que muitos dos seus Super*Bubbes* fumavam, e alguns faziam isso há décadas. Quase metade tinha sobrepeso, ou eram até mesmo obesos, enquanto menos de 3 por cento eram vegetarianos. Mesmo assim, seus exames de sangue eram ótimos: em particular, pareciam ter níveis espetacularmente altos de HDL, ou "colesterol bom". "Essas pessoas têm o *melhor* sangue que alguém vai encontrar", diz ele, animado. "O sangue deles é perfeito!"

Isso não quer dizer que os judeus asquenazes tenham alguma vantagem especial em termos de longevidade; de maneira geral, eles não vivem necessariamente mais tempo do que qualquer outro grupo de nova-iorquinos. Barzilai os estuda devido a uma característica: a forte identidade cultural e a longa história de casamentos entre os judeus asquenazes significa que seus genomas são relativamente similares uns aos outros. E Barzilai acredita que isso o ajudará a identificar os "genes da longevidade" que, de acordo com ele, diferenciam os centenários do resto de nós.

A teoria de Barzilai é que os centenários vivem mais tempo simplesmente porque envelhecem mais lentamente. Isso pode parecer óbvio, mas a questão interessante é a *razão* pela qual isso acontece. Se houvesse uma maneira de identificar quais são os genes responsáveis por seu envelhecimento mais lento, seria possível ter algo fabuloso nas mãos. "A maior parte da biologia envolve o estudo de maneiras pelas quais somos iguais uns aos outros", ele me disse. "Isso é uma oportunidade inacreditável para entendermos por que a biologia de algumas pessoas é diferente da de outras."

∞

Biologicamente falando, é difícil achar um homem mais singular do que Irving Khan, que conheci em uma manhã ensolarada de novembro em seu escritório, 22 andares acima da Madison Avenue. Ele estava acabando de ler o *Wall Street Journal* e o *Financial Times* e se preparando para mais um dia como o diretor da empresa de investimentos da sua família, que administra cerca de 700 milhões de dólares em patrimônio. Era algo impressionante, porque Kahn parece já ter oitenta e tantos anos, talvez 90 – mas, na verdade, tinha 106 quando nos conhecemos. Em três semanas, completaria 107. "37 pessoas disseram que virão para a minha festa de aniversário", disse ele, com a voz arrastada. "E não faço a menor ideia do porquê."

Talvez essas pessoas viriam pela mesma razão que me levou até aquele escritório: Kahn é um dos homens mais velhos ainda vivo.[6] Ele nasceu em 1905, três anos antes de Henry Ford produzir seu primeiro Modelo T. Sua família morava em Yorkville, no Upper East Side de Manhattan, quando o lugar era predominantemente povoado por imigrantes poloneses e húngaros. Seu pai era um representante comercial que vendia belos lustres em forma de candelabro para nova-iorquinos endinheirados; frequentemente, precisava convencê-los a instalar a fiação elétrica em suas casas antes disso. Irving foi trabalhar em Wall Street em 1928 e acabou se tornando um dos discípulos do lendário Benjamin Graham, o patrono do investimento analítico. Ele passou pela quebra da bolsa de valores de 1929 em seu primeiro ano no trabalho e considera que Warren Buffett, que conheceu e de quem foi mentor após a 2ª Guerra Mundial, é apenas um iniciante. Kahn é um sobrevivente, uma versão humana da Arca, o eterno chalé da minha família no lago.

Dizer que Irving Kahn é um ponto extremamente fora da curva seria uma maneira bastante suave de descrever as coisas. De acordo com Barzilai, somente uma em cada 10 mil pessoas consegue chegar à marca de um século, e três quartos dessas pessoas são mulheres – apesar do fato de que mulheres muito velhas, em geral, tendem a ter mais problemas de saúde do que homens muito velhos. "As mulheres não são tão saudáveis, mas vivem mais tempo", observa ele.

E, realmente, isso parece ser verdade em todos os estágios posteriores da vida: um grande estudo de coorte que analisou pessoas de 85 anos em Newcastle, na Inglaterra, descobriu que homens realmente chegam a essa idade com uma saúde funcional notadamente melhor do que as mulheres. Um em cada três desses homens de 85 anos podia executar todas as tarefas do dia a dia em uma lista que enumerava dezessete ações diferentes, sem precisar de ajuda (coisas como escovar os dentes e tomar banho), *versus* apenas uma em cada seis no caso das mulheres. Mas os homens ainda morriam mais cedo. "Os homens simplesmente desabam e morrem, enquanto as mulheres continuam a sobreviver", diz Thomas Kirkwood, diretor do estudo de Newcastle.

---

6   Irving Khan faleceu em 24 de fevereiro de 2015, aos 109 anos de idade. (N. dos E.)

Mas muito poucas mulheres ou homens sobreviviam por muito tempo após os 100 anos e, para aqueles que conseguiam fazê-lo, o risco de morrer a cada ano começa em uma chance em cada três e só aumenta daí por diante. De acordo com a calculadora da expectativa de vida da Administração de Seguridade Social, em março de 2014, Kahn poderia esperar viver apenas mais 1,2 ano, estatisticamente falando, Kahn já havia desafiado probabilidades enormes e se tornou um dos americanos mais velhos existentes, chegando e forçando os limites observados da longevidade masculina, e mesmo assim ele ainda ia trabalhar todos os dias. "Quantas pessoas iguais a ele existem no mundo?", pergunta Barzilai. "Dez? Vinte, talvez?"

E, como se não bastasse, os três irmãos de Kahn *também* viveram até depois dos 100 anos, incluindo sua irmã mais velha Happy, que faleceu em 2011, com quase com 110 anos, apesar de ter passado 95 deles fumando, à la Madame Calment. O próprio Irving fumou por cerca de trinta anos, sem qualquer efeito prejudicial observável. Mesmo assim, ele parecia considerar sua idade extrema como uma espécie de incômodo sutil, e não a conquista quase milagrosa que é. Sentia falta de conseguir percorrer a pé os vinte quarteirões que separam o trabalho do seu apartamento no Upper East Side como costumava fazer, até que um treinamento para incêndios o forçou a descer 22 andares de escadas. Seus joelhos o incomodam desde então. Ele fica ainda mais irritado com o fato de, como ele mesmo diz, "minha visão está começando a ficar pior". Como ele vai conseguir ler o *Wall Street Journal* diariamente?

O estereótipo de pessoas idosas que são mantidas vivas por médicos e remédios – passando por um período infernal de enfermidades medicamente prolongadas – simplesmente não se aplica a centenários como Irving Kahn, insiste Barzilai. Com frequência, destaca ele, quando essas pessoas chegam ao seu consultório para serem examinadas para alimentar os dados do seu estudo, "é a primeira vez que elas vão ao médico". Simplesmente nunca precisaram ir antes, mas isso também pode ajudar a contribuir para a sua sobrevivência continuada, pensa Barzilai. "A pessoa mais velha do mundo vem constantemente ficando cada vez mais nova, e eu creio que isso acontece porque os médicos estão matando essas pessoas", com tratamentos desnecessários como medicamentos a base de estatinas para o colesterol. Até que os meus parentes que acreditavam na Ciência Cristã podiam não estar de todo errados, afinal de contas.

Como os centenários permanecem saudáveis por mais tempo – outra marca registrada do envelhecimento mais lento –, também é muito mais barato sustentá-los. Uma pessoa que morra aos 100 anos vai gastar, em seus dois últimos anos de vida, apenas um terço do valor das despesas médicas de uma pessoa que morra aos 70, de acordo com o Centro para Controle de Doenças. O pessoal da saúde pública chama isso de "compressão da morbidade", encurtando o período de tempo durante o qual as pessoas idosas ficam doentes. Isso é bom: mais expectativa de vida *e* mais expectativa de saúde, o oposto do que ocorria com os Struldbrugs. E, obviamente, é exatamente assim que as coisas funcionavam para Irving Kahn. Mas como?

Ele não divulgaria o segredo, mesmo que soubesse exatamente como as coisas funcionavam. A fama que conseguiu na parte final da vida e a publicidade que veio a reboque – ele já foi entrevistado por jornalistas televisivos de todas as partes do mundo – acabaram por transformá-lo em um entrevistado perspicaz e evasivo. Eu não estava conseguindo nada. "Irving, é correto eu dizer que você acha que a sua idade não é algo particularmente notável?", perguntou-lhe o seu neto Andrew, em uma voz mais alta do que o normal para compensar o senso de audição um pouco debilitado do avô.

Irv fez que sim com a cabeça.

"E Bill, você pode fazer uma pergunta. Irv, você fará o melhor que puder para se esquivar de dar uma resposta", prosseguiu Andrew, falando de uma forma que chegava às raias da acusação. "Você vai falar sobre uma gama enorme de assuntos que não têm nada a ver com a pergunta!"

E foi o que Irv fez durante as duas horas seguintes, conduzindo-me por divagações caóticas que iam de um assunto a outro. Seus interesses eram muitos e amplos: ele continuou a ser um leitor voraz, mas apenas de obras de não ficção. Romances e poesia são gêneros que ele considerava uma perda de tempo, embora fizesse uma exceção para Shakespeare. Minha tentativa de despertar seu interesse pela minha avó de 97 anos – uma bela senhora que ainda se enfeita com pérolas e maquiagem todos os dias – não surtiram efeito; ele ainda era apaixonado pela sua esposa, Ruth, que morreu em 1996.

Conversamos sobre o mercado de ações, inevitavelmente, e sua busca infindável por empresas subvalorizadas. Ele comprou uma empresa, um conglomerado de transportes chamado Seaboard, que tinha ações que custavam uns poucos dólares há algumas décadas; hoje, cada ação vale 2.600 dólares. Comprar e manter ações é uma estratégia de investimento que faz muito sentido quando você consegue viver até os 108 anos. E se encaixava com um dos outros achados de Barzilai: centenários tendem a ter perspectivas mais positivas sobre a vida de maneira geral, além dos seus valores espetaculares nos exames de colesterol. Conforme o próprio Irv disse, "a outra alternativa não é algo muito útil".

O fato de ir trabalhar todos os dias, incidentalmente, é ao mesmo tempo uma função da sua extrema longevidade – e também, em parte, talvez um fator contribuinte. Em Okinawa, a famosa "Zona Azul" japonesa, com a maior concentração de centenários no mundo, as pessoas mais velhas falam sobre a importância da *ikigai*, que se traduz como "uma razão para sair da cama pela manhã"; em resumo, é o seu propósito de vida. A *ikigai* de Irv era encontrar a próxima Seaboard. Eu estava simplesmente impedindo que ele fizesse seu trabalho.

Ele contou histórias sobre Ben Graham e os experimentos que fez na infância com a recém-popularizada tecnologia do rádio. "Isso aí é a vitrola?", perguntou sua mãe. E foi assim que a conversa seguiu durante duas horas. Ele havia testemunhado transformações inconcebíveis durante uma vida incrivelmente longa, e mesmo assim a própria longevidade era algo que ele, entre todas as pessoas, não era capaz de explicar. "Você está fazendo perguntas que não têm uma boa resposta", grunhiu ele finalmente. "Não creio que eu possa lhe dizer o que você quer saber."

∞

"Irving era o nosso garoto-propaganda", disse-me Barzilai alguns dias depois. "Mas biologicamente ele não me interessa mais, porque está no fim da vida. O que realmente queremos saber é como ele estava quando tinha 50, 60, 70 anos."

O melhor que Barzilai podia fazer era estudar os filhos de Irv e dos outros centenários, e descobriu que eles, também, pareciam estar envelhecendo mais lentamente do que seus pares. Assim, Tommy, o filho de Irving que veio para nos cumprimentar, parecia ter cerca de 51 anos de idade em vez de 71, sua verdadeira idade. Seu neto Andrew, que já passava dos 30, não ficaria estranho se vestisse um uniforme dos escoteiros. E, é claro, os três irmãos de Irving também haviam passado dos 100 anos. A razão pela qual todas essas pessoas pareciam estar envelhecendo mais lentamente tinha que estar em seus genes, sentia Barzilai. Eu silenciosamente esperava ter recebido alguns pedaços de DNA da minha própria ancestral longeva, a puritana de 96 anos Elizabeth Pabodie.

O papel dos genes na determinação da longevidade vem sendo debatido desde que descobrimos que os genes existem. Estudos com gêmeos dinamarqueses revelaram que apenas 20 por cento da longevidade é herdada, e 80 por cento se deve a fatores ambientais. Mas isso só é verdadeiro até cerca de 85 anos de idade. Depois disso, a hereditariedade assume um papel mais destacado, sendo responsável por até metade do enigma, senão mais. De acordo com o que diz o biólogo evolucionário Steve Austad (que conheceremos na próxima seção): "Se você quiser ser uma pessoa saudável aos 80 anos, você precisa ter um estilo de vida saudável; mas, se quiser ser uma pessoa saudável aos 100 anos, você precisa herdar os genes certos".

O fato de que todos os quatro irmãos Kahn viveram por tanto tempo não surpreende Barzilai nem um pouco: "Temos certeza, e não há qualquer dúvida sobre isso, de que a longevidade excepcional é predominantemente uma característica herdada", diz ele. Apenas não da maneira que se suspeitava inicialmente.

No começo, Barzilai acreditava que seus Super*Bubbes* tinham genomas "perfeitos", genes perfeitamente programados para a longevidade. Mas conforme a tecnologia para o sequenciamento genético se desenvolveu, juntamente com a nossa compreensão do papel dos genes nas doenças, ele ficou surpreso ao descobrir que o oposto também era verdadeiro: muitos dos seus centenários tinham alguns dos mesmos genes ruins encontrados em pessoas comuns. Ele e sua equipe sequenciaram os genomas de 44 centenários e descobriram que quase todos tinham variantes genéticas atribuídas a várias enfermidades sérias, como doenças cardíacas, Alzheimer e Parkinson. Mesmo assim, nenhum dos centenários chegou a desenvolver essas doenças. Isso o levou a fazer uma pergunta diferente: como é possível que uma pessoa que devia ter demência aos 70 anos e morrer aos 80 esteja vivendo até os 100?

Ao invés de genes "perfeitos", decidiu Barzilai, pessoas longevas devem ter genes *protetores*, que os impedem de desenvolver as doenças comuns da velhice (e tais genes ultraprotetores podem também explicar por que Keith Richards ainda está vivo). Ele decidiu se concentrar nos genes relacionados ao colesterol, porque seus centenários tinham valores excelentes nos exames de sangue e uma saúde cardíaca perfeita. E descobriu que muitos deles tinham uma variante genética específica que inibe algo chamado de CETP, uma molécula envolvida no processamento do colesterol (a sigla vem do inglês *cholesteryl ester transfer protein*, se você quiser pesquisar a respeito). É complicado, mas, de maneira geral, quanto menos CETP você tem, melhor; acredita-se que níveis altos dessa proteína levam a pessoa a desenvolver aterosclerose precoce. Centenários com a mutação que inibe a CETP não somente tinham melhor saúde cardíaca e níveis mais altos do "colesterol bom", mas também apresentavam uma incidência menor de perda de memória e demência, de acordo com um artigo que Barzilai e seus colegas publicaram no *JAMA*.

Esse único gene, em outras palavras, parecia protegê-los de dois dos Quatro Cavaleiros do Apocalipse: a doença cardíaca e o mal de Alzheimer. Irving Kahn tinha a variante CETP, assim como seus irmãos – juntamente com um em cada quatro dos centenários. Mas entre as pessoas de 65 anos, apenas uma em cada doze apresenta o gene, o que significa que as pessoas com esse gene em seu DNA têm uma probabilidade três vezes maior de viver até os 100 anos do que aquelas que não o têm.

Essa descoberta se encaixou muito bem com as pesquisas feitas por empresas farmacêuticas, que já estavam desesperadas em busca de uma droga que pudesse substituir os medicamentos a base de estatinas para diminuir o colesterol, já que suas patentes estavam prestes a expirar. Merck, Pfizer e outros laboratórios se apressaram a desenvolver inibidores de CETP com o objetivo de aumentar o HDL (ou "colesterol bom"). Mas até o momento esses medicamentos não chegaram ao mercado, e alguns estudos foram interrompidos porque muitos pacientes morreram (o laboratório Merck ainda tem um projeto passando pela Fase III dos testes, mas é o último sobrevivente da sua espécie).

"Eles criaram um medicamento sujo", diz Barzilai, já que a substância afetou muitos outros alvos além da CETP. Ele ainda acredita que, se forem encontrados mais genes protetores e se forem desenvolvidos tratamentos que emulam seus efeitos, pode ser possível estender a duração da vida saudável para o restante de nós – e "deixar para trás a complexidade da idade", nas palavras dele. A busca está apenas começando.

Um outro gene que possivelmente guarda segredos da longevidade está relacionado com o IGF-1, o fator de crescimento – que pode não ser tão bom para você, como vimos no capítulo 3. Barzilai descobriu que seus centenários tinham índices relativamente altos de IGF-1, mas, estranhamente, suas células apresentavam resistência à substância – também devido a outra variante genética. Isso significa que Irv e os outros velhotes não são pessoas pequenas apenas porque têm um século de idade; eles viveram por tanto tempo *porque* têm uma estatura mais baixa, mais ou menos como chihuahuas humanos.

Ainda assim, o aspecto mais impactante sobre os genes da longevidade descobertos até hoje está relacionado com a sua raridade, mesmo em centenários. Barzilai e outras equipes de pesquisa só conseguiram identificar um punhado de candidatos, um problema que, de acordo com o cientista, é consequência dos altos custos da tecnologia de sequenciamento genômico – e também no número relativamente ínfimo de centenários por todo o mundo. Existem tão poucos deles em relação ao restante de nós que é difícil identificar genes específicos como a "causa" da sua longevidade de maneira estatisticamente convincente. Isso pode mudar conforme o sequenciamento baratear no decorrer das próximas décadas. Barzilai e sua equipe estão trabalhando com o laboratório Google X em um projeto de sequenciamento genético, e em março de 2014 o geneticista Craig Venter entrou na jogada, formando uma empresa chamada Human Longevity, Inc., que promete sequenciar 40 mil genomas em uma caçada por pistas sobre a genética do envelhecimento.

Mas, por ora, eu tinha uma pergunta diferente: se genes da longevidade realmente existem, por que nem todos nós os temos? Por que a evolução não nos presenteou com a dádiva desses genes maravilhosos capazes de melhorar os níveis de colesterol, proteger o cérebro, refrear o envelhecimento e estender a vida?

Mas, quanto mais eu me aprofundava em minhas investigações, mais eu percebi que, na verdade, a maioria de nós têm o oposto dos genes da longevidade – e que aquilo que uma parte muito grande do nosso DNA mais quer é carinhosamente nos matar.

CAPÍTULO 6
O CORAÇÃO
DO PROBLEMA

Homens nascem flexíveis e macios; mortos, são rígidos e duros. Plantas nascem tenras e maleáveis; mortas, são quebradiças e secas. Assim, aquele que for rígido e inflexível é um discípulo da morte. Quem é maleável e flexível é um discípulo da vida. Os duros e rígidos serão quebrados. Os flexíveis e macios prevalecerão.

Lao Tsé

"Você vai ser esfaqueado algumas vezes", disse Bill Vaughan à guisa de saudação quando eu cheguei à porta da sua casa nas colinas de Berkeley. "Mas será tudo em prol da pesquisa."

Apesar de só conhecer Vaughan há 24 horas, eu já estava acostumado aos abusos dele. Quando nos sentamos para almoçar no dia anterior, ele anunciou: "Você quer entender o envelhecimento? Vou lhe mostrar o que é envelhecer!"

E, com isso, ele beliscou o dorso da minha mão, com força. Tive a sensação de que estava levando uma ferroada de um vespão. Enquanto eu o observava, chocado, ele fez o mesmo em sua própria mão.

"Olhe aqui!", disse ele, levando a mão até quase encostar no meu rosto. "Está vendo a diferença?"

Na minha mão, a marca do beliscão havia desaparecido quase instantaneamente, como uma ondulação em uma lagoa. Mas, na mão dele, uma dobra persistente na pele continuava visível.

Ele se recostou no assento da cadeira. "Isso é o envelhecimento!", disse ele. "É a *elasticidade*. A perda de elasticidade. É disso que se trata."

A diferença se resumia a duas moléculas: colágeno, uma substância dura e parecida com borracha que dá estrutura aos lábios, tendões e à pele; e elastina, que permite que a nossa pele retorne ao estado natural depois que sorrimos ou franzimos a testa, ao invés de continuar onde estava como uma ruga. Mas Vaughan não estava falando sobre rugas. A elasticidade, para ele, é um conceito muito mais amplo, talvez até mesmo a chave para o envelhecimento. "Ela afeta a função pulmonar", disse ele. "Afeta a função cardíaca. E nós ainda não a entendemos verdadeiramente."

Vaughan tinha 77 anos, mas não aparentava a idade, com sua cabeleira escura e o rosto amplo e sem rugas. Minha primeira impressão foi a de que ele lembrava discretamente o ator Christopher Walken, e que alguns de seus amigos tiveram a mesma primeira impressão quando o conheceram. No início da década de 1980, quando era um cientista com PhD em bioquímica que trabalhava informalmente, Vaughan usou a batedeira de cozinha de sua esposa para criar uma espécie de alimento energético pegajoso para atletas que, após algum tempo, veio a ser conhecido como PowerBar. Ele vendeu sua parte na empresa para o sócio e coinventor antes que a PowerBar se tornasse uma marca famosa, mas nunca se arrependeu. "Tudo que ele fez foi passar o tempo inteiro trabalhando", diz ele sobre o sócio, Maxwell. "E morreu de ataque cardíaco quando estava com 51 anos."

Pausa.

"Em uma agência do correio."

Alguns anos depois, Vaughan ligou a batedeira outra vez, desta vez procurando uma maneira melhor de alimentar sua filha Laura enquanto ela corria (e vencia) ultramaratonas de 160 quilômetros ou mais. Precisava ingerir calorias, mas seu estômago não suportava nenhum tipo de comida sólida enquanto ela corria. Nem mesmo uma PowerBar ("Ela só fica ocupando espaço no seu estômago", disse Vaughan). Assim, ele inventou uma espécie de gel açucarado, turbinado com uma mistura secreta de vitaminas, eletrólitos, aminoácidos e ervas que seriam entregues à filha em recipientes de plástico em pontos-chave no decorrer do trajeto. Após algum tempo Vaughan deu o nome de GU à mistura, e o produto chegou ao mercado em 1994 como o primeiro gel energético para atletas do mundo. Vendido em pequenas embalagens de papel alumínio para corredores, ciclistas e quaisquer outros atletas que precisassem de uma rápida recarga de energia, o GU transformou o mundo da nutrição esportiva tão radicalmente quanto a PowerBar.

Hoje em dia, é possível encontrar dezenas de barras e géis energéticos no mercado, mas essas duas categorias de produto, que atualmente movimentam bilhões de dólares, se originaram na cozinha de Vaughan. "Sou um resolvedor de problemas", disse ele. "O problema que eu tinha que resolver era o fato de que meus filhos saíam para correr às 6 horas da manhã, sem nada no estômago, e ficavam sem comer nada até o meio-dia. Meus produtos não foram criados com o mercado em mente."

Vaughan acabou vendendo o GU para seu filho Brian, o que permitiu que se aposentasse e ficasse definitivamente em sua casa em Berkeley Hills, concentrando sua atenção ao "maior de todos os problemas", aquele que assolava sua mente desde que era um aluno da pós-graduação: o envelhecimento. O laboratório caseiro que ele montou no porão de casa era famoso entre os atletas de elite de Berkeley, que frequentemente iam até lá para passar por testes e verificar o potencial para o seu desempenho nas competições. Entretanto, o lugar é ainda mais renomado entre a comunidade cada vez maior de cientistas amadores que estudam o envelhecimento e "hackers da saúde" que preferem botar a mão na massa, monitorando seus próprios sinais vitais e entrando em ação conforme os resultados obtidos. Para o movimento do "eu quantificado", as pessoas que monitoram a si mesmas com aparelhos como o Fitbit, balanças complicadas e outros aparatos e que enviam até mesmo as próprias fezes para serem analisadas, Vaughan é uma espécie de "paciente zero", porque ele vem fazendo autoestudos como esses há várias décadas no laboratório instalado em seu porão. Eu estava louco para conhecer o lugar.

Ele levava a pesquisa muito a sério. As estantes do seu escritório estavam cheias de cadernos. Alguns deles estavam classificados sob a categoria ATLETAS; outros, sob ESTUDOS SOBRE O ENVELHECIMENTO. Uma folha impressa com os resultados dos testes mais recentes da sua esposa estava sobre outra pasta com a etiqueta FAMÍLIA. Em uma bancada de laboratório na sala ao lado estava a batedeira KitchenAid branca que havia dado origem à PowerBar e ao GU. Vaughan havia começado a testar e examinar a si mesmo quando ainda cursava a pós-graduação, muito antes que qualquer pessoa usasse a expressão "eu quantificado". Ele estudava bioquímica no mesmo prédio onde o colesterol HDL foi identificado pela primeira vez e, assim como seus colegas da pós-graduação, era frequentemente selecionado para ser cobaia de alguns testes. Acabou sendo infectado pela obsessão em pesquisar, e os cadernos em sua estante agora abrigavam cinco décadas de dados coletados sobre a química do seu próprio sangue – sua própria versão pessoal do Estouro.

Ainda assim, ele não é egoísta. De tempos em tempos, oferece festas para seus amigos preocupados com o envelhecimento, nas quais coleta o sangue deles e todos competem em um "teste de função pulmonar", um exercício surpreendentemente doloroso onde a pessoa inspira o máximo de ar que conseguir e depois expira todo o volume em um tubo branco de plástico conectado a um computador. Fiz a mesma coisa no Estouro e foi tão divertido quanto tentar provocar o próprio vômito. Em tese, o teste serve para medir a capacidade pulmonar – que depende, é claro, da elasticidade (quanto mais velhos ficamos, mais os nossos pulmões enrijecem). Esses resultados são registrados nos cadernos também, e eu desejei silenciosamente que Vaughan servisse uma quantidade enorme de bebidas de boa qualidade nessas "festas".

Colocamos mãos à obra rapidamente. A primeira coisa que fizemos foi o teste de colesterol. Em poucos minutos, Vaughan estava esfregando o meu dedo com álcool e em seguida – *ka-chinck!* – fez um furo na ponta com uma lanceta descartável. "Vamos ver se você é do tipo que sangra", disse ele, segurando o meu dedo firmemente enquanto uma gota de sangue começava a se formar. "Ok, está bom."

Com um movimento suave, aperfeiçoado por anos de prática, ele extraiu o sangue para uma pipeta fina de vidro e o transferiu para um pequeno cartucho retangular, que por sua vez foi colocado na bandeja aberta de um aparelho pequeno de cor bege e sem qualquer característica notável; parecia ser uma daquelas máquinas que validam cartões de estacionamento, mas que, na verdade, era um analisador sanguíneo de última geração, algo normalmente encontrado apenas em consultórios médicos bastante avançados. A máquina começou a funcionar com um ruído baixo.

Vaughan executava esse ritual em si mesmo pelo menos uma vez por semana, disse ele, e os benefícios mais do que justificavam o preço de 1.300 dólares investidos no aparelho. Em vez de ir ao consultório médico para fazer exames de sangue uma vez por ano, ele simplesmente os faz por conta própria, sempre que quer. "Eu uso essa máquina para verificar se minhas várias intervenções dietéticas têm algum efeito. Uma pessoa acostumada a colocar a mão na massa por conta própria, como eu, pode descobrir o que funciona e o que não funciona em poucas semanas. O que funciona para *mim*, não em termos estatísticos", explicou.

Assim como Suzanne Somers, ele se transformou em seu próprio projeto pessoal de ciências. A principal diferença é que Vaughan tem um diploma científico de verdade. Ele dedica atenção especial ao seu colesterol LDL – o "colesterol ruim" –, que tende a ser extremamente baixo em centenários. Se ele conseguir manter seu nível de LDL baixo, de acordo com seus cálculos, ele também pode ter uma chance de viver até os 100 anos. A máquina o permite monitorar os índices de perto: se o nível aumentar muito, ele corta o consumo de carboidratos e talvez aumenta a sua dose de arroz fermentado vermelho, uma estatina natural que diminui o LDL. Vaughan costumava correr bastante, até que seus joelhos idosos o forçaram a parar. Atualmente, passa uma boa parte de cada dia sentado em uma bicicleta ergométrica, examinando os estudos e pesquisas mais recentes no banco de dados PubMed. Quando seu colesterol chegar até um nível que se pareça confortavelmente com o de um centenário, disse ele em tom de brincadeira, "vou comer um pedaço de *cheesecake*".

"O difícil é a manutenção", admitiu ele. "Você precisa estar atento quando chega a esse ponto, e tem que passar um bom tempo atento ao que acontece." Vaughan passa quase todo o seu tempo combatendo o envelhecimento, por meio de exercícios ou ioga, ou estudando. Eu esbarrei com ele em conferência após conferência, e ele sempre estava atualizado com as pesquisas mais recentes.

A máquina soltou um *bip*, e o mostrador digital se iluminou. "Aí está!", disse ele, inclinando-se para verificar o número.

"235", recitou ele lentamente. "Uau!"

Não era um "uau" dos melhores.

De acordo com as diretrizes mais recentes da American Heart Association, um nível de colesterol total acima de 240 é definido como perigosamente alto; idealmente, deve estar abaixo de 200. Meus resultados foram ficando piores a partir dali. Meu colesterol HDL – o "colesterol bom" – chegou a 56, um resultado razoável, embora não pudesse ser considerado bom. Em seguida veio o LDL, o número que eu estava esperando. Valores abaixo de 100 são bons. Vaughan conseguiu baixar o seu até cerca de 35, compatível com o de outros centenários. O meu ativou um alarme quando registrou um preocupante 154.

"Acho que eu não devia ter comido aquele cheeseburger duplo no In-N-Out ontem à noite", eu pensei comigo mesmo.

"Está alto", disse ele, franzindo a testa. "Está *horrível*", eu exclamei. "Pois é", ele confirmou.

∞

Três meses depois da minha visita a Bill Vaughan, eu me vi em uma sala de espera em Fort Lee, Nova Jersey, sentado ombro a ombro com mais de uma dúzia de idosos que tagarelavam em pelo menos quatro idiomas diferentes. Já eram quase 10 horas naquela manhã de sexta-feira e todos estávamos ali para fazer exames de sangue. As coisas não estavam acontecendo de maneira muito civilizada, e as pessoas estavam ficando agitadas. "Ela chegou aqui *depois* de nós!", resmungou uma matrona bastante maquiada quando outra senhora foi chamada para a sala dos fundos. Enquanto isso, a mulher de meia-idade ao meu lado estava apaziguando os ânimos da mãe septuagenária. "Vai ser *melhor* se o seu médico for mais novo que você."

Fui até aquele lugar para me consultar com um jovem cardiologista chamado Nathan Lebowitz para tentar colocar esse problema do colesterol sob controle. O colesterol alto parece ser um problema hereditário – o do meu avô ficava em torno de 300, e a visita que eu fiz ao laboratório caseiro de Bill Vaughan foi o empurrão que faltava para que eu consultasse um especialista. Eu não queria me juntar aos cerca de 600 mil americanos que morrem de doenças cardíacas todos os anos, mais do que por qualquer outra causa. O câncer vem logo atrás, mas é preciso lembrar de um detalhe: todos aqueles pacientes de câncer, assim como as vítimas de AVCs, aqueles que sofrem com doenças respiratórias e todo o resto morreram porque seus corações pararam de bater. O coração para e você apaga para sempre. Obviamente.

Escolhi Lebowitz não somente porque ele era regularmente classificado nas listas com os melhores médicos, mas porque ele se concentrava fortemente na prevenção, algo que as pesquisas já indicam há muito tempo ser a chave para combater doenças cardíacas. Ele também era renomado por reservar tempo para explicar coisas aos pacientes, muito mais do que os seis minutos tipicamente recomendados pelos planos de saúde. Eu não precisava ouvir meu médico dizer que o meu colesterol "devia estar mais baixo" mais uma vez. Queria saber mais. "Você pode contrair algumas coisas muito precocemente", disse Lebowitz ao telefone, ainda com sotaque típico de um nativo do Brooklyn. "Por que esperar?"

Realmente, não havia motivo para esperar. Tudo que sabemos indica que a doença cardíaca tem um prólogo muito, muito longo. Em um famoso estudo da década de 1950, a arteriosclerose coronária – o engrossamento e enrijecimento da principal artéria que sai do coração – foi descoberta em 77 por cento de um grupo de trezentos pacientes. Esses homens não eram velhos nem de meia-idade; eram jovens soldados que haviam sido mortos na Guerra da Coreia, e sua média de idade era de apenas 22 anos. Mesmo assim, problemas cardíacos sérios frequentemente demoram muito para ser diagnosticados; em dois terços dos pacientes do sexo masculino, o primeiro sinal de doença cardíaca é um ataque do coração. Para as mulheres, esse número é aproximadamente cerca de metade, o que ainda é um número alto e alarmante.

Muito do que conhecemos sobre doenças cardíacas vem do famoso estudo de Framingham, que poderia ser uma versão do Estouro focada no coração, e que já está em andamento há mais de cinquenta anos em Framingham, no estado de Massachusetts, abrangendo múltiplas gerações de pessoas. O estudo de Framingham foi o primeiro a revelar o elo entre o colesterol alto e a probabilidade de ataques cardíacos, juntamente com quatro outros fatores-chave de risco: obesidade, diabetes, pressão arterial alta e tabagismo. Os cientistas se debruçam sobre os dados do estudo de Framingham há décadas, mas em 2006 uma equipe de epidemiologistas deu o veredicto em um importante estudo publicado no *Circulation*, o periódico da American Heart Association: "Mesmo a presença de um único dos principais fatores de risco aos 50 anos de idade está associada a um risco substancialmente maior de doença cardiovascular crônica e níveis de sobrevivência decididamente menores".

Glup.

Assim, conforme eu me aproximava do ponto mágico de equilíbrio representado pelos 50 anos, percebi que era o orgulhoso proprietário de não somente um, mas dois dos cinco fatores de risco de Framingham: níveis altos de colesterol e pressão arterial não tão baixa (14 por 9, e aumentando com cada revisão sucessiva deste livro). Embora gostasse de pensar que era razoavelmente atlético, ainda assim eu não estava imune. Legiões de atletas de meia-idade tombaram devido a ataques cardíacos, incluindo o guru das corridas Jim Fixx e milhares de outras pessoas sobre as quais você nunca leu a respeito.

Meu valor estratosférico de LDL era especialmente preocupante. O problema é que as partículas pegajosas de LDL têm a tendência de grudar em pequenas fissuras nas paredes das artérias, criando "plaquetas" que passam a capturar mais colesterol e outros rejeitos celulares que passam pela corrente sanguínea, assim como a árvore que cai num rio prende todo tipo de detrito em seus galhos. Essas plaquetas podem então endurecer e restringir o fluxo sanguíneo, uma condição chamada de aterosclerose (que é diferente da arteriosclerose, uma doença caracterizada pelo enrijecimento do próprio tecido arterial). As plaquetas ficam cheias de coisas ruins e, se uma delas subitamente se quebrar e se deslocar da parede da artéria, essas coisas ruins viajarão diretamente até o coração. E aí, só resta dar adeus ao Tio Billy.

Durante as últimas décadas o objetivo principal da cardiologia (e da farmacologia) foi tentar reduzir esses índices de colesterol, geralmente através de medicamentos a base de estatinas, que reduzem o LDL; nossa sanha por reduzir o colesterol rapidamente transformou drogas a base de estatina como Lipitor e Crestor na classe de medicamentos mais vendida de todos os tempos. E nós tivemos sucesso de uma maneira bem relevante: desde 1960, as taxas de mortalidade devido à doenças cardiovasculares caíram pela metade.

Mas não podia ser só isso. Algo importante a se notar é que, embora as estatinas parecessem realmente ajudar pacientes diagnosticados com doenças cardíacas, que já estavam doentes, o uso disseminado desses medicamentos para a prevenção não diminuiu realmente as taxas de mortalidade gerais entre pessoas saudáveis. Ou seja, as estatinas só parecem ajudar pessoas com problemas preexistentes, mas não funcionam como uma prevenção primária. "Devíamos ver um declínio na mortalidade geral, mas isso não aconteceu", diz Nir Barzilai. "Isso, na minha opinião, significa que as estatinas matam as pessoas de alguma outra maneira."

Mais recentemente, surgiram dúvidas sobre o colesterol ser o único vilão da história. Um estudo grande com 136 mil pacientes que passaram por algum "evento" coronariano descobriu que metade deles, na realidade, tinha níveis *baixos* de colesterol LDL, de acordo com as diretrizes aceitas na época. O repórter de TV Tim Russert foi uma dessas pessoas: quando ele morreu devido a um ataque cardíaco fulminante em 2008, seu LDL estava num nível perfeitamente aceitável de 68. Embora seu peso fosse um fator de risco óbvio e ele estivesse sob medicação para controlar a pressão arterial, nenhum sintoma foi registrado até que uma plaqueta arterial se rompeu e o matou aos 58 anos de idade.

Isso não significa que doenças cardíacas não exibam sinais de alerta. A pressão arterial alta, que Russel apresentava, é fácil de identificar. Mas é menos óbvio perceber se alguém simplesmente *parece* velho. Dados do Estudo do Coração da Cidade de Copenhagen que já vem sendo feito há décadas mostram que pessoas que exibem certos sinais explícitos de envelhecimento, tais como depósitos de gordura ao redor dos olhos, lobos auriculares vincados e calvície ou princípios de calvície (oh, não!) corriam um risco mais de 50 por cento maior de sofrer um ataque do coração. E aqui está outro: tempos de reação mais vagarosos – que Bill Vaughan também mede no laboratório instalado no porão da sua casa – também foram identificados como preditores de risco de morte por doença cardiovascular. E finalmente, existe o indicador definitivo de doença cardiovascular que, em retrospecto, deveria ser óbvio: disfunção erétil. Na realidade, o Viagra foi originalmente desenvolvido como um medicamento para a pressão arterial antes que seus outros efeitos benéficos fossem detectados. Um estudo feito em 2012 mostrou que, de fato, homens com disfunção erétil mais severa também tinham uma propensão maior a ter doenças cardíacas evitáveis. Como os anúncios diziam, "pode ser uma questão de fluxo de sangue".

Mas o colesterol continua a ser o fator de risco mais óbvio e mais quantificável. A má notícia é que muito provavelmente o seu médico (assim como o meu) vem medindo o colesterol da maneira errada. "O exame regular de colesterol no sangue que sempre fizemos não representa toda a situação", disse o dr. Lebowitz quando finalmente consegui conversar com ele. "É uma tentativa de representar a situação."

Ele começou esclarecendo um aspecto bastante importante: nem todo colesterol é ruim. Na realidade o colesterol é uma molécula essencial à vida, crucial para a produção de membranas celulares e também para a produção de hormônios como a testosterona e o estrógeno; é por esse motivo que ele está no nosso sangue. Os colesteróis também são necessários para o funcionamento cerebral. Assim, não é possível nem desejável que medicamentos como o Lipitor os arranquem completamente da existência. Além disso, o colesterol existe em várias formas e tamanhos, não somente os três principais (o bom, o mau e os triglicérides). E, para deixar as coisas ainda mais complicadas, disse ele, nem todo colesterol ruim é realmente ruim – e nem todo bom colesterol é realmente bom.

Lebowitz abriu uma pasta e começou a verificar meus exames. Para ter uma ideia melhor do verdadeiro perfil de risco dos seus pacientes, ele utiliza um sofisticado grupo de exames de sangue chamado Painel do Coração de Boston, que mensura uma quantidade imensa de parâmetros. Meus resultados ocuparam três páginas inteiras, mas indicavam uma história ligeiramente melhor do que a da máquina instalada no laboratório caseiro de Bill Vaughan. Desde a minha visita a Berkeley, o meu LDL havia baixado; essa era a boa notícia. A notícia não tão boa era que o LDL havia caído apenas seis pontos, passando de 154 para 148.

Lebowitz franziu a testa. Índices de colesterol podem variar de um dia para outro, mas esse resultado era bem ruim. Mesmo assim, ainda havia esperança. No caso do LDL, o importante não é o seu número total, disse ele. Todo esse LDL tem que ser distribuído pelo organismo em moléculas transportadoras especiais, que variam consideravelmente em tamanho. De acordo com ele, uma quantidade pequena de moléculas transportadoras grandes é melhor do que uma quantidade grande de transportadoras pequenas, assim como seria mais fácil transportar cinquenta turistas em um passeio por Roma em um único ônibus grande do que em cinquenta lambretas separadas. Assim como as lambretas teriam uma possibilidade muito maior de se envolver em acidentes, um grupo de moléculas transportadoras pequenas teria mais oportunidades de grudar nas minhas paredes arteriais e criar plaquetas que virão a me matar no futuro. "Considerando apenas as probabilidades percentuais, mais dessas moléculas vão atingir as suas paredes arteriais e algumas delas vão aderir, alojando-se nas fissuras e causando problemas", disse ele.

Cada molécula transportadora é marcada por uma proteína chamada apolipoproteína B, ou ApoB, que aparece em exames. Grandes estudos iniciados há quase quinze anos demonstraram que a ApoB é um preditor de risco muito melhor do que simplesmente o velho LDL, e alguns pesquisadores sugeriram que os médicos deveriam concentrar suas análises na ApoB. Atualmente, exames como esse são rotineiros na Europa, mas, infelizmente, as diretrizes dos Estados Unidos mais recentes sobre o colesterol nem mesmo a mencionam.

ATEROSCLEROSE

Qual é a importância do tamanho da partícula? Uma função do CETP, o "gene da longevidade" identificado por Nir Barzilai em seus centenários, é aumentar o tamanho da sua partícula de LDL. O colesterol LDL de Irving Kahn, o investidor de 108 anos, provavelmente era transportado pelo seu organismo em partículas do tamanho de aviões jumbo. Infelizmente eu não tenho o gene CETP certo. Assim, o meu índice de ApoB foi 101, pouco melhor do que o limite de risco de 90. Assim, aparentemente, o meu LDL circula em caminhonetes enferrujadas com bandeirinhas dos estados confederados.

Por sorte, o meu nível de colesterol HDL também era alto, o que é bom porque a função do HDL é "varrer" o colesterol para longe do coração e mandá-lo de volta para o fígado. Além disso, a maior parte das minhas partículas de HDL pareciam ser grandes, um tipo denominado de A-1, que são os coletores mais eficientes. Lebowitz anotou no meu prontuário: "Ótimo!"

Mesmo assim, as coisas não estavam *tão* boas: meus índices de HDL e LDL tecnicamente me tornariam um candidato à "redução de colesterol", disse ele, o que geralmente indica um medicamento a base de estatina. É quase um rito de passagem da meia-idade: o momento em que seu médico assina a sua primeira receita de Lipitor. Mas eu não estava muito animado para tomar estatinas, especialmente com as palavras de Nir Barzilai ainda ressoando em meus ouvidos. Os cardiologistas tradicionais acreditam uniformemente que suas vantagens superam em muito qualquer desvantagem, mas ainda assim os meus genes latentes de Ciência Cristã se opunham a passar a tomar um medicamento por tempo indeterminado – ainda não. Por sorte, uma pesquisa um pouco mais aprofundada mostrou que eu não precisava disso.

Na realidade, existem dois tipos de colesterol no seu corpo: aquele que você produz e o que você absorve da sua dieta. Este último compõe uma porcentagem pequena do total, mas ainda assim nossos corpos têm uma capacidade excelente de preservá-lo e reciclá-lo. "Lembre-se, nossos genes ainda acham que estamos 3 mil anos no passado e que passamos fome, então esses mecanismos para a preservação do colesterol ainda estão funcionando a todo vapor", disse Lebowitz.

Em resumo, um medicamento a base de estatina iria apenas reduzir o colesterol que eu produzo, mas o teste complexo mostrou que o meu tipo particular de colesterol era predominantemente absorvido pela minha dieta (aparentemente, eles conseguem diferenciar um do outro). Assim, uma estatina não causaria grandes efeitos. Isso era uma boa notícia: eu poderia usar algo menos potente, um medicamento como Welchol ou Zetia, que simplesmente ajuda a levar o colesterol para fora do intestino. (A fibra do farelo de aveia faz praticamente a mesma coisa, absorvendo o colesterol e removendo-o do corpo). Mas eu ainda estava hesitante. Assim, ele começou a fazer perguntas sobre meus hábitos alimentares.

"Você se alimenta de acordo com a dieta mediterrânea?", perguntou ele. "Mais ou menos", eu gaguejei. "Gosta de batata frita?", espetou ele. "Uma vez por semana", eu menti.

"Nãooooo. Isso não é aceitável."

"Carne vermelha uma vez por semana?", eu tentei.

Ele fez uma careta quando eu disse isso.

Sabe-se, há um bom tempo, que a carne vermelha é um fator de risco para doenças cardíacas, originalmente devido ao seu teor de gordura. Pesquisas mais recentes exoneraram a gordura, em maior ou menor grau (e ela acabou se mostrando ser relativamente boa para quem a consome), ao mesmo tempo que identificaram outro possível cúmplice na carnitina, um aminoácido encontrado na carne vermelha. No corpo, a carnitina é metabolizada em uma substância chamada TMAO, que causa aterosclerose. Em um estudo pequeno publicado recentemente, pesquisadores identificaram micróbios específicos do trato digestivo na maioria das pessoas que são responsáveis por produzir TMAO – mas pessoas que são vegetarianas há muito tempo e que não têm esses micróbios específicos também não produzem TMAO quando comem carne vermelha.

Traduzindo: De acordo com esse estudo, aparentemente só é saudável comer carne se você for vegetariano.

E eu não era. Nem estava disposto a me tornar. Mas não estava a fim de tomar remédios, então jurei que iria eliminar hambúrgueres e batatas fritas da minha dieta. Ou quase. (Eu podia ir mais longe e cortar todas as carnes processadas – que, de acordo com o que foi demonstrado em pelo menos um grande estudo publicado recentemente, aumentam mais o risco de falência cardíaca do que o consumo de carnes não processadas). Isso foi o bastante para convencer Lebowitz a me deixar escapar do seu consultório (eu já estava ali há uma hora), embora eu tivesse a certeza de que ele sabia que, como a maioria dos pacientes cardíacos, ainda não estou pronto para fazer nada para mudar – e possivelmente até salvar – a minha vida.

Em seguida, aprofundei ainda mais as minhas pesquisas, e foi aí que eu realmente comecei a entrar em pânico.

∞

Tipicamente, considera-se que as doenças cardíacas são um mal predominantemente moderno, uma função das nossas dietas recém-enriquecidas. Nos bons tempos de antigamente, antes que todas as pessoas comessem batatas fritas, gorduras trans e se refestelassem com carne vermelha o tempo todo, considerava-se que esse problema não existia. Mas a realidade não é bem assim.

Em 1909, um cientista franco-britânico no Cairo chamado Marc Ruffer dissecou e analisou um grupo de antigas múmias egípcias, às quais ele conseguiu acesso por meios escusos. Dizia ser um "paleopatologista", uma pessoa especializada em estudar doenças antigas, e, naqueles cadáveres velhos e ressecados, acabou encontrando várias. Algumas das múmias apresentavam ovos do parasita aquático causador da esquistossomose nos rins, e pelo menos uma delas parecia ter pústulas consistentes com a varíola. A característica mais interessante que ele descobriu foi que várias das múmias pareciam sofrer do que se pensava ser uma doença predominantemente moderna: aterosclerose.

Naquela época, a doença cardíaca estava apenas emergindo como uma das principais causas de morte no mundo industrial – e continuou a ser assim por mais de um século. Durante anos, pensou-se que a presença da doença arterial nessas múmias antiquíssimas era o resultado de um estilo de vida real decadente, já que somente reis, rainhas e indivíduos de *status* alto eram mumificados. Entretanto, pouco mais de um século após as aventuras de Ruffer, uma equipe multinacional estraçalhou essa concepção com um artigo no *The Lancet*, dizendo que haviam encontrado graus similares de enrijecimento arterial não somente em dezenas de outras múmias egípcias – alguns indivíduos inclusive ainda não haviam completado 30 anos quando morreram –, como também em vários outros cadáveres mumificados no Peru, na região sudoeste dos Estados Unidos e nas ilhas Aleutas do Alasca. (A aterosclerose também estava presente em Otzi, o "Homem do Gelo", que foi sepultado em uma geleira há 5 mil anos).

Diferentemente dos mortos egípcios, esses indivíduos não eram membros da realeza; no Peru, especialmente, a mumificação dos mortos era uma prática comum. "Assim como tenho um retrato do meu avô, um banqueiro de Newport, exposto na minha casa, eu manteria a múmia por perto", diz Caleb "Tuck" Finch, um gerontologista da Universidade da Carolina do Sul que fez parte da equipe que publicou o artigo no *Lancet*. A esperança era que algum dia, talvez, a tata-tata-tata-tataravô magicamente voltaria à vida, como a cabeça criogenicamente congelada de Ted Williams.

A diferença crucial era que as múmias peruanas, juntamente com as norte-americanas, faziam parte de culturas de caçadores e coletores, alimentando-se com uma dieta "saudável" e autenticamente paleolítica. Mesmo assim, também sofriam dos princípios da doença cardiovascular. A aterosclerose afetava homens e mulheres em todas as faixas etárias e em todos os níveis das sociedades da antiguidade, e assim o *Lancet* levantou uma importante questão: seriam os seres humanos geneticamente programados para desenvolver doenças cardíacas?

Resposta curta: sim, provavelmente somos. Isso explica por que aqueles pobres soldados americanos jovens tinham arteriosclerose antes de completarem 25 anos. De certa maneira, somos quase programados para desenvolver um certo grau de enrijecimento arterial – se vivermos por tempo suficiente. E isso não é tudo: nossos corações enrijecem e se atrofiam com a idade. Foi o que aconteceu com o meu cão Theo. Seu pobre coração envelheceu prematuramente pelo esforço de alimentar aquele tumor sedento de sangue. Mas o importante é saber que isso acontece com todos nós, mais cedo ou mais tarde.

O momento mais fascinante do Estouro, e também o de maior nervosismo, veio no segundo dia, quando me deitei numa maca em um consultório escuro enquanto um técnico lambuzou o meu peito com um gel esverdeado. Em seguida, ele pressionou a ponta de metal frio de um bastão de ultrassom naquela massa pegajosa e virou a tela do seu computador para mim. Na tela, surgiu uma imagem verde e fantasmagórica do meu coração batendo, algo que eu nunca havia visto. Era uma imagem bizarra: as válvulas adejando e ondulando em uma dança fluida e complexa – como uma espécie de animal das profundezas dos oceanos.

Foi duplamente esquisito porque o ultrassom revelou somente um pedaço de uma imagem, como se ele houvesse apontado uma lanterna para o interior de uma caverna escura e aquosa na qual meu coração estivesse batendo casualmente. Ficamos ali e observamos meu coração trabalhar a cada batida, as válvulas se agitando e adejando antes de finalmente se fecharem outra vez e permitirem que a câmara se enchesse novamente. Era mais do que estranho ver aquele único músculo, até o momento invisível, que havia sustentado a minha vida inteira.

Estávamos observando a elasticidade em ação: o músculo cardíaco deve ser forte o suficiente para fazer fluir o sangue pelos quase 100 mil quilômetros(!) de vasos sanguíneos existentes em um corpo humano típico, contraindo e expandindo-se mais de 180 vezes por minuto no pico da intensidade dos exercícios. Ainda assim, as próprias artérias devem permanecer suficientemente flexíveis para dar conta de todo esse volume – como um balão de água, elas só conseguem se encher por um certo número de vezes antes que a borracha comece a se desfazer. Com o passar do tempo, perdemos essa flexibilidade. E não somente por causa da aterosclerose, mas porque os nossos corações – assim como o restante de nós – estão sujeitos a danos do envelhecimento *intrínseco*, da mesma maneira que a bomba de combustível no seu velho carro vai acabar se desgastando e precisará ser substituída. Ela simplesmente fica velha. Não foi feita para durar tanto tempo.

Assim como aquela velha bomba, o desempenho do seu coração vai piorando conforme a idade avança. Embora a frequência cardíaca em repouso não mude muito, exceto em resposta a treinos de resistência, a frequência cardíaca máxima diminui em uma linha reta conforme envelhecemos. O mesmo acontece com o $VO_{2máx}$, como eu aprendi no Estouro. O músculo cardíaco enfraquece e não consegue bombear a mesma quantidade de sangue por contração. Ele ainda dura muito mais do que qualquer peça automotiva já fabricada – o coração é uma maquininha milagrosa, na verdade –, mas a verdade é que o coração humano tem um tempo finito de vida. E é por essa razão que o maior, o mais sério e menos modificável "fator de risco" para a doença cardíaca é a própria idade.

Conforme movia o bastão gelado do ultrassom pelo meu peito, o técnico do Estouro parava periodicamente e apertava um botão no computador, capturando imagens de certas partes do meu coração. Ele estava essencialmente fazendo medições no órgão, dedicando uma atenção especial ao ventrículo esquerdo, uma das primeiras partes da "bomba" a mostrar sinais de idade. Com o tempo, após milhares e milhões de contrações, o músculo tende a ficar enrijecido e maior, algo que você pode pensar ser uma coisa boa. Um coração maior e mais forte significa mais sangue bombeado, certo?

Errado. Na verdade, um ventrículo esquerdo maior é um sintoma clássico de doença cardíaca e pressão arterial alta, já que a bomba tem que trabalhar mais intensamente para manter as coisas fluindo por um sistema circulatório que se enrijece aos poucos. Conforme ele bombeia com mais força, o coração ganha massa muscular, e por isso fica maior – e muito menos eficiente. Esse era o problema de Theo. Ele só conseguia manter uma aparência saudável, apesar do seu enorme tumor, porque sempre foi atlético durante toda a sua vida canina. O envelhecimento está escondido em nossos corpos.

Exercícios aeróbicos ou treinos de força durante longos períodos podem realmente reduzir o risco de uma pessoa desenvolver hipertrofia cardíaca – embora regimes de exercícios iniciados tardiamente sejam bem menos eficazes. Se você se descuidar, um coração hipertrofiado pode evoluir para um quadro de falência cardíaca, uma das principais razões pelas quais pessoas idosas ficam sem energia, como Luigi Ferrucci destacou. De acordo com Richard Lee, um cardiologista e pesquisador de células-tronco de Harvard: "A natureza provavelmente se importa mais com a perda de cabelo aos 40 anos do que com a falência cardíaca aos 80. Mas, agora, nossos hospitais estão cheios de pessoas que apresentam falência cardíaca aos 80".

O que pode ser feito? Controlar a pressão arterial em geral parece ajudar, seja com medicação – ou com meditação, a qual teve efeitos positivos comprovados em estudos, acredite se quiser. Dados do BLSA também indicam que a gordura abdominal – o tipo que eu tenho – é outra possível causa ou contribuinte para problemas no ventrículo esquerdo. Assim, livrar-me dela seria um ótimo próximo passo (algo que vamos explorar mais a fundo dentro de alguns capítulos). Mas todas essas medidas têm resultados limitados. A realidade é que, assim como as peças do seu carro, seu coração simplesmente não foi projetado para durar para sempre.

Nem as nossas artérias. A seguir, o técnico aplicou o bastão sobre o meu pescoço e mexeu-o de um lado para outro. Estava medindo algo chamado "espessura medial íntima", ou a espessura da parede da minha artéria carótida. No decorrer do tempo, nossas paredes arteriais tendem a ficar mais espessas – e menos flexíveis. É por causa disso que nossa pressão arterial aumenta e nosso coração fica hipertrofiado, em um círculo vicioso. O dr. Lebowitz fez as mesmas medições e, embora não houvesse encontrado nenhuma plaqueta – o que foi uma boa notícia –, ainda assim concluiu que a minha "idade arterial" era de 59, o que me deixou chocado.

Com o tempo, dados do Estouro mostraram que o fator que mais contribui para as doenças cardíacas e a falência cardíaca é a nossa própria biologia do envelhecimento, ou seja, a maneira pela qual nosso músculo cardíaco e paredes arteriais mudam no decorrer do tempo, tornando-nos mais suscetíveis à aterosclerose e à arteriosclerose. Processos dentro das nossas próprias células criam vários tipos de lixo, incluindo as chamadas proteínas reticuladas e depósitos excessivos de substâncias como cálcio e colágeno.

Na realidade, nós *queremos* que essas substâncias estejam em nossos ossos e na pele – mas, em nossos corações, elas causam enrijecimento, perda de elasticidade e outras coisas ruins. E parece não haver maneira de evitar que isso aconteça: quanto mais tempo vivemos, mais desses rejeitos acabam sendo depositados no nosso músculo mais importante. A situação ainda fica pior: músculos não se regeneram, porque as células do músculo cardíaco não se dividem (assim como os neurônios, as outras células mais importantes dos nossos corpos). E conforme um número cada vez maior de nós ultrapassa a zona de risco tradicional para ataques cardíacos, que vai do início da casa dos 50 até o fim dos 60, mais pessoas estão vivendo com corações envelhecidos. Talvez eles simplesmente acabem se desgastando, afinal de contas.

"Você não vai entrar num Fiat 147 para percorrer 600 mil quilômetros", diz Lee, o pesquisador de Harvard. "Você pode escolher um Volvo ou um Subaru, mas definitivamente não vai usar um Fiat 147 para percorrer esse trajeto. E algumas partes do coração provavelmente são assim."

Assim, a questão é a seguinte: como transformar um Fiat 147 num Volvo?

CAPÍTULO 1
A CALVÍCIE COMO METÁFORA

Um olho úmido, uma mão seca, uma face amarelada, uma barba branca, uma perna encolhida, uma barriga inchada... tua voz arrastada, teu fôlego curto, teu queixo duplo, teu raciocínio simplório, e todas as partes de ti castigadas pela antiguidade.

William Shakespeare

De algum modo, eu consegui escapar do Hospital Portuário de Baltimore sem passar pelo mesmo processo dos personagens de *Downton Abbey*. Vai levar três anos até que o meu microbioma seja analisado. Mas os bons profissionais do Estouro também ignoraram outro biomarcador do envelhecimento que, pelo menos para mim, parece ser bastante óbvio: os meus cabelos. Ou, mais especificamente, a falta deles. O momento que mais me apavora é quando o meu barbeiro *hipster* me entrega um espelho para "dar uma olhadinha atrás" e eu vejo a área calva que um comediante irritante de *stand-up* de Los Angeles certa vez chamou de "quipá da cor da pele".

Venho pensando bastante sobre os meus preciosos cachos desde o início do verão, quando fui até a reunião dos alunos da minha turma da faculdade (vamos chamar o evento de "uma reunião importante"). Fui até lá, em parte, porque tinha curiosidade em saber em que tipo de adultos os meus colegas espinhentos haviam se tornado, mas também pela razão mais tradicional: para dar uma olhada na aparência das pessoas. Num final de semana de junho, algumas centenas de nós se congregaram no velho gramado da faculdade para nos reaproximarmos. Ficamos alojados nos antigos dormitórios, visitamos os velhos pontos importantes da faculdade e comentamos sobre como os nossos professores favoritos envelheceram. À noite, bebericamos (em vez de engolir) as nossas cervejas sob tendas brancas e tentamos manter diálogos relativamente longos com pessoas que não víamos há décadas. Uma das principais perguntas nunca era formulada: *que diabo aconteceu com o seu cabelo?*

Antes de ir até lá, eu havia desenterrado o velho "Facebook dos Calouros". Sou tão velho que, naquela época, ainda havia um livro físico, de papel mesmo, com fotos e informações básicas sobre cada membro da turma de [CENSURADO]. Mas o que me saltou aos olhos naquela página – quase que literalmente – foram os cabelos. Tínhamos umas massas tão densas, espessas e incríveis de cabelos que brotavam de um ponto tão baixo das nossas testas que quase chegavam a se mesclar com as nossas sobrancelhas. Em várias das fotos, parecia que algum tipo de animal peludo havia se aninhado na cabeça da pessoa.

É preciso ressaltar que, sim, essas fotos foram tiradas na década de 1980, uma espécie de era de ouro perdida para as cabeleiras. Mas, mesmo assim, havia muito cabelo. E agora, para a maioria de nós, o que havia era apenas um vestígio da antiga glória, na melhor das hipóteses. Muitos dos rapazes haviam se rendido ao inevitável e simplesmente raspavam as cabeças; outros, incluindo este que vos escreve, ainda tentavam negar o óbvio, apegados aos fios cada vez mais raros e fingindo que as marcas da calvície não estavam lá. E isso não acontecia somente com os homens; muitas das mulheres também haviam perdido o brilho e o volume das madeixas juvenis. Mas nem todos os presentes haviam sido afetados, pelo menos por enquanto: um grupo seleto de colegas ainda exibia – ou melhor, ostentava – suas jubas exuberantes, talvez com algumas manchas grisalhas, mas, de outra forma, não muito diferentes da imagem presente nas fotos tiradas quando eram calouros. Exceto pelo fato de que o restante de nós agora os odiava.

Mas então, o que havia acontecido? Por que os nossos cabelos estavam ficando cada vez piores, apenas duas décadas após alcançarem o ponto capilar mais alto e glorioso?

Em busca de respostas, fui visitar o dr. George Cotsarelis, professor da Universidade da Pensilvânia e referência na ciência da regeneração capilar. Não é que o nosso cabelo *desapareça*, explicou ele, em uma voz tranquilizadora – resultado de conversar com milhares de pacientes em pânico, entre os quais pode ou não estar Donald Trump. Um retrato que mostrava Cotsarelis e Trump lado a lado, sorridentes e apertando as mãos, adornava a estante de livros do consultório, logo ao lado de outro onde Cotsarelis aparecia ao lado do presidente Obama, mas ele não confirmou nem negou que era o gênio maluco por trás da famosa juba de Trump. Não insisti no assunto. Tinha assuntos mais profundos com que me preocupar.

A perda de cabelo não é realmente uma perda, explicou Cotsarelis. É uma questão que está mais relacionada ao encolhimento. A boa notícia é que os nossos folículos capilares não desapareceram, nem mesmo na região do meu "quipá da cor da pele". A má notícia é que esses folículos se "miniaturizaram" a ponto de os cabelos que eles produzem serem microscópicos. Em outras palavras, homens calvos não são realmente calvos; seus cabelos são simplesmente invisíveis. Mas, além disso, ele não tinha muitas respostas. "Não sabemos realmente por que isso acontece", admitiu ele. "Realmente não sabemos."

"Você não está ajudando", eu pensei.

O termo científico para a calvície masculina é *alopecia androgenética*, e parece realmente estar programada nos genes de muitos homens desafortunados (na maioria dos homens, para dizer a verdade). Mas o fato é que a maioria dos pacientes de Cotsarelis são mulheres que sofrem basicamente da mesma síndrome: o volume dos seus cabelos diminui e os fios ficam mais finos, mesmo que não acabem caindo ou se "miniaturizando" como os dos seus maridos. "É interessante. As mulheres mais afetadas por esse problema são aquelas que tinham os cabelos mais densos e bonitos quando eram jovens. Elas estavam no nonagésimo nono percentil", observou ele.

Surpresa: a perda de cabelos, ou esquisitice dos cabelos, afeta as mulheres também. De acordo com um estudo, 6 por cento das mulheres com menos de 50 anos mostram algum grau real de perda de cabelo – um índice que sobe para 38 por cento quando elas chegam aos 70. Para os homens, claro, é muito pior: quatro em cada cinco terão perdido uma quantidade significativa de cabelos quando chegarem aos 70. Mas, mesmo entre aqueles que conseguirem manter os cabelos, quase todos acabarão ficando grisalhos algum dia. Por que isso acontece? Foi o que eu perguntei.

O cabelo branco não surge por que fios individuais "embranquecem", explicou Cotsarelis pacientemente. Em vez disso, cabelos brancos são simplesmente fios que não têm pigmento – outro sintoma de folículos envelhecidos. Com o passar do tempo, os cabelos pigmentados caem, deixando os brancos para trás. Isso se você tiver sorte. Somente 5 por cento dos homens ou mulheres vão conseguir manter suas madeixas de aparência juvenil quando passarem dos 70, estima ele.

Em relação ao restante de nós, Cotsarelis compartilha da nossa dor: "Evolutivamente, eu creio que o estado dos seus cabelos é um indicador muito importante de saúde", diz ele. "Se você vir alguém com cabelos espessos e exuberantes, você sabe que essa pessoa não têm deficiências nutricionais, que provavelmente ingere uma quantidade adequada de calorias. E que provavelmente também é fértil. Mas, se estiverem doentes, se tiverem sarna, a aparência dos cabelos é horrível, e tais pessoas não são atraentes. Isso está tudo programado evolutivamente."

Para a maior parte da classe de mil novecentos e oitenta e tanto, com algumas pouquíssimas e sortudas exceções, nossos couros (pouco) cabeludos estavam dizendo ao mundo que estávamos cansados, desgastados e talvez perto do fim da linha – prospectos ruins para trocar genes. E é por essa razão que as mulheres frequentemente hesitam em clicar nas fotos de perfis de homens calvos no Match.com, e também o motivo pelo qual a indústria de produtos para cabelos receba bilhões de dólares de ambos os sexos. Não é apenas uma questão de vaidade – é a *evolução*. "É simplesmente uma enorme parte da nossa identidade e do nosso senso de bem-estar", disse Cotsarelis.

Mas o que me levou até lá foi o fato de que Cotsarelis havia feito pesquisas impressionantes sobre como os folículos capilares podem ser induzidos a voltar a crescer. Em 2012, sua equipe identificou o principal culpado da perda de cabelo, uma molécula chamada prostaglandina D2, frequentemente encontrada perto da cena do crime: as áreas do couro cabeludo que não têm cabelos. A evidência é mais do que meramente circunstancial: sabe-se que a prostaglandina D2 inibe o crescimento dos folículos, e que também está relacionada à inflamação, a qual tende a aumentar em nossos corpos com a idade. O laboratório Merck estava testando uma droga que inibia a PGD2 – inibindo o inibidor, por assim dizer – mas os testes foram cancelados em 2013. Cotsarelis fundou sua própria *start-up* chamada Follica, que está trabalhando em uma versão própria do inibidor de prostaglandina, entre outros tratamentos.

Mas o verdadeiro pulo do gato envolve células-tronco, algo com o qual Cotsarelis "ficou basicamente obcecado" durante sua pós-graduação. Naquela época, pensava-se que as pessoas nasciam com um certo número de folículos capilares e que eles acabavam morrendo com o tempo. Na realidade, de acordo com Cotsarelis, as células-tronco foliculares permanecem intactas durante as nossas vidas, mas, conforme envelhecemos, elas simplesmente entram num estado de dormência – algo que também acontece com outros tipos de células-tronco, pelo que foi descoberto. Assim, a pergunta passa a ser a seguinte: o que é preciso fazer para reativar essas células-tronco?

Em 2007, Cotsarelis publicou um artigo na revista *Nature* que descrevia como ele administrou uma série de pequenas agulhadas na pele de camundongos e esperou para ver o que acontecia com as células da pele durante o processo de cura. Para a sua surpresa, ele descobriu que os ferimentos desencadearam uma cascata de fatores de crescimento que basicamente fizeram as células da pele voltar a um estado parecido com o embrionário – transformando-as em células-tronco, na prática – e, por sua vez, induziu essas mesmas células a gerar novos folículos capilares. Talvez os couros cabeludos humanos sejam capazes de fazer a mesma coisa, se receberem a combinação certa de medicamentos e agulhadas. Ele também está trabalhando nisso com a sua *start-up*.

Assim, será que há esperança para o meu quipá da cor da pele que não para de crescer? Ou para os cabelos no alto da minha testa, que estão recuando como o exército confederado em Gettysburg? Ele acha que sim, mesmo que não tenha se animado a fornecer muitos detalhes a respeito por enquanto.

"Mas mesmo se descobrirmos uma maneira de tratar o problema, não significa que iremos 'curá-lo'", avisou ele quando eu estava saindo. "Creio que o que estamos fazendo vai resultar em tratamentos, sem necessariamente compreender toda a situação."

∞

Curar a calvície é algo que está bem distante na lista de prioridades do NIH na hora de distribuir verbas de pesquisa. A maioria dos cientistas que estuda o envelhecimento acha que a perda de cabelo não tem tanta relevância para o nosso envelhecimento real, biológico. Evolutivamente falando, entretanto, o fato de que tantas pessoas perdem os cabelos tem muito a ver com a razão pela qual envelhecemos. Pouco tempo depois que Darwin propôs sua teoria da evolução, cientistas começaram a se perguntar como o envelhecimento e a morte poderiam se encaixar naquela linha de raciocínio. Por que envelhecemos? Como a seleção natural permitiu que o envelhecimento existisse, já que, essencialmente, isso é o oposto da "sobrevivência do indivíduo mais adaptado"?

Em 1891, o grande biólogo alemão August Weissmann tentou responder a essa pergunta. Ele especulou que os organismos vivos envelhecem e morrem para abrir espaço para a geração seguinte, economizando recursos para que os jovens possam sobreviver. De acordo com ele, o envelhecimento foi programado em nós em prol do bem da espécie, e, portanto, os velhos têm que morrer para sair do caminho. Desde então, essa noção é bastante popular entre os estudantes e todas as pessoas com menos de 25 anos. Mas a noção de que o envelhecimento está programado em nós de algum modo vem sendo muito debatida desde então, e a maioria dos biólogos evolutivos discorda de Weissmann.

Uma das razões é que os cientistas acreditam há bastante tempo que a evolução acontece no nível do indivíduo, não do grupo; genes são selecionados e transmitidos porque beneficiam o animal que os transporta, permitindo que ele ou ela se reproduza. A ideia de seleção natural baseada no grupo vai contra isso. Outra razão é que a ampla maioria dos animais selvagens não vive tempo suficiente para morrer de velhice. A maioria perece muito antes disso por outras causas, tais como serem devorados. Pense nos camundongos, por exemplo. No laboratório, com alimentação regular e uma bela e aconchegante gaiola cheia de serragem, um camundongo viverá cerca de dois anos até morrer, geralmente devido ao câncer. Na natureza, por outro lado, camundongos raramente vivem mais do que seis meses, e geralmente morrem na boca de uma raposa, ou, mais comumente, por causa do frio.

Portanto, o envelhecimento não é algo tão relevante para a evolução dos ratos ou de qualquer outro animal, incluindo os humanos. Em média, nosso ancestral caçador-coletor vivia até cerca de 25 anos, e geralmente morria devido a infecção, a algum acidente ou vítima de um ataque de predadores ou de outros humanos. Apenas um grupo seleto e restrito daqueles caçadores-coletores vivia o suficiente para chegar aos 60 ou 70 – e isso, conforme percebeu o perspicaz geneticista britânico e vencedor do Prêmio Nobel J. B. S. "Jack" Haldane, pode até mesmo explicar por que envelhecemos desta maneira.

Haldane estava estudando uma condição chamada de doença de Huntington, talvez a doença mais horrível do mundo. Sendo basicamente uma forma de demência que se inicia precocemente, ela começa com mudanças sutis na personalidade e no equilíbrio, mas depois se desenvolve em um problema torturante e incapacitante em poucos anos. Pessoas com a doença de Huntington parecem estar dançando quando perdem o controle dos seus corpos e começam a se contorcer e se debater espasmodicamente. O cantor Woody Guthrie, talvez a mais famosa vítima de Huntington, passou os últimos quinze anos da sua vida em instituições para doentes mentais antes de morrer com a idade trágica, embora típica, de 55 anos.

O que chamou a atenção de Haldane foi o fato de que o mal de Huntington, na realidade, é uma doença hereditária, causada por um único gene. E, se isso não fosse o bastante, o gene de Huntington é dominante, o que significa que mesmo que somente um dos pais o tenha, seus filhos ou filhas quase certamente também desenvolverão a doença. De acordo com a teoria da seleção natural, uma doença genética tão catastrófica deveria ter sido eliminada da existência há muito tempo. Mas o mal de Huntington tem outra qualidade singular: seus sintomas só aparecem por volta dos 40 anos.

Haldane percebeu o que isso significava: como Huntington só se manifesta mais tarde na vida, depois que seus portadores já tiveram filhos, essa condição ficou praticamente intocada pela seleção natural. Quando a pessoa finalmente percebe que tem o gene, ela já o passou adiante. Assim, o gene de Huntington conseguiu sobreviver porque residia na "sombra da seleção", o período pós-reprodutivo onde a força da seleção natural é drasticamente enfraquecida.

Um dos colegas de Haldane, o brilhante Peter Medawar – que também seria um futuro Nobelista – percebeu a conexão com o envelhecimento: a sombra da seleção permite que todos os genes danosos floresçam em momentos posteriores da vida. Não somente Huntington, mas muitas outras surpresas desagradáveis. É por isso que, em estágios mais tardios da vida, nós desenvolvemos características que deviam ter sido apagadas pela força purificadora da seleção natural: o enrijecimento das nossas artérias, o amolecimento dos nossos músculos, o enrugamento da nossa pele, o inchaço dos nossos pneuzinhos e a constante desagregação dos nossos cérebros. Para não mencionar o temido quipá da cor da pele. Quando chegamos à meia-idade, a evolução simplesmente tira as mãos do volante e abre uma cerveja.

Assim, qualquer que fosse o propósito das jubas exuberantes e juvenis dos meus colegas da faculdade – plumagem para atrair parceiros, isolamento térmico para os nossos cérebros, proteção contra ferimentos ou contra o sol –, tudo isso fica irrelevante após os 40 anos, porque a evolução não se preocupa mais se temos boa aparência ou não. O mesmo acontece com a nossa visão, os nossos joelhos e nossa hidráulica sexual. De acordo com o geneticista Michael Rose, "a porção mais tardia da vida [se torna] uma 'lata de lixo' genética", o lugar onde nosso cabelo vai parar.

A sombra da seleção explica muitas outras coisas, tais como por que as mulheres têm uma propensão muito maior a desenvolver câncer de mama após os 50 anos do que quando estão na casa dos 20, uma época mais ativa do ponto de vista reprodutivo. Mães que têm uma predisposição genética a desenvolver câncer de mama precocemente teriam mais dificuldades para criar bebês, e esses bebês teriam chances menores de sobreviver e transmitir esses mesmos genes de câncer de mama precoce.

Medawar via o envelhecimento como a acumulação desses genes danosos e indesejáveis. Mas o que aconteceria se os *mesmos* genes que nos esculpiram de maneira magnífica quando tínhamos vinte e poucos anos acabassem nos matando no longo prazo? Esse foi o *insight* de um geneticista americano chamado George Williams, que especulou em um artigo publicado em 1957 que certos genes que nos ajudam bastante no início da vida podem acabar tendo efeitos danosos ou até mesmo perigosos em estágios posteriores. Algum tempo depois, esse fenômeno recebeu o nome de pleiotropia antagonística (sendo que *pleiotropia* se refere a um único gene com múltiplas funções). Além disso, Williams acreditava que a seleção natural favorecia genes como esses.

Um exemplo interessante de um gene pleiotrópico surgiu recentemente, e está relacionado ao fato de que pessoas brancas ficam bronzeadas. Cientistas da Universidade de Oxford encontraram uma variante genética em pessoas caucasianas que ajuda suas peles pálidas a resistir aos danos causados pelos raios ultravioleta do sol, escurecendo temporariamente, mas com o custo de aumentar o risco de câncer testicular. Para citar outro exemplo, os cientistas debateram a alta prevalência do gene da hemocromatose, uma doença que faz com que níveis perigosamente altos de ferro tóxico se acumulem no sangue, levando a doenças e problemas na meia-idade. Por outro lado, surgiram evidências de que, na Idade Média, homens com esse gene pareciam ter uma resistência maior à peste bubônica. O gene da hemocromatose dava aos homens uma chance melhor de sobreviver à peste, ao custo de uma saúde pior na meia-idade. Para a evolução, isso é algo muito simples: o gene fica.

O envelhecimento está cheio de duelos como esses, entre a sobrevivência imediata e uma possível longevidade. O lado perdedor, geralmente, é o da longevidade. Na verdade, a evolução pode até mesmo ter *encurtado* nossas expectativas de vida.

No final da década de 1990, uma jovem pesquisadora da Universidade da Califórnia em São Francisco (UCSF) chamada Cynthia Kenyon descobriu uma mutação que aumentava enormemente o tempo de vida do nosso amigo *C. elegans*, o verme milimétrico tão adorado pelos cientistas. Os vermes mutantes não apresentavam um gene chamado DAF-2, que governa o metabolismo – mais especificamente, receptores para fatores de crescimento similares à insulina, o equivalente do verme para o nosso IGF-1. Kenyon descobriu que seus vermes sem o DAF-2 viviam o dobro do tempo que os vermes normais ou "selvagens".

Essa descoberta foi impressionante: a primeira evidência real de que o envelhecimento pode ser refreado ao se deletar um único gene. E não somente isso, mas sua descoberta mostrou que a "rota" da insulina/IGF tinha uma função central no envelhecimento – e que, ao contrário do que acreditavam o dr. Life e seus colegas, quanto menos fatores de crescimento como esse você tiver, melhor. Kenyon alegou que seus vermes haviam sobrevivido por um período de tempo equivalente a 120 anos para um ser humano, uma declaração que chegou às manchetes e que a colocou na longa lista de cientistas considerados para receber um Prêmio Nobel. Nenhum outro "gene da morte" – o apelido dado por Kenyon – foi encontrado em seres humanos até o momento, mas sua descoberta deu indícios bastante animadores de que mexer com os nossos próprios genes pode aumentar nosso tempo de vida.

Terapias genéticas desse tipo ainda vão demorar anos para se tornar realidade, e há dúvidas de que alguém seja capaz de encontrar um único gene que tenha um efeito tão dramático na longevidade humana. (Uma das diferenças é que o *C. elegans* tem apenas 959 células, enquanto o corpo humano tem trilhões). Mas a descoberta também chamou atenção para a evolução da própria longevidade. A lógica diria que, como vivem por mais tempo, os vermes sem o gene DAF-2 teriam algum tipo de vantagem evolutiva sobre seus primos de vida curta. Assim, por que a seleção natural já não havia eliminado o gene da morte?

Alguns anos depois que Kenyon fez sua descoberta, um cientista escocês chamado Gordon Lithgow descobriu por que isso não havia acontecido. Ele misturou vermes normais e mutantes longevos na mesma placa para ver o que aconteceria. Ficou espantado com os resultados: Em apenas quatro gerações, os vermes longevos estavam praticamente extintos. O motivo, ele descobriu, era que os longevos se reproduziam um pouco mais tarde do que os vermes com vida mais curta.

É interessante perceber que esse fenômeno também foi observado em humanos longevos: os judeus asquenazes centenários de Nir Barzilai, por exemplo, tinham poucos ou nenhum filho, apesar de terem se casado nas décadas de 1920 e 1930, antes do surgimento dos anticoncepcionais. Aqueles com filhos, os tiveram mais tarde da vida – outra descoberta que foi associada com expectativas de vida mais longas (um efeito colateral disso, é claro, foi fazer com que os "genes da longevidade" ficassem ainda mais raros). Portanto, ter filhos talvez realmente encurte o seu tempo de vida, mas, nas placas de Petri, não demorou muito até que os vermes longevos mutantes houvessem sido superados reprodutivamente, numericamente e esmagadoramente pelos seus primos selvagens e promíscuos. Sua longevidade extrema mostrou não servir para nada.

Os resultados da batalha entre os vermes de Lithgow pareceu mostrar que a seleção natural claramente favorece aqueles que se reproduzem mais rápido em detrimento dos longevos pela mesma razão que a maioria das cidades têm vinte McDonald's para cada restaurante francês elegante. O que é barato e de fácil acesso geralmente vence o que é demorado e lento. Mas isso também levantou outras perguntas, tais como: por que alguns animais – e algumas pessoas – vivem mais tempo do que os outros? Por que a longevidade evoluiu, afinal de contas? Por que os humanos vivem por 80 anos enquanto os ratos vivem somente 2 ou 3, nas melhores condições?

Há duas explicações para isso, aparentemente. Uma delas tem a ver com o sexo, e a outra com a morte.

∞

Steven Austad nunca pensou muito sobre o envelhecimento até um dia em 1978, quando conheceu o Gambá #9. Antes disso, como sua esposa observou posteriormente, seu maior interesse era o sexo. Sexo entre gambás, mas, mesmo assim...

Ele estava acampado nas savanas da região central da Venezuela, ajudando um amigo a capturar fêmeas de gambá para um estudo. Todos os meses, eles capturavam todas as fêmeas do local, avaliavam sua saúde e as soltavam novamente. Certo dia, ele apanhou a sra. #9, um animal que ele havia capturado e etiquetado meses antes. Naquela época, ela era jovem e agressiva, dona de uma "mordida forte", nas palavras do próprio Austad. Agora, sofria de artrite e estava quase cega devido à catarata. Quando Austad a soltou, ela andou a passos cambaleantes e trombou com uma árvore.

Ele viu esse tipo de coisa acontecer várias e várias vezes. Num intervalo de cerca de seis meses, animais jovens e saudáveis "simplesmente se desintegravam", diz ele. "Estavam envelhecendo de maneira incrivelmente rápida."

A história ficou ainda mais estranha alguns anos depois, quando Austad foi estudar um grupo diferente de gambás que viviam em uma remota ilha barreira chamada de Ilha Sapelo, próxima ao litoral do estado da Geórgia. Os gambás da ilha eram basicamente iguais aos seus primos venezuelanos, com uma diferença principal: viviam muito mais tempo, chegando aos quatro anos, em contraponto a apenas um ou dois anos dos venezuelanos. A diferença se devia aos predadores: os gambás da selva tinham muitos, mas os gambás da ilha não tinham nenhum, já que estão isolados do continente há mais de 5 mil anos.

Como resultado, essas criaturas eram mais relaxadas. O primeiro que Austad avistou estava dormindo no meio da estrada. O cientista correu até lá e agarrou o bicho com as mãos nuas. E logo percebeu que havia chegado ao paraíso dos gambás. Sem predadores, as vidas daqueles animais eram virtualmente livres do estresse, e eles não tinham nada para fazer além de comer, dormir e se reproduzir, o que faziam com bastante vontade. Cada fêmea de Sapelo produzia duas ou três ninhadas durante sua vida, comparada com apenas uma por fêmea na Venezuela. Era como um *resort* de alta classe para os gambás.

Austad não ficou surpreso com o fato de que os gambás da ilha viviam mais tempo, mas o que chamou sua atenção foi o fato de que eles também pareciam estar envelhecendo mais lentamente. Ele examinou os tendões nas patas dos animais e percebeu que os gambás de Sapelo continuavam ágeis e tonificados por muito mais tempo do que os animais do continente – um marcador típico de que eles envelheciam mais lentamente; seus membros e articulações não ficavam mais velhos ou mais rígidos com a mesma velocidade. Longe de envelhecer em um ritmo determinado, ele percebeu, os gambás de Sapelo haviam, de algum modo, evoluído para envelhecer mais lentamente que os seus primos que viviam nas selvas. Era a versão que a natureza apresentava para o problema da reunião da turma da faculdade: alguns animais envelhecem num piscar de olhos, enquanto outros parecem continuar jovens para sempre. Mas por que isso acontece?

Diferente da maioria dos cientistas que pesquisam o envelhecimento, que passam a maior parte do tempo confinados em seus laboratórios, Austad é uma espécie de viajante. Passou a porção inicial da sua carreira de biólogo de campo em lugares exóticos como Papua-Nova Guiné, assim como na Venezuela e no litoral da Geórgia. Viveu boa parte da vida dormindo em barracas, mas foi um leão chamado Orville que ajudou a desenvolver uma percepção aguçada sobre o seu lugar na cadeia alimentar.

Em uma tarde de inverno, Austad me levou até um dos seus lugares favoritos: o zoológico de San Antonio, não muito longe do centro da cidade. Enquanto passeávamos pelo parque, ele contou histórias e curiosidades sobre macacos, aranhas, serpentes e cangurus arbóreos – animais esquisitos que ele havia estudado em Papua-Nova Guiné. Os humanos de hoje, de acordo com o que ele observou, envelhecem de maneira bastante parecida com a dos animais de zoológico – protegidos de predadores e acidentes, nós vivemos muito mais do que na época em que morávamos no meio do mato. Após algum tempo, estávamos diante da cova dos leões, quando um jovem macho começou a olhar para Austad com cara de poucos amigos, como se Austad estivesse dando em cima de sua namorada em um bar. Talvez ele estivesse apenas entediado; fazia frio naquele dia e o zoológico estava quase deserto. Qualquer que fosse a razão, Austad parecia ter ficado nervoso, e nós saímos dali rapidamente.

"Não gosto de olhar esses bichos nos olhos", disse ele. "Mesmo quando estou num safári, quando nosso carro passa no meio de um grupo de leões, fico sentado no meio do veículo e não olho para fora. As pessoas acham que eu sou louco."

Foi nesse momento que ele contou a história de Orville. Muito antes de pensar em ir para a faculdade e se tornar cientista, Austad arranjou um emprego de cuidador de animais para filmes de Hollywood. Seu trabalho era fazer com que os leões seguissem o roteiro adequadamente – bocejando quando recebessem um sinal, por exemplo – e, mais importante do que isso, impedir que eles mordessem os atores.

Você pode achar que esse tipo de emprego necessite de anos de treinamento e experiência, mas estaria errado: na época, o currículo de Austad incluía frases como "abandonou a faculdade de Letras" e "motorista de táxi em Nova York".

Um dia, Austad estava levando Orville para passear no rancho onde os animais viviam, nos arredores de Los Angeles, quando um pato azarado cruzou o caminho do leão. O leão saltou sobre o pato e Austad mandou que Orville o largasse, e reforçou o comando com golpes da corrente de metal que servia como guia para o leão. "Uma das coisas mais importantes a lembrar quando se lida com animais grandes como esse é que eles têm que fazer o que você manda *agora*, na primeira vez em que você dá o comando. Não é igual ao que faço com o meu cachorro, quando digo: 'Vem! Vem! Vem?'"

Orville largou o pato, conforme as ordens que recebeu, mas em seguida se voltou contra Austad. Em pouco tempo Austad estava no chão, com a perna direita na boca de Orville. Quando finalmente aceitou o fato de que não poderia escapar, conseguiu se acalmar e avaliar a situação. A má notícia era que ele estava no processo de ser devorado por um leão. A boa notícia – se é que podemos chamá-la assim – era que Orville estava comendo lentamente, quase filosoficamente. "O fato de que ele estava com a minha perna significava que não estava comendo nada além disso", disse ele. Por outro lado, ele calculou que Orville acabaria comendo o resto do seu corpo. Por sorte, o rancho ficava perto de uma estrada, e naquele exato momento um grupo de turistas havia encostado o veículo para olhar os animais. Os turistas viram um leão sobre um homem e relataram a situação para o escritório do rancho.

Austad passou várias semanas se recuperando no hospital local, onde acabou se tornando uma espécie de celebridade, porque a esposa do proprietário do rancho – a atriz Tippi Hedren, estrela de *Os pássaros*, de Alfred Hitchcock – vinha visitá-lo todos os dias. Milagrosamente, sua perna não precisou ser amputada, e tudo que ele perdeu foi um pedaço do fêmur e uma enorme quantidade de sangue. Austad chegou até a voltar ao trabalho, mas não demorou muito tempo até que Orville o atacasse outra vez, e Austad percebeu que era hora de procurar outro tipo de emprego.

Com exceção de Orville, Austad sempre adorou animais, desde a sua infância em uma fazenda no estado de Indiana. Assim, voltou para a escola com a intenção de estudar leões soltos na natureza. Em vez disso, acabou concentrando seus estudos em criaturas menos glamourosas e com dentes menos afiados, como os gambás. Quando viu a Gambá #9 cambalear e trombar com a árvore, percebeu que o envelhecimento era o grande problema sem solução que afetava tudo que já viveu. E que nós não sabemos quase nada a respeito. "É o grande mistério da biologia", diz ele.

A história dos dois gambás pareceu confirmar, pelo menos de maneira mais geral, uma intrigante nova teoria sobre o envelhecimento. Concebida por um jovem cientista britânico chamado Thomas Kirkwood – que havia estudado matemática, não biologia –, a teoria da "soma descartável" postulava basicamente que nossos corpos são meramente veículos para nossas células "germinais" – o nosso DNA – e, portanto, só precisam durar por um tempo suficiente para permitir a nossa reprodução. O que acontece depois não tem importância. E, como as células germinais têm prioridade, as outras células do nosso corpo, também chamadas de células somáticas, só precisam durar pelo tempo em que precisamos sobreviver em meio à natureza. Assim, não faz sentido que a natureza crie um gambá que seja capaz de sobreviver entre dez e quinze anos, quando ele provavelmente só vai viver um ou dois desses anos.

"Tudo que os nossos genomas precisam fazer é investir o suficiente no corpo, de modo que este corpo esteja em boas condições durante o tempo que provavelmente viveremos", disse-me Kirkwood. "Mas, na natureza, é uma estratégia ruim investir mais do que isso, porque qual seria a finalidade? A natureza é um lugar perigoso, então você não precisa de um corpo capaz de funcionar indefinidamente nas melhores condições."

Mas para os gambás com a sorte de terem nascido na ilha paradisíaca de Sapelo, onde não há predadores, é perfeitamente razoável construir um corpo mais longevo. No decorrer de 5 mil anos, eles evoluíram de modo a viver a vida com um calendário mais relaxado, sem tanta pressão para andar rápido e se reproduzir.

A maioria dos outros cientistas concentrou seus estudos em "organismos modelo", tais como moscas das frutas, vermes nematoides como o *C. elegans* ou camundongos – "não somente camundongos, mas uma *linhagem* de camundongos", diz ele. Esses animais têm uma característica em comum: não viviam por muito tempo, algo bastante conveniente para obter resultados rápidos em estudos. Contudo, Austad duvidava que isso pudesse nos ensinar muita coisa a respeito do envelhecimento humano. "Roedores, de maneira geral, são bem entediantes se estudados a partir da perspectiva do envelhecimento", diz Austad. Assim, ele decidiu procurar espécimes além dos animais de laboratório mais comuns para tentar identificar outras maneiras nas quais a própria natureza conseguiu derrotar, atrasar ou reprogramar o processo de envelhecimento em ambientes selvagens. Sua primeira tentativa foi estabelecer uma colônia de gambás, mas esses animais se mostraram difíceis de criar em condições laboratoriais. Além disso, ele não tinha 5 mil anos para tentar fazer com que animais longevos evoluíssem. Assim, começou a procurar por espécies que já viviam mais tempo do que se esperava.

Para a maioria dos animais, o tempo de vida se correlaciona muito bem com o tamanho, já que animais maiores tendem a viver mais tempo, de maneira geral. (Chihuahuas e outros cães pequenos, mas de vida longa, são uma exceção a essa regra, graças a séculos de reprodução manipulada). Usando uma técnica de medição chamada de quociente de longevidade, que compara o a longevidade real com aquela prevista pelo tamanho, Austad descobriu que os humanos são bastante longevos, tanto em termos relativos quanto absolutos: observou-se que pouquíssimos outros seres vivos conseguem viver por 100 anos ou mais. Assim, estender o tempo de vida dos seres humanos seria algo bem difícil.

Mas algumas criaturas conseguem viver mais do que nós, começando pelas famosas tartarugas terrestres das ilhas Galápagos. Alguns destes animais sobreviveram as depredações das tripulações famintas de barcos baleeiros no século 19 e continuam vivendo até os dias atuais – mais de 150 anos. Lagostas também são campeãs conhecidas na área da longevidade, vivendo entre 50 e 100 anos. Isso é pouco se comparado a algumas ostras e mariscos que sabemos estarem vivas há centenas de anos. Descobriu-se que um marisco em particular da Islândia tinha mais de 500 anos de idade, o que indica que ele já estava por lá mais ou menos desde a época de Cristóvão Colombo. O marisco, que recebeu o apelido de Ming, estava vivendo alegremente em cativeiro até 2013, quando pesquisadores tiveram a brilhante ideia de tentar abri-lo. Só Deus sabe por que eles fizeram isso – talvez para fazer um creme de mariscos? O processo resultou na morte precoce de Ming, com uma idade estimada de 507 anos.

Houve outros casos surpreendentes também. Pontas de arpão antigas feitas a mão foram encontradas na carcaça de uma baleia-da-groenlândia morta por caçadores esquimós Inupiat no Alasca na década de 1990. Anteriormente, pensava-se que as baleias viviam "somente" por 50 anos, mas esse espécime revelou ter cerca de 211 anos, baseado na análise das mudanças no cristalino dos olhos. A água fria pode ser boa para a longevidade: pescadores do Alasca também trouxeram espécimes de peixe do gênero *Sebastes*, parentes dos lucianos-do-golfo e robalos listrados, com mais de um século de vida.

Austad agrupa essas espécies longevas no que ele chama de Zoológico dos Matusaléns: criaturas que exibem pouca ou nenhuma evidência do envelhecimento – ou, como os cientistas dizem, senescência desprezível. E embora não seja fácil conduzir estudos sobre o envelhecimento em baleias que vivem em águas profundas por mais de 200 anos, há um outro animal bastante longevo que é ao mesmo tempo bastante numeroso e acessível: o morcego. Em todo o reino dos mamíferos, somente dezenove espécies têm um coeficiente de longevidade (CL) maior do que os humanos, e dezoito dessas espécies são morcegos. Na natureza foram encontrados alguns morcegos que chegaram a viver 41 anos, o que lhes deu um CL de 9,8, ou o dobro da humanidade. (A 19ª espécie é um animal chamado rato-toupeira-pelado, uma criatura tão bizarra que eu ainda não quero entrar em detalhes).

Há alguns anos, Austad e um colaborador capturaram vários exemplares de uma colônia que vivia embaixo de uma ponte no Texas, esperando responder a uma pergunta simples: o quanto eles eram diferentes, digamos, dos camundongos? E como isso os ajudava a viver por mais tempo?

A característica mais óbvia que diferenciava os morcegos era o fato de continuarem vivos depois de 7 anos e além, quando os camundongos já haviam batido as botas há muito tempo. Outra diferença foi que, enquanto os camundongos soltam uma ninhada de cinco a dez filhotes a cada trinta dias, até morrerem, os morcegos produzem um descendente por vez, uma vez por ano. Faz sentido: entocados em cavernas e com a habilidade de fugir voando dos seus predadores, os morcegos podem se dar ao luxo de se reproduzir lentamente – assim como os gambás da ilha. Ou os humanos.

Mas qual é o "segredo"? Seria a dieta com alto teor de proteínas baseada no consumo de insetos? Seu colesterol baixo? Todo o exercício que fazem quando voam de um lado para outro? Todas as horas de sono durante o dia? Provavelmente não. Em vez disso, Austad foi mais a fundo, pesquisando o lugar onde o envelhecimento realmente reside: nas células dos animais. Em um estudo, ele e alguns colegas colocaram um punhado de células de morcego em uma placa e banharam-nas com compostos tóxicos para medir sua capacidade de resistir ao estresse. Em seguida, fizeram o mesmo com células de camundongos e células humanas. As células dos morcegos resistiram ao estresse muito melhor do que as células dos camundongos e as dos humanos. Em termos simples, os animais com vidas mais longas tinham células mais robustas. Assim, conseguiam durar por mais tempo.

Tudo isso está relacionado com a manutenção celular, os mecanismos internos de limpeza que existem em todas as nossas células. Em animais de vida longa, Austad e outros cientistas descobriram que esses programas de manutenção tendem a ser muito melhores do que aqueles presentes nas células de criaturas de vida curta como os camundongos. Assim, seus corpos são mais bem tratados e, portanto, duram mais tempo. É como se você tivesse dois carros: um Jaguar *top* de linha que usa para passear nos finais de semana e um Ford Focus barato e bastante usado para pequenos trajetos na cidade. Você levaria o Jaguar para um mecânico especializado e experiente, esperando deixá-lo em condições perfeitas pelo máximo de tempo possível, mas provavelmente levaria o Focus para a oficina da esquina, porque ele é barato e facilmente substituível. A mesma coisa acontece em nível celular. Os camundongos fazem sua manutenção na oficina da esquina, enquanto os morcegos vão aos mecânicos da Jaguar.

Nesse sentido, a pergunta agora é a seguinte: existe alguma maneira de fazer com que as nossas células se pareçam mais com as células dos morcegos e menos com as células dos camundongos? Mais como as das baleias-da-groenlândia e menos como as das trutas salmonadas? Mais como o Jaguar e menos como o Ford Focus?

Para responder estas perguntas, primeiro é preciso entender como e por que as nossas células envelhecem – o que sabemos graças a um garoto de classe média baixa da Filadélfia, que enfrentou e arrasou com um mito científico de cinquenta anos que foi inventado e propagado por um velho nazista francês.

CAPÍTULO 8
AS VIDAS DE UMA CÉLULA

Você não acredita realmente em toda essa baboseira, não é? Essa porcaria sacrossanta sobre dietas, os tratamentos a base de lavagens intestinais, as aplicações de lama, a privação sensorial? O que isso vai nos trazer de bom — mais seis meses comendo somente uvas e sementes de psyllium? Mais um ano? Vamos morrer de qualquer maneira, todos nós. Até mesmo o ilustríssimo dr. Kellogg. Não é essa a verdade?

T. C. Boyle

De acordo com o Google Maps, a distância entre a ponte Golden Gate e a casa de Leonard Hayflick no litoral de Sonoma é de apenas 167 quilômetros. Assim, pode-se pensar que levaria cerca de duas horas e meia para se chegar até lá, no máximo. Mas, no mundo real, insistia Hayflick, o trajeto demoraria quase quatro. "O Google Maps vai levá-lo pelo caminho *mais longo*", resmungou ele num e-mail, depois de concordar em se encontrar comigo em março de 2013.

Em vez disso, ele me enviou pelo correio uma cópia de um mapa feito a mão e extremamente detalhado mostrando a rota correta até a sua casa, coberto com exclamações anotadas ("OBEDEÇA A TODOS OS LIMITES DE VELOCIDADE!!!"). "Só os últimos 43 quilômetros vão lhe tomar quase uma hora", disse.

Ainda assim eu duvidava dele, um dos mais importantes cientistas do século 20. E aparentemente muitas outras pessoas também duvidaram; daí a necessidade do mapa, que eu logo descobri ser bastante exato em todos os seus pormenores. Havia realmente *radares de velocidade por toda parte!*, e eu realmente demorei uma hora para percorrer a última parte, guiando na sinuosa rodovia litorânea. Quando cheguei à porta de Hayflick, exatamente quatro horas após atravessar a Golden Gate, eu estava levemente estonteado depois de fazer tantas curvas. E atrasado, também.

"Você tinha razão sobre o percurso", eu desabafei. Ele respondeu com um resmungo. Já estava acostumado a ver que as pessoas não acreditavam nele, mesmo quando *sabe* que está certo.

Há quase sessenta anos, o jovem Len Hayflick estava trabalhando no laboratório do Instituto Wistar da Filadélfia, colocando seu PhD recém-obtido para trabalhar nas trincheiras da pesquisa sobre o câncer. Seu trabalho importante, embora sem glamour, era produzir e manter grupos de células humanas vivas, chamadas de culturas celulares, para que outros cientistas do Wistar as usassem em seus experimentos. Parece ser algo bem simples, mas Hayflick tinha um problema recorrente: com frequência, suas colônias de células acabavam morrendo. As possibilidades eram as seguintes: ou ele não estava alimentando as células da maneira correta, ou as células ficavam contaminadas; ou, ainda, havia alguma outra coisa acontecendo que ele ainda não era capaz de diagnosticar. Seja lá o que estivesse dando errado, estava claro que isso era culpa dele.

Ele sabia disso graças ao trabalho de Alexis Carrel, um celebrado cientista francês que havia essencialmente inventado a disciplina de cultura celular. Em seu laboratório na Universidade Rockefeller de Nova York, Carrel manteve uma linhagem de células cardíacas de galinha viva por décadas, começando em 1912. Essas eram as células mais celebradas do mundo: todos os anos, os tabloides de Nova York celebravam o seu "aniversário", no qual repórteres e fotógrafos as visitavam em um grande anfiteatro com paredes de vidro que Carrel havia projetado especificamente para acomodar os profissionais da mídia.

Ninguém se atrevia a questionar o seu trabalho; afinal de contas, Carrel havia conquistado o Prêmio Nobel de 1912 após desenvolver novas técnicas para suturar vasos sanguíneos. Ele era o mais destacado pesquisador na recém-fundada Universidade Rockefeller, entupida com o dinheiro que vinha da Standard Oil (até hoje o seu retrato está pendurado no saguão da instituição). Na década de 1930, ele aumentou ainda mais o coeficiente de publicidade quando trabalhou com Charles Lindbergh para desenvolver uma bomba especial para ajudar nos procedimentos de transplante de órgãos, algo que colocou os dois na capa da revista *Time*. Os dois homens também tinham um carinho especial pela eugenia, que Carrel defendeu em um notório livro publicado em 1935 chamado *Homem, o desconhecido*. Enquanto isso, as células das galinhas continuavam vivas em 1943, quando Carrel, que provavelmente era simpatizante do nazismo, finalmente as deixou para trás e retornou para a França de Vichy, subjugada ao regime.

Ele morreu no ano seguinte, mas seu dogma continuou a viver: graças a Carrel, todos no mundo científico "sabiam" que células vivas eram essencialmente imortais – ou seja, capazes de se dividir para sempre. No porão do instituto Wistar, entretanto, Hayflick começou a notar um fenômeno interessante. Na época ele estava usando células retiradas de embriões humanos, porque, diferentemente das células adultas, as células fetais ainda não haviam sido expostas a vírus contaminantes. Entretanto, como o aborto não era uma prática legal ou comum nos Estados Unidos na década de 1950, era difícil obter células fetais. Ele tinha que cuidar delas com bastante cuidado. Após alguns meses, entretanto, elas inevitavelmente acabavam morrendo. Uma verificação em seus registros mostrava que as culturas que fracassavam eram sempre as mais velhas.

Ele decidiu esquecer do câncer e tentar descobrir por que motivo não conseguia manter suas células vivas. Após algum tempo, criou o que chama de "experimento do velho safado". Em uma placa, combinou um grupo de células femininas "jovens", que só haviam se dividido dez vezes, com um número igual de células masculinas que haviam se duplicado quarenta vezes – os velhos safados. Algumas semanas depois ele verificou as placas e descobriu que só restavam células femininas nas placas. As células masculinas haviam morrido. Assim, alguma coisa havia matado as células masculinas, ou havia alguma outra explicação. Como o fato de que as células mais velhas estavam simplesmente morrendo.

Ele sabia que os seus resultados iriam abalar um importante alicerce da biologia moderna. Assim, antes de publicar seu estudo, sabia que teria que tentar obter o respaldo de alguns dos especialistas estabelecidos da área – homens como George Guy do instituto Johns Hopkins, que, uma década antes, havia isolado uma cultura de células de uma jovem mulher que morreu devido a um câncer agressivo. Essas células, conhecidas hoje como HeLa devido às iniciais da doadora Henrietta Lacks, haviam se mostrado incrivelmente úteis na pesquisa do câncer (e são o tema do excelente livro de Rebecca Skloot, *A vida imortal de Henrietta Lacks*).

Hayflick enviou amostras das suas células fetais para George Guy e alguns outros especialistas em cultura celular, com instruções para lhe telefonar se e quando as células parassem de se dividir. "Esses camaradas eram as maiores personalidades da área, e usavam suas próprias técnicas, que acreditavam ser as melhores", lembra Hayflick. "Assim, quando o telefone começou a tocar, dizendo-me que suas culturas haviam morrido, eu comecei a pensar o seguinte: se isso for o fim da minha carreira, vai haver um monte de gente legal para me acompanhar."

Para encurtar uma história longa, ele havia demonstrado que Carrel estava completamente equivocado. As células pareciam ter um tempo de vida limitado, afinal de contas. Mas seu artigo foi rejeitado imediatamente. A imortalidade das células originárias de culturas, conforme insistiu o editor de um periódico (que, coincidentemente, era empregado pela Universidade Rockefeller) é "o fato mais importante a surgir da cultura de tecidos nos últimos cinquenta anos".

O artigo de Hayflick acabou aparecendo em um pequeno periódico chamado *Experimental Cell Research*, em 1965. No artigo, ele demonstrava com todas as minúcias como, entre 25 diferentes tipos de células fetais, *todas* pareciam pedir arrego por volta da quinquagésima divisão celular. E embora não mencionasse Carrel pelo nome, o velho fascista francês e seu dogma estavam diretamente em sua alça de mira. Longe de serem imortais, Hayflick postulou que células normais têm um tempo de vida finito. Além disso, ele destacou que células retiradas de doadores mais velhos vão se dividir menos vezes. Suas células, assim como eles mesmos, estavam envelhecidas. "Há dúvidas sérias de que a interpretação comum do experimento de Carrel seja válida", escreveu ele.

∞

A seguir veio o que Hayflick chama de "as três fases de uma nova ideia". "A primeira: você é um idiota. A segunda: Ela não faz sentido. A terceira: Era algo que sempre foi óbvio, e ninguém lhe dá crédito por ela."

Mas Hayflick é um sujeito teimoso. Sua determinação já o havia tirado dos bairros operários do sudoeste da Filadélfia, onde havia crescido e descoberto seu amor pela ciência através da rota tradicional que envolve explodir coisas no próprio porão com um conjunto de química de brinquedo, e o levou até a Universidade da Pensilvânia, onde conquistou um bacharelado e um PhD em biologia molecular. E isso lhe deu a coragem para investir no estudo do envelhecimento, que era considerado uma das "latas de lixo da ciência", como ele mesmo define. "Admitir que você estava trabalhando com assuntos relativos ao envelhecimento, na década de 1960, era uma receita para o suicídio profissional", diz ele.

Onde outros viam o suicídio, ele enxergou a oportunidade. Em 1975, Hayflick era cotado para se tornar o primeiro diretor do novo Instituto Nacional do Envelhecimento. Mas então ele se viu no meio de um escândalo bizarro, no qual outro braço do NIH o acusou de essencialmente haver roubado uma das culturas de células que usou nos experimentos do "velho safado", uma linhagem de células chamada WI-38, que ele havia criado a partir do tecido pulmonar de um feto abortado na Suécia em 1962. A WI-38 mostrou-se a linhagem celular mais durável e útil que Hayflick criou em toda a sua carreira: era versátil, fácil de cultivar e "limpa", livre de vírus e outros fatores contaminantes. Era o veículo ideal para fabricar vacinas contra todo tipo de doenças, desde a raiva e a poliomielite até a hepatite B. O laboratório Merck e outras grandes indústrias farmacêuticas a usaram para produzir vacinas contra o sarampo, poliomielite, varíola e raiva, entre outras. Hayflick dava amostras da WI-38 a essas empresas e a qualquer pessoa que pedisse, em troca de um pequeno valor que era usado para custear despesas de embalagem e envio.

Embora as vacinas criadas com a WI-38 tenham salvado inúmeras vidas, também colocaram Hayflick no centro da controvérsia sobre o aborto, com figuras religiosas linha-dura (incluindo o Vaticano) se opondo ao fato de que aquela linhagem de células havia se originado nos tecidos de um feto abortado. Mas essas queixas não eram nada quando comparadas à ira de um inimigo muito maior e mais poderoso: o governo federal, que basicamente o acusou de se evadir ilegalmente com uma propriedade federal e utilizá-la para ganhos pessoais. Hayflick diz que usou cerca de 100 dólares em equipamentos custeados por verbas para começar a sua linhagem de células, mas insiste que nunca obteve qualquer lucro pessoal com a WI-38, mesmo considerando que as empresas farmacêuticas ganharam bilhões com ela.

Essa polêmica lhe custou o emprego no Instituto Nacional do Envelhecimento e o cargo de professor em Stanford – foi demitido sem qualquer cerimônia. Ele "se evadiu" (palavras dele) com um tanque de nitrogênio líquido que continha suas preciosas células WI-38 preso pelo cinto de segurança do carro da família, além dos seus filhos, e atravessou a baía de São Francisco rumo a Oakland, onde sustentou a esposa e os cinco filhos com cheques semanais no valor de 104 dólares que recebia à guisa de seguro-desemprego. Após algum tempo, acabou aceitando um cargo de professor em uma faculdade de prestígio bem menor na Flórida. Hayflick lutou contra o governo por anos até que o caso acabasse sendo resolvido em 1982 – pouco depois do Congresso aprovar uma lei que permitia que pesquisadores e instituições patenteassem e obtivessem lucros oriundos de invenções criadas com verbas governamentais. Um resultado dessa lei é o fato de termos agora o que se chama de indústria da biotecnologia.

Hoje, aos 85 anos, Hayflick está sentado em sua sala de estar com vista para o Pacífico, e ainda é tão saudável e aguerrido quanto um lutador de boxe no ápice da carreira. O infame tanque de nitrogênio que continha as células WI-38 originais residia em sua garagem até alguns meses atrás, quando ele o doou para pesquisa. Aquelas células agora têm mais de 50 anos de idade – uma idade ainda maior do que a suposta idade das células fajutas de coração de galinha de Carrel. O próprio Hayflick está muito bem para a sua idade: é lúcido, ativo e combativo. "Não tenho nenhuma patologia", diz ele, um fato que atribuo aos genes da sua mãe, que faleceu alguns meses antes, aos 106 anos. Já tendo passado dos 80, Hayflick continua sendo um guerreiro, escrevendo cartas frequentes aos editores de periódicos científicos, assim como longos artigos opinativos que atacam a indústria de produtos antienvelhecimento e a situação atual do universo da pesquisa. "Trabalhei feito um condenado durante vinte anos para tentar fazer com que as pessoas aceitassem as minhas ideias. Não foi fácil, eu garanto", diz ele.

Sua observação casual de que as células não vivem para sempre hoje é intitulada de limite de Hayflick, e é tão universalmente aceita quanto o dogma das células imortais de Carrel em sua época. Os dois artigos de Hayflick, originalmente publicados em periódicos obscuros, hoje estão entre os artigos de biologia mais citados dos últimos cinquenta anos. O mais importante de tudo, no entanto, foi a implicação do limite de Hayflick, que deu forma a toda a área de pesquisa sobre o envelhecimento.

Ele acha que Carrel perpetrou algo similar a uma fraude com suas células "imortais" de galinha, pois mais tarde se descobriu que seus assistentes as substituíam, inadvertidamente ou não. Mas suas ideias também tiveram implicações muito mais profundas para o estudo do envelhecimento. Para ser honesto, Carrel não acreditava que o envelhecimento fosse real. Em vez disso, conforme escreveu em 1911, era um "fenômeno contingente". Se dispusesse das condições certas, de acordo com suas declarações, ele seria capaz de manter uma cabeça humana viva para sempre, da mesma forma que conseguiu fazer com que as células de coração de galinha continuassem a crescer.

"A senilidade e a morte dos tecidos não são um fenômeno necessário", escreveu ele; o envelhecimento resulta de acidentes e causas exteriores à célula, insistia. E, durante décadas, muitos cientistas acreditaram nisso, mesmo depois que Hayflick publicou seus dois artigos. Na década de 1950, pensava-se que o envelhecimento era causado principalmente pela radiação do sol e da atividade nuclear (essa era a época da Guerra Fria, afinal de contas).

O trabalho de Hayflick mostrou que o processo de envelhecimento em si tinha que se originar em algum lugar *dentro* da própria célula. As implicações para a biologia do envelhecimento foram gigantescas. As nossas próprias células envelhecem, são mortais. "Eu considero que o trabalho de Hayflick seja um gigantesco ponto de mudança, pois concentrou as atenções na possibilidade de estudar o envelhecimento em nível celular", diz Steven Austad.

Foi realmente um momento marcante na biologia humana, mas tamém foi o ponto no qual Hayflick se afastou de muitos dos seus colegas. Para Hayflick, seu limite era essencialmente a prova de que *nada* podia ser feito para refrear ou impedir o processo do envelhecimento – uma consequência natural e inevitável do fato de que nossas células também envelhecem e morrem. "Interferir com o processo de envelhecimento?" diz ele em tom de zombaria, perto do fim da minha visita. "Isso é a pior coisa que você pode fazer. Já pensou no que poderia acontecer? Por quanto tempo você gostaria que Hitler vivesse?"

Felizmente, nem todos encaravam as coisas dessa maneira.

∞

Os artigos de Hayflick deixaram duas importantes perguntas sem resposta. *Por que* existe um limite de Hayflick? E qual é exatamente a sua relação com o envelhecimento?

Ele mesmo ficou bastante confuso por uma observação singular: suas células pareciam saber quantos anos tinham. Se ele congelasse um lote de células WI-38 que estavam, digamos, na sua trigésima divisão, e as descongelasse algumas semanas, meses ou até mesmo anos depois, elas voltariam a se dividir – mas somente por mais vinte vezes. "Elas sabem", disse ele, ainda com um toque de estupefação na voz.

Devia haver alguma espécie de mecanismo de contagem, ele finalmente decidiu. E isso era claramente independente do tempo cronológico, conforme seus experimentos que envolviam o congelamento e descongelamento das células demonstraram. A idade biológica de uma célula, portanto, não tinha quase nenhuma relação com sua idade cronológica. A única coisa que parecia importar era quantas vezes ela havia se dividido. Ele e seus alunos passaram a década seguinte procurando por esse contador, que ele chamou de replicômetro, sem sorte. Foram necessários mais 25 anos para que a resposta emergisse, e ela veio de uma fonte bastante improvável: na escória das lagoas.

No final da década de 1970, uma jovem cientista de Berkeley chamada Elizabeth Blackburn estava estudando um protozoário simples, mas diferente de todos os outros, chamado *Tetrahymena*, frequentemente encontrado em águas paradas (é por isso que ela gosta de chamá-los de "escória das lagoas"). Blackburn percebeu que o *Tetrahymena* tinha várias e várias sequências de DNA que se repetiam nas extremidades dos seus cromossomos. A princípio, essas sequências pareciam ser "DNA lixo", sem qualquer função, apenas duas timinas e quatro guaninas – TTGGGG – que se repetiam muitas vezes.

Esses telômeros, como eram chamados, estão nas extremidades dos cromossomos, protegendo-os de uma maneira frequentemente comparada às ponteiras plásticas nas pontas dos cadarços de sapato. Telômeros não contêm nenhuma informação genética significativa, apenas uma série repetida de aminoácidos (nos humanos a sequência é TTAGGG, ligeiramente diferente dos telômeros da escória das lagoas). Mas esses telômeros estão longe de serem inúteis: servem como uma espécie de barreira de sacrifício, pois protege a parte mais importante do DNA, que traz consigo as informações genéticas, conforme ela é copiada. Com cada divisão celular sucessiva, as "ponteiras" dos telômeros são ligeiramente removidas. Quando não há mais nenhuma ponteira, os próprios "cadarços" – o DNA importante – começa a se desfazer, e quando o estrago fica suficientemente grande, a célula pode parar de se dividir.

Mas, como é de costume na ciência, uma descoberta simplesmente leva a mais questionamentos. Se os nossos telômeros se erodem desse jeito, então por que ainda estamos aqui? Nossas células devem ter alguma maneira de reparar seus próprios telômeros e manter seu DNA intacto.

Uma década mais tarde, ainda trabalhando com a escória das lagoas, Blackburn e sua aluna de pós-graduação, Carol Greider, descobriram a resposta: uma enzima chamada telomerase, cuja função era basicamente reparar as extremidades dos cromossomos, grudando-lhes mais TTAGGG mesmo conforme esses aminoácidos eram arrancados com cada sucessiva divisão celular. A telomerase ajudava na manutenção das "ponteiras" do nosso DNA, evitando que os cadarços se desfiassem.

Não foi difícil encontrar correlações entre o comprimento dos telômeros e a saúde geral do indivíduo. Um grande estudo executado ao longo de dezessete anos encontrou uma forte associação entre o comprimento dos telômeros e a mortalidade geral. Não quero ser alarmista, mas quanto mais curtos forem seus telômeros, mais curta será a sua vida, de acordo com os achados do estudo. Em outro estudo, mais revelador, uma colega de Blackburn na UCSF chamada Elissa Epel estudou um grupo de mães que haviam cuidado de filhos cronicamente doentes por um período de vários anos – em outras palavras, provavelmente um dos grupos de pessoas mais estressadas que se pode encontrar. Ela descobriu que quanto mais tempo uma mulher passava no papel de cuidadora, mais curtos eram os seus telômeros – o equivalente de alguém entre nove e dezessete anos mais velho. Cuidar de pais idosos também causaria o mesmo efeito – novamente provando que o envelhecimento alimenta a si mesmo. Outros estudos encontraram elos entre telômeros mais curtos nos glóbulos brancos do sangue em muitas doenças comuns do envelhecimento, ou fatores de risco para elas, incluindo demência vascular, doenças cardiovasculares, câncer, artrite, diabetes, resistência à insulina, obesidade e várias outras. Atletas que praticam esportes de resistência, por outro lado, pareciam ter telômeros mais longos em relação à média das pessoas. E algumas aves marinhas longevas têm telômeros que ficam mais longos conforme o tempo passa.

Assim, de maneira bastante clara, pessoas com telômeros encurtados estão em maus lençóis. Mas os estudos deixaram uma pergunta importante sem resposta: os telômeros curtos são uma das *causas* do envelhecimento, ou são apenas um sintoma de algum estresse biológico subjacente, oriundo de uma situação psicológica ou uma doença crônica? Mais recentemente, outro grande estudo envolvendo mais de 4.500 pessoas descobriu que, se você controlar comportamentos advindos de maus hábitos como o tabagismo e o alcoolismo, não há uma ligação entre telômeros mais curtos e a mortalidade.

Blackburn, Greider e outro pesquisador chamado Jack Szostak acabariam dividindo o Prêmio Nobel de 2009 pela descoberta da telomerase. Mas ainda não há qualquer certeza sobre se a telomerase é uma "bala de prata" para o envelhecimento. Algumas evidências indicam que pode ser; em um estudo amplamente divulgado, publicado na revista *Nature*, em 2010, o pesquisador Ronald DePinho selecionou camundongos sem o gene da telomerase (e que, consequentemente, tinham uma saúde horrível) e lhes deu um ativador de telomerase. Sua saúde foi magicamente restaurada – algo muito importante, pois DePinho, agora diretor do MD Anderson Cancer Center em Houston, anteriormente era conhecido por ser um cético em relação ao papel dos telômeros. Em seres humanos, estudos descobriram que pessoas com níveis baixos de telomerase tinham níveis maiores de seis grandes fatores de risco cardiovasculares. Mas os críticos declararam que a única coisa que o estudo realmente demonstrou foi o fato de que é muito ruim *não ter* telomerase.

A noção de que as nossas células têm um "relógio" embutido que pode ser zerado com uma simples enzima é imensamente atraente, justamente pelo fato de ser tão simples. Por que não simplesmente acrescentar (ou ativar) a telomerase e fazer com que as células continuem a se dividir? Médicos especializados em antienvelhecimento como Jeffry Life oferecem exames de sangue para medir o comprimento da telomerase, que custam de 200 a quase 1.000 dólares, e que supostamente medem a idade celular de uma pessoa. Esses mesmos médicos também vendem um "ativador de telomerase" chamado TA-65 – baseado em uma "Tecnologia vencedora do Prêmio Nobel", de acordo com os materiais promocionais – desde que você esteja disposto a pagar 600 dólares para uma quantidade suficiente para um mês. Não é problema para pessoas como Suzanne Somers, que toma o medicamento, mas pessoas comuns como nós precisam saber que o ingrediente ativo desse medicamento é derivado da erva chinesa astrágalo, que pode ser comprada na Vitamin Shoppe por 15 dólares o frasco.

Há outro problema também: ativar a telomerase pode causar câncer. Uma característica que as células cancerosas têm em comum é o excesso de telomerase. Repetindo: a telomerase está ativada em 100 por cento das células de tumores. Assim como telômeros curtos demais podem levar ao câncer, o mesmo pode acontecer quando há excesso de telomerase. Células cancerosas têm telômeros longos, também, obviamente (e é por essa razão que elas continuam a se dividir) e, na realidade, um dos focos de pesquisas recentes sobre o câncer é a tentativa de encontrar maneiras de *inibir* a telomerase em células cancerosas. Um estudo em camundongos que receberam o TA-65, patrocinado pelo próprio fabricante, descobriu que o medicamento não apenas foi incapaz de aumentar seu tempo de vida, mas os camundongos injetados com a substância desenvolveram ligeiramente *mais* tumores no fígado do que os animais do grupo de controle.

"[A telomerase] é a maior e mais importante característica que distingue células cancerosas das células normais", zomba Leonard Hayflick. "Isso devia servir de alerta. *Você* aceitaria ser inoculado com telomerase?"

Hmmmm. Não se a situação for apresentada dessa maneira.

Mais perguntas sobre toda a teoria do envelhecimento baseada em telômeros/telomerase surgem devido ao fato de que alguns animais com telômeros muito longos e muita telomerase, na realidade, vivem por um tempo *muito curto* – tais como camundongos de laboratório.

Na melhor das hipóteses, então, ainda não se sabe ao certo se telômeros curtos são os verdadeiros culpados pelo envelhecimento – ou se, na verdade, são um sintoma de doenças relacionadas com a idade. O que pode ser mais importante, de qualquer maneira, é o *destino* das nossas células, e o que acontece quando elas param de se dividir.

∞

Um dos testes mais importantes aos quais eu fui submetido no Estouro era uma análise de sangue simples que pode predizer, talvez mais do que qualquer outro marcador isolado, o estado da saúde de uma pessoa. E também é um exame que o seu médico provavelmente nunca vai lhe pedir. A equipe do Estouro nunca falou a respeito comigo, nem comunicou os meus resultados; eu nem sabia que esse exame existia até várias semanas depois, quando conversei com Luigi Ferrucci.

O exame detecta algo chamado de interleucina-6, ou IL-6, uma espécie de "citocina", um mensageiro químico produzido por nossas células. Normalmente, espera-se que a IL-6 ajude a combater infecções e curar ferimentos, o que ela faz como parte da resposta inflamatória do corpo. Mas, em pessoas mais velhas, a IL-6 e outras citocinas inflamatórias parecem estar presentes o tempo todo, em níveis cada vez mais elevados, sem qualquer razão aparente. É um dos maiores mistérios do envelhecimento: quanto mais velhos ficamos, mais inflamações nós levamos em nossos corpos, e ninguém sabe realmente por quê. De onde vem isso?

A IL-6 é o Lance Armstrong das citocinas inflamatórias, o líder de um grupo de malfeitores. É responsável pela maioria das febres (uma das suas funções é elevar a temperatura do corpo), mas também parece controlar a liberação de dezenas de outros agentes inflamatórios, assim como Lance fazia quando liderava o grupo de ciclistas na Tour de France. Ah, e ela é letal – ou, pelo menos, está diretamente correlacionada com taxas de mortalidade. De acordo com o estudo de 25 anos de Rancho Bernardo, que acompanhou californianos idosos, quanto maiores forem os seus níveis de IL-6, mais rápido você terá que fazer o *check-out* do Hotel Terra.

A IL-6 também é um dos biomarcadores aos quais Luigi Ferrucci dedica bastante atenção no Estouro. Pessoas com níveis maiores de IL-6 têm uma propensão maior a serem afetadas por mais problemas – múltiplas doenças relacionadas ao envelhecimento ou risco de fatores de morte. "Embora não seja possível dizer que há um mecanismo causal, este é um dos biomarcadores mais fortes que temos", ele me disse.

Em particular, parece que ela aumenta bastante o risco de morte devido a doenças cardiovasculares, câncer e doenças hepáticas. E isso faz sentido: a inflamação é um ingrediente-chave na formação de plaquetas arteriais, e exposição constante à IL-6 aumenta a probabilidade de células sadias se tornarem cancerosas. Inflamações também foram implicadas como fator contribuinte para a depressão. Conforme envelhecemos, isso se torna tão comum que um dos colegas italianos de Ferrucci criou o termo *envelhecinflamação* para descrever o fenômeno. Mas ninguém ainda conseguiu dar uma explicação satisfatória para a razão pela qual tantas pessoas idosas parecem sofrer desse tipo de inflamação de baixa intensidade até recentemente. E uma das possíveis respostas, pelo que se descobriu, está relacionada ao trabalho de Hayflick e seu limite.

∞

Hayflick reconhecia dois possíveis destinos para as nossas células quando elas param de se dividir: elas se tornam cânceres, ou seja, imortais; ou entram em um estado que ele denominou de senescência replicativa. Mas o que fazem as células senescentes?

No final da década de 1990, uma pesquisadora do câncer no Lawrence Berkeley National Laboratory chamada Judith Campisi começou a dar atenção a esse questionamento. Pensava-se que células senescentes eram basicamente benignas, simplesmente ficando em seu lugar como os aposentados tranquilos no McDonald's do bairro. Campisi não tinha tanta certeza. Ela também não estava convencida de que o limite de Hayflick "causava" o envelhecimento, de qualquer maneira convincente. "Você pode pegar uma pessoa de 90 anos, fazer uma biópsia e perceber que ainda há um monte de células que ainda estão se dividindo", diz ela. "Portanto, a ideia de que você envelhece e morre porque as suas células já esgotaram o número de divisões não me parecia certa."

Ela começou a prestar mais atenção às chamadas células senescentes e descobriu que elas estavam longe de ser os aposentados celulares benignos que Hayflick e todos os outros imaginavam ser. Ao invés de simplesmente ficarem inofensivamente inertes, ela descobriu que as células senescentes secretavam uma mistura de citocinas inflamatórias. "O grande *ahá!* veio quando percebemos que, quando uma célula se torna senescente, ela começa a secretar moléculas que causam inflamações crônicas", diz ela. "E as inflamações causam ou são um dos principais contribuintes para virtualmente todas as mais importantes doenças relacionadas ao envelhecimento que conhecemos."

Células senescentes estão entre os piores tipos de vizinhos, não tão parecidas com aquelas gentis pessoas aposentadas que ficam bebericando seus McCafés, mas sim como um personagem de Clint Eastwood que enveredou pelo mau caminho, sentado em sua varanda com uma lata de Budweiser, um cigarro aceso e uma escopeta. Suas secreções tóxicas ajudam a envenenar as células ao seu redor, o que por sua vez faz com que elas tenham uma propensão maior de se tornarem doentes ou cancerosas – ou que se transformem em outras células senescentes; a senescência parece ser contagiosa. A boa notícia é que, em tecidos vivos, células senescentes não são tão comuns – o maior valor já observado é de 15 por cento (na pele de babuínos muito velhos). Mas, assim como o vizinho Clint, não é preciso ter muitas delas para transformar a vizinhança num lugar desagradável.

Nascida no Queens e com um jeito bastante nova-iorquino, com uma penumbra de cabelos castanhos crespos, Campisi parece estar meio deslocada em seu próprio escritório, na sofisticada sede do Instituto Buck para Pesquisas sobre o Envelhecimento, um impressionante palácio de mármore pós-moderno projetado por I. M. Pei e aninhado junto a uma colina de Marin County, na Califórnia. Em 2005, Campisi e seus colegas descobriram que maioria dos tipos de células senescentes tinham uma "assinatura típica de citocinas que secretavam, sendo que a IL-6 geralmente era a primeira da fila. Ela denominou isso de fenótipo secretório associado à senescência, ou SASP (da sigla em inglês para *senescence-associated secretory phenotype*), o jargão científico para um ambiente celular poluído. (Cientistas adoram abreviações, como você deve ter percebido). Curiosamente, entretanto, era o mesmo grupo de citocinas responsável pela inflamação básica de baixa intensidade que aflige pessoas mais velhas – o que fez com que Campisi e outros se perguntarem se as células senescentes e o SASP estavam ajudando a promover o processo de envelhecimento em si.

"[A senescência] evoluiu para suprimir o câncer, mas nós acreditamos que o que ela também faz é estimular essas doenças degenerativas em um período posterior da vida – e isso pode até mesmo estimular, pelo que pensamos, o surgimento de cânceres secundários, os cânceres tardios, aqueles que você desenvolve após os 50 anos", diz ela. "Ela estimula o surgimento do câncer, da neurodegeneração, da sarcopenia [perda de massa muscular]. É isso que as células senescentes fazem: criam essa inflamação crônica."

É o dilema do envelhecimento: as células se tornam senescentes em vez de se tornarem cancerosas, mas as células senescentes, por sua vez, criam inflamações que ajudam a fazer com que *outras* células se tornem cancerosas. Mesmo assim, células senescentes têm uma função muito importante: elas ajudam na cura. Se você espetar um camundongo com um bisturi (ou a si mesmo, se for o caso), algumas células ao redor do ferimento se tornarão senescentes imediatamente e começarão a secretar SASP por toda parte. Isso ajuda a curar o ferimento e a proteger a região de infecções. Assim, em curto prazo, células senescentes são essenciais para manter o corpo e a alma juntos, mas, em longo prazo, podem acabar matando a pessoa.

Talvez a evidência mais forte de que a senescência celular acelera o processo do envelhecimento vem das pessoas que sobreviveram a cânceres, pessoas que foram submetidas a fortes medicamentos de quimioterapia que as deixaram cheias de células senescentes, graças aos danos exacerbados no DNA que basicamente impediram que suas células continuassem a se dividir. Em estudos que acompanharam esses pacientes, os pesquisadores começaram a perceber que essas pessoas que sofriam com o câncer há muito tempo estavam desenvolvendo outras doenças relacionadas com a idade muito mais cedo do que o normal. "Vinte anos depois, eles estão indo até as clínicas com múltiplas patologias relacionadas à idade, incluindo cânceres secundários que não têm relação com o seu câncer primário", diz Campisi.

Um fenômeno similar foi observado em pacientes que foram tratados para o HIV com fortes drogas antirretrovirais – que também deixaram seus corpos, e especialmente seus sistemas imunes, entulhados com células senescentes. Muitos desses antigos pacientes de HIV também pareciam sofrer de doenças como aterosclerose, um problema que é estimulado por níveis altos de inflamação. Por causa de todas as suas células senescentes, pacientes que já tiveram câncer e pacientes de HIV estão basicamente nadando em meio a inflamações, o que pode fazer com que eles envelheçam mais rapidamente.

Mas como as células senescentes estão espalhadas pelos vários tecidos do corpo, salpicadas entre as células saudáveis como guerrilheiros infiltrados, considerava-se que era impossível nos livrarmos delas. Mas... e se *pudéssemos*?

Talvez possamos, algum dia. Na Mayo Clinic de Rochester, no estado de Minnesota, a 3 mil quilômetros do Buck, uma equipe de pesquisadores preparou um experimento complicado para ver o que aconteceria se pudéssemos, de alguma forma, eliminar as células senescentes do corpo de um animal. Não foi uma tarefa simples. Para começar, o cientista-chefe Darren Baker e sua equipe tinham que criar, através da engenharia genética, um camundongo enormemente complicado. O grupo começou com um camundongo especialmente construído que não apresentava o gene para uma proteína-chave, e que, desta forma, envelhecia prematuramente devido a um acúmulo de células senescentes e disfuncionais. Em seguida, cruzaram esse camundongo com outro que haviam criado, cujas células senescentes podiam ser eliminadas com o uso de uma droga especial para destruir células senescentes. (Eu disse que era complicado).

O camundongo híbrido resultante não era somente um dos mais exóticos e caros roedores a caminhar pelo planeta, mas também era um dos que tinha a pior saúde. Ele envelhecia de maneira extremamente rápida (por causa de todas aquelas células senescentes), formando cataratas em uma idade precoce, e perdendo tecido muscular e adiposo como pessoas muito idosas que estão em processo de definhamento. Em resumo, sofria de algo parecido com a debilidade, e estava somente na meia-idade dos camundongos. Além disso, ficou todo enrugado e encarquilhado. Mas quando a equipe de Baker usou outra droga especial para eliminar as células senescentes, a condição do camundongo melhorou drasticamente. Ficou bem mais forte, permaneceu por períodos maiores de tempo nos testes na esteira de caminhada, as cataratas desapareceram e até mesmo as rugas sumiram. Em resumo, o camundongo rejuvenesceu – tudo isso sem precisar tomar nenhuma injeção de hormônio de crescimento para camundongos.

"Algum dia talvez seja possível ir a algum lugar especializado para remover suas células senescentes, assim como você leva seu carro para trocar o óleo", disse-me James Kirkland, coautor do estudo. Primeiramente, entretanto, teremos que descobrir como identificá-las, e depois removê-las sem causar danos às suas vizinhas – uma tarefa que não é nada fácil, já que as células senescentes compõem somente uma pequena porcentagem de todas as células do corpo. "Ainda é ficção científica", avisa Kirkland.

A tarefa fica mais fácil, entretanto, se for possível descobrir onde as células senescentes tendem a se agrupar – lembre-se, elas são relativamente escassas.

Kirkland, assim como Campisi, vem estudando a senescência celular há anos – e concluiu que essas células são responsáveis por grande parte do que chamamos de envelhecimento. O grande mistério – um dos mistérios – era onde, exatamente, elas poderiam ser encontradas, já que são extremamente difíceis de marcar e localizar (exceto em camundongos exóticos de milhões de dólares criados através de engenharia genética, é claro). Kirkland concluiu que os bolsões mais poderosos e malignos de células senescentes são encontrados em uma espécie particular de tecido humano, um tipo que a maioria de nós acha ser bem abundante: a gordura.

CAPÍTULO 9
PHIL CONTRA A GORDURA

*Não há amor mais sincero
que o amor pela comida.*
George Bernard Shaw

Phil Bruno estava fazendo mais uma rodada de *SuperSize*. Era pouco depois das 17 horas e 30 minutos em uma tarde de fevereiro em 2004, e ele voltava para casa após o trabalho. Alguns quilômetros antes de chegar em casa, estacionou diante do White Castle, uma das muitas lanchonetes de *fast-food* que margeiam a Manchester Road nos subúrbios de St. Louis. Não estava muito longe da cozinha de casa, onde sua esposa Susan já estava preparando o enorme e tradicional jantar a base de comida italiana, mas ele estava com fome *agora*. Fazia isso há tanto tempo que já era quase automático.

Dez minutos depois, com um saco de hambúrgueres quentes no assento ao seu lado, ele estacionou em *outro drive-thru* – desta vez um McDonald's. Lá, pediu mais comida: um combo duplo de Quarterão com Queijo e uma torta de maçã para a sobremesa. Ah, e também um *milk-shake* de chocolate para ajudar a engolir tudo aquilo. "A razão pela qual eu fiz isso foi porque iria me sentir muito constrangido em pedir comida demais em um único *drive-thru*", explicou ele em um e-mail com um tom bastante casual. "Eu não queria que a pessoa na janela me olhasse de um jeito estranho."

Porque, quando um homem que pesa quase um quarto de tonelada para num *drive-thru* e pede vários hambúrgueres, os funcionários da lanchonete costumam comentar a respeito. Especialmente se a pessoa faz isso todos os dias, como Phil Bruno fazia, naquele momento da sua vida. E a história não acabava no *drive-thru*; quando chegava em casa, quase todas as noites, Phil preparava um sanduíche rápido na cozinha enquanto esperava o jantar.

Phil sempre adorou comida; era parte integral da maneira de ser da sua família siciliana. A avó e sua lasanha estavam mais adiante na rua. Mas ele nem sempre foi tão grande. Na faculdade, jogava basquete, com 98 quilos distribuídos por seu 1,90 metro de altura e sua ossatura pesada. Mas logo em seguida se casou, teve dois filhos e depois três. Subitamente, seus finais de semana e noites passaram a existir em função dos filhos: lições de casa, jantares, treinos de beisebol e futebol. Phil parou de se exercitar. Não se importou muito com isso: tudo que fazia era em função da família. Mas o peso se acumulou, quilo após quilo, ano após ano, sem parar. Ele não lutou contra isso. Chegou até mesmo a gostar da situação. Phil Bruno sempre fez tudo com gosto, e o que mais fazia, naquele momento da sua vida, era comer. "Tive que trabalhar *muito* para ficar daquele tamanho", diz ele agora.

Ele não precisou trabalhar tanto. De certa forma, Phil Bruno era uma vítima da sua própria biologia da meia-idade. Conforme envelhecemos e o hormônio de crescimento e a testosterona diminuem (junto com outras mudanças químicas), as calorias que consumimos têm uma tendência muito maior de se transformar em gordura. Começando por volta dos 35 anos, nossa porcentagem de gordura corporal total aumenta em até 1 ponto por ano, mesmo que o nosso peso permaneça igual. Mais importante do que isso, a distribuição dessa gordura muda, indo de subcutânea – a gordura que fica armazenada sob a pele, que dá o viço e a atratividade às pessoas mais jovens – para visceral, também conhecida como "pança" ou "barriga", ou aquela protuberância estúpida da qual não conseguimos nos livrar. A circunferência da cintura também aumenta, de maneira aparentemente inevitável, aumentando cerca de três centímetros e meio a cada nove anos, de acordo com um estudo de longa duração que observou mulheres de meia-idade. Essas mudanças são quase universais: se você comparar uma pessoa mais velha com uma pessoa mais jovem que tenham o mesmo peso, de acordo com Luigi Ferrucci, a pessoa mais velha quase sempre terá mais gordura visceral no corpo. Poderemos sobreviver por mais tempo quando o Apocalipse chegar, mas não teremos uma aparência muito boa. Como um amigo mais velho me disse recentemente: "Em algum ponto da casa dos 50, tudo simplesmente *muda de forma*".

Eu já sabia muito bem disso graças ao Estouro. Alguns meses depois da minha estadia no Hospital Portuário, um envelope pardo chegou pelo correio com os meus resultados. Não havia nada que fosse notável, com exceção de uma coisa: a minha porcentagem de gordura corporal tinha um valor chocante (para mim) de 24,3 por cento, a quantidade mais alta de toda a minha vida. Quase um quarto do meu corpo era composto de gordura, o que me colocava perto do limite superior do que era considerado "normal" – e bem perto do limite para a obesidade, que é de 25 por cento de gordura corporal. Para homens que estão em forma, um valor normal geralmente fica entre 14 e 17 por cento; para atletas, que é o tipo de pessoa que eu costumava me considerar, o valor é mais baixo, descendo de 13 a 6 por cento – nível quase bizarro no qual se encaixam os halterofilistas.

As mulheres geralmente têm pontuações um pouco mais altas que os homens, porque seus corpos são construídos com o objetivo de acumular gordura para nutrir bebês – e, assim, valores normais vão de 25 a 31 por cento –, e a obesidade começa quando a gordura chega a 32 por cento da composição do corpo. Isso significa que algumas mulheres muito obesas podem ter quase metade do corpo composto por tecido adiposo. Por outro lado, isso indica que mulheres têm uma probabilidade maior de sobreviver à fome crônica, o que provavelmente é a razão para isso.

Embora eu ainda estivesse dentro da "média" (por pouco), eu não recebi essa notícia muito bem. Mandei imediatamente um e-mail para a equipe do Estouro, dizendo que a máquina que eles usavam estava descalibrada. De maneira bastante sucinta, eles disseram que não estava: era uma máquina de exames por absorciometria por raios X de energia dupla, ou DEXA, com um grau de exatidão muito maior do que o método tradicional de medir a gordura, normalmente executado por um cara esquisito com um compasso beliscador em uma mão e uma prancheta na outra. Infelizmente, os resultados também batiam com os da minha balança de banheiro de 100 dólares que media a gordura corporal, que recentemente tinha saltado dos aceitáveis 18 por cento para o meu nível atual e suíno de 24 por cento. A senhora gentil que respondeu o e-mail foi bastante atenciosa ao dizer que, de acordo com o meu exame corporal, a maior parte da gordura estava localizada na porção central do meu corpo. "Bem-vindo à meia-idade", escreveu ela. Então essa era a situação.

Phil estava num patamar completamente diferente. Meu índice de massa corporal, ou IMC, estava pouco acima de 25, na extremidade inferior do que se chama de sobrepeso. Qualquer coisa acima de 30 é considerada obesidade. O IMC de Phil estava muito além de qualquer limite, chegando a 45; mas o mais importante era o fato de que a sua circunferência estava muito próxima da sua altura; estudos mostraram que o tamanho da cintura de uma pessoa deve ser menos de metade da sua altura. E isso era mais do que apenas um número. Toda aquela comilança acabou por transformá-lo em um "desastre físico e emocional", palavras que ele usa para descrever a si mesmo. Suas articulações doíam sempre que ele tinha que subir ou descer as escadas do sobrado onde morava; tinha a sensação de que suas pernas "estavam cheias de areia". Seu coração martelava impiedosamente dentro do peito, o tempo todo, e ele tinha uma sede estranha e ardente que nenhuma quantidade de água gelada era capaz de saciar; servia apenas para mandá-lo a passos trôpegos para o banheiro a cada meia hora, a noite toda. "Eu tinha 47 anos, mas sentia-me como se tivesse oitenta."

O que aconteceu foi que a biologia da meia-idade não foi páreo para Phil Bruno.

Estimulado por um amigo, ele finalmente foi se consultar com o médico da família, um profissional cujo nome era dr. Ron Livingston, em 6 de junho de 2004. Ele se lembra da data porque os resultados causaram um choque de realidade. Para começar, ele não conseguiu nem ser pesado na balança do consultório, cujo limite era de 155 quilos. Teve que ir até um supermercado nas proximidades e subir na balança usada para pesar os *pallets* de alimentos que eram descarregados dos caminhões. A balança disse que ele estava com 215 quilos. Sua pressão arterial estava num índice explosivo de 25 por 16, o que exigia um esforço descomunal das suas artérias e do seu coração. Seu nível de açúcar no sangue também estava longe de qualquer limite racional, em 600, seis vezes acima do valor considerado normal. E seu A1C, um marcador sanguíneo importante para o diabetes, que devia estar abaixo de 5,8, chegava ao nível estratosférico de 16.

Ele já sofria de diabetes, obviamente, mas isso era apenas um dos seus problemas. Ele saiu do consultório do médico com prescrições para não menos do que doze diferentes medicações e suplementos, incluindo óleo de peixe, remédios para a pressão arterial, Lipitor para o colesterol e Glucophage para o diabetes. E nunca se esqueceu do que o dr. Livingston lhe disse quando terminou de examiná-lo: "Bruno, estou surpreso que você ainda esteja vivo. Estou esperando que você caia morto bem aqui, no meu consultório".

∞

Todo mundo presume que "ser gordo faz mal", mas a maioria das pessoas não seria capaz de explicar por quê. Algumas razões, é claro, são óbvias: um peso maior significa uma pressão maior nas articulações, e, mais seriamente, no seu coração. E isso tem a tendência de andar lado a lado com o diabetes, o problema com o qual o dr. Livingston diagnosticou Bruno naquele dia. Embora nem todas as pessoas pesadas sejam diabéticas, a maioria das pessoas com diabetes têm sobrepeso ou são obesas.

Acredita-se atualmente que o próprio diabetes acelere enormemente o processo de envelhecimento. O corpo se torna incapaz de processar o açúcar que comemos, que acaba indo parar na nossa corrente sanguínea, causando enormes quantidades de dano celular em todos os tecidos que toca. Excesso de açúcar no sangue faz com que você *pareça* mais velho: um estudo mostrou que pessoas com níveis maiores de açúcar no sangue realmente pareciam ser mais velhas do que realmente eram, talvez porque esse dano seja visível em sua própria pele. Quanto mais envelhecemos, mais propensos a desenvolver diabetes nós nos tornamos. Centenários, por outro lado, parecem ter a capacidade de digerir doses enormes de açúcar sem problema – como a minha avó, que passou a vida inteira devorando pães doces glaceados todas as manhãs na mais completa impunidade. Ela mostrou para a glicose quem é que manda.

Mas o diabetes é apenas uma parte da razão pela qual o excesso de gordura também é associado com problemas sérios de saúde, incluindo cânceres de rim, intestino e fígado. Um gigantesco estudo de 2003 publicado no *New England Journal of Medicine* registrou que a alta taxa de obesidade nos Estados Unidos – um terço da população tem sobrepeso, e outro terço apresenta obesidade, com um índice de massa corporal de 30 ou mais – é responsável por 14 por cento das mortes relacionadas ao câncer em homens e 20 por cento em mulheres. Novas evidências indicam que a própria gordura pode estar causando todos esses problemas.

Há bem pouco tempo, pensava-se que o tecido adiposo era inerte, nada mais do que um repositório de energia para o corpo – tão passivo quanto as velhas cadernetas usadas para registrar movimentações em uma conta bancária. Você "deposita" calorias ao comer e as "saca" quando se exercita. Se você queimar 3500 calorias correndo (por cerca de cinco horas), então você perderá cerca de meio quilo, ou pelo menos não o ganhará. Caso contrário, a gordura simplesmente fica armazenada ali, sem fazer qualquer outra coisa, ou era isso que se pensava.

Na década de 1990, os cientistas começaram a perceber que as nossas gordurinhas podem fazer muito mais do que apenas balançar quando caminhamos. Durante a última década, os cientistas se deram conta que a gordura, na verdade, é uma enorme glândula endócrina, e que ela exerce uma influência poderosa sobre o resto do corpo. "Para um norte-americano típico, o tecido adiposo é seu maior órgão", diz James Kirkland, que ajudou a desenvolver o estudo pioneiro dos efeitos endócrinos da gordura. Kirkland logo passaria a acreditar que, no caso do envelhecimento, a gordura também pode ser o órgão mais importante do corpo.

É incrivelmente fácil ganhar peso – como Phil e eu descobrimos –, até mesmo quantidades enormes de peso, sem fazer qualquer esforço. Condicionados por milênios de ciclos de fome e fartura, o corpo humano evoluiu e se tornou uma máquina de armazenar gordura extremamente eficiente, cuja missão é consumir tanto combustível quanto possível e guardar essas preciosas calorias em excesso. A evolução ainda não percebeu que a comida agora é relativamente abundante e barata para a maioria de nós. Nossos genes ainda acham que somos caçadores e coletores, e, para eles, gordura é igual a sobrevivência. Um enorme estudo no *The Lancet* estimou que ingerir apenas dez calorias a mais do que o valor queimado a cada dia pode levar a um ganho de peso significativo de nove quilos no decorrer de vinte anos. Passe das 10 calorias extras para, digamos, 138 – a lata de 350 mL de Coca-Cola que eu costumava beber todas as tardes – ou um doce de 200 calorias e esses nove quilos a mais podem rapidamente se transformar rapidamente em 20 ou 50.

Mas nem toda gordura é ruim. A gordura subcutânea ajuda a proteger o corpo de ferimentos, como um estofamento ou uma armaduras, e também secreta fatores imunológicos que ajudam a combater infecções e curar ferimentos; é daí que vêm aquelas células senescentes que ajudam a curar ferimentos. Em geral, a gordura é altamente resistente a infecções, e alguns cientistas creem que ela é crucial para o funcionamento do sistema imune como um todo. A gordura também ajuda a nos manter aquecidos quando faz frio, nos ajuda a flutuar quando estamos imersos em água, e pode até ter uma aparência agradável se estiver localizada adequadamente. Sem ela, as moças da família Kardashian não seriam tão famosas.

A gordura "subcut" também produz um hormônio chamado adiponectina, que parece ajudar a controlar o metabolismo e proteger contra certos cânceres, especialmente o câncer de mama – além de outras coisas boas que ainda não foram identificadas. Não é coincidência que os judeus centenários de Nir Barzilai geralmente têm níveis de adiponectina acima dos índices normais.

As boas notícias são bem animadoras. Mas a má notícia é que, conforme envelhecemos, nós gradualmente perdemos essa gordura boa, uma das razões pelas quais nossas mãos ganham uma aparência mais ossuda e "interessante". Em vez dela, começamos a acumular uma gordura volumosa e suculenta na região do abdômen e dos quadris, o que nos força a comprar calças cada vez maiores. Essa gordura "visceral" não é igual à gordura subcutânea, capaz de curar ferimentos e secretar adiponectina. Por exemplo, a gordura "subcut" também produz leptina, outro hormônio importante que diz ao cérebro: "Oi, você já tem bastante energia armazenada, então já pode parar de comer".

A gordura visceral produz muito pouca leptina, e, assim, o centro de saciedade do cérebro nunca chega a receber essa mensagem. Talvez isso aconteça porque a gordura visceral teve um propósito evolutivo diferente, como depósitos de energia de curto prazo projetados para serem acessados rapidamente, de modo a produzir pequenas explosões de energia, como aquelas que são necessárias durante uma sessão intensa de caça (e isso pode ser a razão pela qual homens têm mais gordura visceral, enquanto as mulheres têm quantidades maiores da subcut com seus efeitos nutritivos). O hormônio do estresse cortisol, ativado durante situações onde é necessário escolher entre lutar ou fugir, diz ao corpo para amontoar mais gordura corporal – algo que, caso o seu estresse seja devido a um emprego sedentário atrás de uma escrivaninha, você nunca vai conseguir queimar. Em vez disso, a gordura visceral simplesmente fica ali, entre o seu fígado e outros órgãos vitais, enquanto você fica sentado na sua escrivaninha pesquisando sites de e-commerce para comprar calças novas.

As calças não são o problema. A gordura é o problema. No decorrer dos últimos dez anos, especialmente desde que Phil Bruno foi diagnosticado em 2004, Kirkland e outros cientistas descobriram que essa gordura visceral ou abdominal se infiltra em nossos órgãos vitais, banhando-os com um caldo químico que se alastra de forma bastante nociva por todo o corpo. A gordura visceral produz uma grande quantidade de citocinas inflamatórias, incluindo não somente a IL-6, a rainha da inflamação crônica, mas também outra chamada de TNF-alfa, cujas iniciais são a sigla em inglês para "fator de necrose por tumor", e que é tão ruim quanto o próprio nome indica. (Sim, ela está ligada ao câncer, mas também contribui para a resistência celular à insulina, que é quando as células deixam de reconhecer os sinais da insulina).

Não é surpresa o fato de que Phil Bruno sentia como se tivesse muito mais do que os seus 47 anos. Sua gordura, na prática, era um gigantesco tumor tóxico que envenenava o resto do seu corpo. Como seu médico advertiu, ele corria um risco enorme de morrer devido a problemas que afetam pessoas muito mais velhas, principalmente o diabetes e paradas cardíacas, mas também AVCs, cânceres e demência. "A obesidade tem muitas coisas em comum com uma situação de envelhecimento acelerado", diz Kirkland.

Assim, envelhecer nos faz engordar, e, por sua vez, nossa gordura nos faz envelhecer. E assim como a manteiga e a banha ficam rançosas com o tempo, nossa gordura velha faz com que envelheçamos ainda mais rápido. Kirkland acredita que células senescentes enterradas no tecido adiposo podem ser as principais responsáveis pelas inflamações sistêmicas que acompanham o envelhecimento – quanto mais velhos ficamos, mais células senescentes estão imersas em nossos depósitos de gordura. Outro problema de igual importância é o fato de que o nosso próprio tecido adiposo se torna disfuncional e menos capaz de executar a função de, bem, armazenar mais gordura. Isso deixa ácidos graxos livres circularem na nossa corrente sanguínea, uma situação perigosa chamada de lipotoxicidade – ou, se preferir, intoxicação por gordura. Não é legal. E não é surpresa o fato de a obesidade estar ligada ao encurtamento dos telômeros (que, por sua vez, cria ainda mais células senescentes).

O círculo vicioso só piora com a idade. A gordura-problema, entretanto, afeta predominantemente a população que está entre a meia-idade e a velhice, razão pela qual a "síndrome metabólica" – uma combinação de obesidade, resistência à insulina, pressão arterial alta e níveis altos de colesterol – afetam somente 7 por cento da população na casa dos 20 anos, mas quase metade daqueles que já passaram dos 60. Phil Bruno tinha síndrome metabólica, e provavelmente todas as pessoas com sobrepeso ou obesas que você vê no shopping center também a têm.

Na realidade, há evidências cada vez maiores de que o nosso tecido adiposo pode literalmente estar reduzindo nosso tempo de vida. Em um experimento dramático de 2008, Nir Barzilai e seus colegas da Faculdade de Medicina Albert Einstein do Bronx removeram cirurgicamente a gordura abdominal de uma linhagem de ratos de laboratório obesos e descobriram que os animais viveram por um período de tempo 20 por cento maior do que seus primos que continuaram a ser obesos. A gordura abdominal, basicamente, os estava matando. Conforme o próprio Barzilai diz, "nem toda gordura é apenas gordura".

Phil Bruno sabia disso muito bem. Entretanto, para ele, a cirurgia não era uma opção viável: nos seres humanos, de acordo com Barzilai, a gordura abdominal não pode ser removida com segurança, pois está ligada de maneira muito profunda aos nossos vasos sanguíneos e órgãos. A lipoaspiração remove somente a gordura subcutânea "boa", e é por essa razão que vários estudos recentes associaram o procedimento com o que os cientistas chamam de "resultados inadequados de saúde", e que você e eu chamamos de "morte".

Assim, em julho de 2004, mais ou menos um mês depois de ser diagnosticado, Phil Bruno fez a única coisa que seu médico *não* havia prescrito: ele foi para a academia.

∞

Você leu isso do jeito certo: embora o médico de Phil houvesse sugerido que ele perdesse peso, ele não chegou a recomendar exercícios como uma das maneiras de fazer isso. Incrivelmente, pesquisas de opinião mostram que somente cerca de metade dos pacientes diabéticos é informada pelos médicos de que devem se exercitar – provavelmente porque os médicos acreditam que seus pacientes não irão realmente à academia de ginástica, ou que não seguirão essas instruções, ou mesmo porque não creem que eles perderão muito peso no longo prazo. Há estudos que dão respaldo a cada um desses pontos de vista pessimistas, também. Mas nenhum dos seus autores chegou a conhecer Phil Bruno.

Depois de passar algumas semanas sob o efeito dos seus novos medicamentos, Phil se sentia tão miserável quanto antes, com a diferença de que, agora, sentia-se ainda mais cansado. Quatro dos medicamentos traziam avisos de que a sonolência era um efeito colateral, e, na prática, isso significava que havia dias em que ele tinha vontade de rastejar para baixo da sua mesa de trabalho e dormir até por volta das 11 horas da manhã. Ele também sabia que seus remédios não estavam tratando as causas da doença, apenas os sintomas. Sentia-se preso, sem esperança e deprimido. "Alguma coisa acabou estalando na minha cabeça e disse *isso não vai dar certo*", diz ele. Católico devoto, recorreu às orações em busca de respostas, como escreveu em um relato da sua luta que intitulou de "O Plano de Dieta de Jesus Cristo":

∞

> *Para mim, tudo começou quando fui à igreja e fiquei sentado em um dos bancos, fazendo uma prece sincera e cheia de lágrimas para Jesus. Eu dizia sem parar: Jesus, Jesus, Jesus, várias e várias vezes. Depois de estar ali por cerca de uma hora, uma questão fundamental surgiu na minha mente.*
> *Senti que essa clareza nos pensamentos foi a primeira coisa que o Espírito Santo fez para me ajudar.*
> *A pergunta era... <u>Você quer viver ou morrer?</u>*
> *A resposta... eu queria VIVER!!!!!!!!!!!!!!!!*

∞

Ele percebeu que, mais do que qualquer outra coisa, queria ver seus filhos se casarem. Do jeito que as coisas estavam, não parecia que isso chegaria a acontecer. Em busca de motivação, ele se concentrou na Bíblia, mas também em livros que havia lido, escritos pelo ex-técnico de futebol americano Tony Dungy e pelo guru motivacional Tony Robbins, que reforçavam a mensagem de que o futuro de uma pessoa não precisa ser ditado pelo seu passado. Era o que ele precisava ouvir.

Depois de fazer exames no coração (que estava hipertrofiado, é claro, depois de trabalhar tanto durante todos esses anos, embora suas artérias estivessem limpas graças ao azeite de oliva da vovó), Phil entrou na academia Gold's Gym em um sábado de julho de 2004. Ele olhou à sua volta, hesitante, antes de encontrar a única coisa que parecia viável para um cara de 215 quilos: a bicicleta ergométrica. Montou na bicicleta e conseguiu pedalar por cinco minutos antes de ter que parar, bufando, ofegando e sentindo-se constrangido – e ao mesmo tempo invisível. "Todos ficam olhando para o cara gordo na academia", diz ele.

Apenas como exercício mental, imagine-se pedalando uma bicicleta ergométrica com Homer Simpson amarrado às suas costas. Era assim que Phil se sentia. Mesmo assim ele voltou no dia seguinte, e no outro também. Logo ele já era capaz de ficar na bicicleta por trinta minutos, e deixava uma poça de suor cada vez maior no chão. Ele visualizava cada gota de suor como mais um naco de gordura deixando o seu corpo, mais um passo minúsculo rumo ao seu objetivo.

Enquanto caminhava rumo à sua bicicleta ergométrica favorita, naquelas primeiras semanas no Gold's Gym, ele passava diante da parede envidraçada do estúdio de *spinning*. Com a música agitada e os corpos esbeltos pedalando nas bicicletas, aquilo lhe parecia bem legal. Ele precisou de mais uma ou duas semanas para reunir a coragem necessária e entrar em uma aula de spinning, e foi instintivamente até uma das bicicletas que ficava no fundo do estúdio. Uma loira bonita e escultural se aproximou e o confrontou. "Oi, meu nome é Beth", disse ela, sorrindo. "Vou ajudá-lo a treinar."

Ela o colocou na primeira fila. Seu nome era Beth Sanborn, e correspondia fielmente à imagem da triatleta Ironman que era. Mas não se importava com o quanto *ele* pesava. Ele passou pela aula de 45 minutos, resfolegando e pedalando em sua bicicleta. Phil logo se tornou um dos alunos regulares das aulas de Beth, três vezes por semana. E, sendo quem era, Phil não demorou a conhecer todas as outras pessoas da sala. "Eu nunca havia visto alguém tão grande", disse Sanborn. "Ele era a pessoa mais esforçada da minha turma. Um homem obstinado, exatamente assim."

Phil tirava os domingos de folga, mas continuava indo à academia, dia após dia. Ele frequentemente pedalava até seus *shorts* ficarem ensanguentados, porque não se faz *shorts* de ciclismo (nem assentos de bicicleta) para pessoas que pesam mais de 150 quilos. "Não era muito bonito de se ver", diz ele. Quando setembro chegou, ele decidiu encarar um desafio ainda maior: iria participar de uma centúria, um percurso de 160 quilômetros para levantar fundos em prol de pacientes com esclerose múltipla, uma doença com a qual sua esposa Susan havia sido diagnosticada. Ele não montava em uma bicicleta de verdade há vinte anos, mas tirou sua velha Trek do porão, limpou a poeira e levou-a para a oficina.

Ele conseguiu chegar até a 63ª milha em uma leve subida, quando a estrada começou a ondular e a derreter sob a sua bicicleta. Sentia dores nas pernas e no peito, e, de maneira bastante sinistra, havia parado de suar. O carro de apoio da organização o estava seguindo, e a equipe médica do evento correu para ajudá-lo, segurando seus braços para que ele não caísse no chão. "Eu cheguei até mesmo a pensar que, se morresse aqui, na estrada, pelo menos estaria fazendo algo para mudar a minha vida", diz ele.

∞

Sem saber, Phil havia desencadeado uma guerra pelo controle do seu corpo, com a gordura de um lado e os músculos do outro. Ele já sabia que a gordura é uma coisa teimosa. "Já fiz todas as dietas possíveis e imagináveis", diz ele.

Além de teimosa, a gordura é controladora. Durante uma boa parte do tempo, paradoxalmente, ela lhe diz para *comer mais*, uma das razões pelas quais as dietas frequentemente fracassam. Nossa gordura quer nos manter gordos. Embora alguns tecidos adiposos secretem leptina, que nos avisa que é hora de parar de comer, pessoas muito obesas acabam ficando imunes ou insensíveis à leptina. Assim, mesmo enquanto Phil Bruno dirigia pela Manchester Road com um Quarterão com Queijo no colo, seu cérebro continuava a gritar, dizendo que ele ainda estava com fome. Embora já seja bastante difícil para que uma pessoa pesada "normal" perca peso, para alguém como Phil Bruno isso seria quase impossível, diz Mark Febbraio, um pesquisador especializado em diabetes do Instituto Baker IDI para o Coração e Diabetes de Melbourne, na Austrália.

"Quando falamos de pessoas que têm mais de 180 quilos, geralmente esses indivíduos têm um defeito genético nos sinais que vão de várias partes do corpo para o cérebro, e que nos dizem para parar de comer", diz Febbraio. "Assim, eles têm apetites insaciáveis. O estilo de vida pode modificar essa situação até certo ponto, mas, se você está sempre com fome, vai acabar comendo outra vez."

E isso torna a história de "A. B." ainda mais notável. Conhecido pela ciência apenas por suas iniciais, A. B. era um escocês anônimo de 27 anos que apareceu no hospital de Dundee, na região nordeste da Escócia, há mais de quarenta anos. Ele pesava 205 quilos, o que, pelos padrões da era pré-obesidade da década de 1970, era algo totalmente monstruoso. Estimulado pelos pesquisadores, A. B. começou a fazer a dieta mais simples possível: ele parou de comer.

Ele não ingeriu comida nenhuma, apenas vitaminas e levedura de cerveja, enquanto os médicos monitoravam sua saúde cuidadosamente. O peso diminuiu, mas não tão rápido quanto os médicos esperavam; afinal de contas, o homem estava ingerindo praticamente zero calorias, subsistindo apenas com o que havia em seus imensos reservatórios de gordura. Devia ter queimado aquilo rapidamente. No final, ele conseguiu emagrecer até chegar a um peso bastante normal de 81 quilos – uma proeza extraordinária, qualquer que seja a referência – mas levou 382 dias para chegar a esse resultado. Mais extraordinário ainda foi ver que o peso não retornou.

Phil Bruno não estava disposto a parar de comer. E nem sentia que devia fazê-lo. Em vez disso, fez mudanças simples e sensatas na sua dieta. Em vez de se obrigar a passar fome, ele começou eliminando alimentos fritos, *fast-food* e refrigerantes doces, que compunham uma grande parte da sua ingestão alimentar diária. Ele os substituiu por itens como frango e peixe grelhados, e beliscava amêndoas sem sal em vez de batatas fritas. Um pouco de bom senso fez uma enorme diferença. "Os primeiros vinte e poucos quilos foram embora bem rápido", disse ele.

Seu objetivo inicial era poder se pesar na balança de casa em vez de ter que ir até o supermercado. Mas ele também adorava comida, e de vez em quando comia um peito de frango a mais no jantar, se tivesse vontade. Melhor do que um Quarterão com Queijo e fritas. "Quando você come dois combos de lanchonetes *fast-food* por dia, com uma torta de maçã e um milk-shake de chocolate, qualquer mudança indica uma melhora", destaca ele.

Mas ele continuou a se exercitar. Phil percebeu que não somente perdia peso, mas também que sentia menos fome. Além disso, sua sede ardente havia desaparecido e seus joelhos e quadris, que passaram tanto tempo sofrendo sob seu peso já não o incomodavam tanto. Ele entrou de cabeça nas aulas de *spinning*; após algum tempo, acabaria se tornando um instrutor certificado, um dos mais populares naquela filial do Gold's Gym. "Vimos uma mudança notável", diz Jim Wessely, um amigo das aulas de ciclismo, que é diretor dos serviços de emergência no Hospital St. Luke em St. Louis. "Quando apareceu para a primeira aula, ele era um cara gigantesco, morbidamente obeso, que mal conseguia passar mais do que alguns minutos pedalando; agora, ele realmente se esforçava com gosto."

Como o próprio Phil diz: "Desistir não estava entre as minhas opções, porque isso significava a morte".

Efervescente e bastante entusiasmado, ele é uma pessoa que motiva as outras, não alguém que desiste; não admira o fato de que ele trabalhe como vendedor. Enquanto treinava para concluir sua primeira centúria ciclística, na primavera de 2005, Phil organizou seus amigos da academia em uma equipe de ciclismo chamada Golden Flyers. Atualmente eles contam com mais de 150 membros que viajam para passeios ciclísticos em prol de instituições de caridade por todo o meio-oeste. Gostou tanto de pedalar nas bicicletas ergométricas que treinou para se tornar instrutor, e recebeu seu certificado em 2008, quatro anos depois de entrar na academia como "Aquele Cara Gordo". Três manhãs por semana, ele hoje conduz as aulas que costumava temer, coordenando um grupo bastante empolgado de seguidores que chegam às 5 horas e 30 minutos da manhã para pedalar feito um bando de loucos; Phil dá o tom com sua camiseta favorita, que tem os dizeres ATROPELE OS FRACOS, SALTE SOBRE OS MORTOS.

Ele também faz parte de um grupo nacional de ciclismo para diabéticos chamado Team Type 2, dedicado a ajudar as pessoas a lidarem com a doença através de exercícios em vez de medicamentos, e foi assim que eu o descobri. Phil é o detentor do recorde para a maior quantidade de peso perdida. "Ele é incrível", diz Saul Zuckman, um dos líderes do Team Type 2.

∞

Se Phil agiu de maneira implacável, isso se deve ao fato de que o seu inimigo também o era. Em pessoas sedentárias, inativas – independente de serem realmente obesas como Phil –, a gordura realmente invade os músculos, enfiando-se por entre as fibras musculares como o mármore em um belo corte de carne wagyu. Pior do que isso, a gordura se infiltra nas próprias células musculares, na forma de "gotículas" de lipídios que tornam as células mais vagarosas e podem até mesmo contribuir para criar resistência à insulina, diz o dr. Gerald Shulman, um proeminente pesquisador do diabetes de Yale.

De acordo com Shulman, esses "amontoados" de gordura, tanto no fígado quanto nos músculos, bloqueiam um estágio-chave na conversão da glicose, levando assim à resistência à insulina, que é um pré-requisito para o diabetes. Isso também explica por que tantas pessoas sedentárias com peso normal ainda têm o risco de desenvolver a doença. "Não se trata de quanta gordura nós temos, mas sim de como ela está distribuída", diz Shulman. "Quando a gordura se acumula onde não deve, nas células dos músculos e do fígado, isso acaba levando ao desenvolvimento de diabetes tipo 2."

Ao se exercitar com toda aquela intensidade, Phil estava eliminando aqueles amontoados de gordura em excesso. Como resultado, sua resistência à insulina e seu diabetes pareciam estar enfraquecendo. Em vez de flutuar pelo seu corpo causando danos por toda parte, seu excesso de açúcar estava sendo incinerado na fornalha dos seus músculos – mas agora ele estava em um estado metabólico completamente diferente. Dados recentes mostram que, embora ser obeso geralmente seja um fator de risco sério, a pequena categoria de pessoas que são "gordas, mas em forma" tem muito menos com que se preocupar.

Um ano após ser diagnosticado, Phil voltou ao consultório do dr. Livingston para alguns exames de rotina. O médico ficou embasbacado; a resistência à insulina de Bruno havia desaparecido, e os resultados dos seus exames de sangue estavam quase de volta aos valores normais. Seu A1C, que originalmente estava em 16, agora havia baixado para 5,5. Ele nunca havia visto ninguém conseguir fazer algo assim. Relutantemente, pediu a Phil que parasse de tomar todos os seus medicamentos. Ele havia controlado seu diabetes, uma condição que antes ameaçava a sua vida, mudando sua dieta e adotando o exercício. Era quase como ter um segundo emprego. "Sou um conselheiro financeiro do banco Wells Fargo, mas a maioria das pessoas acha que sou instrutor de *spinning*", diz ele.

Ainda assim, Phil sabia que estava longe de poder se considerar "curado". Devido à sua composição individual, ele teve tendência para ganhar peso durante toda a vida – mesmo quando era criança, usava calças de tamanho grande. Teve que lutar uma batalha constante e cada vez mais encarniçada contra o seu destino morfológico. Continuou dedicado à academia, indo às aulas de *spinning* quatro e cinco vezes por semana; aos domingos, organizava um grupo de ciclistas que pedalava regularmente, e passou a coordenar as equipes do Gold's Gym que angariavam doações em passeios ciclísticos como a Tour de Cure (para o diabetes) e a MS 150.

Em quatro anos, Phil havia perdido mais de 90 quilos, baixando seu peso para menos de 117, o que era uma proeza descomunal. Ele ainda era grande e ainda não estava satisfeito: queria perder aqueles últimos 22 quilos para voltar ao peso que tinha na época da faculdade. Continuou em movimento, continuou pedalando, sabendo que nunca poderia parar. "É mais ou menos como segurar uma bola de praia embaixo da água. Enquanto você continua fazendo o que está fazendo, é fácil. Assim que você para, *bum*! Ela aparece na superfície outra vez", disse ele.

UM SALTO COM VARA RUMO À ETERNIDADE

Homens não param de brincar porque envelhecem;
eles envelhecem porque param de brincar.

Oliver Wendell Holmes

Em uma manhã fresca e nublada do verão de Cleveland, eu estava no gramado de um pequeno estádio universitário de futebol americano, assistindo alguns dos melhores atletas da nação batalhando uns contra os outros em uma importante competição de atletismo. A atmosfera era intensa, e entre os eventos eu ia até o gramado, onde conheci três corredores esguios que se preparavam para suas eliminatórias. Seus nomes eram Ron Gray, Don Leis e Bernard Ritter, e eles ainda estavam usando seus casacos esportivos para se proteger da friagem do início da manhã. Enquanto se alongavam e se aqueciam, avaliavam friamente os seus competidores enquanto davam uma ou duas olhadas para as atletas mais atraentes do sexo oposto.

Ron, Don e Bernie haviam se destacado em suas respectivas modalidades. Don havia batido recordes nacionais de salto triplo, enquanto Ron era um dos principais corredores de curta distância do país, e Bernie era competitivo em níveis estaduais e regionais em seu estado natal, a Carolina do Sul. Cada um deles havia passado vários meses treinando, com esperanças de ganhar medalhas em uma competição de nível nacional; sua próxima parada seria o campeonato mundial que aconteceria no Brasil dali a alguns meses. Don veio do celeiro de atletas de Pasadena, enquanto Ron era procedente de Denver, onde havia jogado como *running back* para o time de futebol americano da Universidade do Colorado.

Há sessenta anos.

O evento eram os Jogos Nacionais de Sêniors de 2013, uma espécie de olimpíada bienal para atletas mais velhos ("sênior" é a palavra usada para definir qualquer pessoa com mais de 50 anos). A competição tinha os eventos tradicionais de atletismo e natação, além de triatlo, basquete, vôlei, badminton e pingue-pongue, apenas para citar alguns. E, é claro, torneios de *shuffleboard*. As competições de *pickleball*, uma espécie de tênis jogado com raquetes de madeira que está ficando cada vez mais popular em comunidades para aposentados, tinham fama de ser particularmente ferozes. Para chegar até aqui, os participantes tinham que se qualificar nos Jogos de Sêniors estaduais e locais, o que significava que Cleveland era a cidade anfitriã do *crème de la crème* dos atletas mais velhos.

Concentrei-me nos eventos de atletismo porque seus resultados são quantificáveis – há uma linha de chegada que deve ser cruzada ou uma barra transversal que deve ser transposta – e porque são esportes que não requerem nenhum talento especial. Qualquer pessoa é capaz de correr e saltar. E foi por essa razão que eu me vi no meio desse estádio às 9 horas da manhã, cercado por pessoas muito mais velhas vestidas com Lycra, calçados com cravos para corrida e expressões muito compenetradas. E aparelhos para surdez, também. Era tão intenso quanto qualquer competição de atletismo de nível universitário; a única diferença eram algumas rugas a mais.

Fui até ali para procurar pessoas que estavam "envelhecendo com sucesso", no jargão condescendente dos geriatras, e encontrei mais do que estava esperando. No decorrer do fim de semana, vi uma mulher de quase 95 anos arremessar um dardo olímpico a uma distância de quase 30 metros. O melhor atleta no salto em altura, no grupo de 70 a 74 anos, saltou a uma altura que lhe daria a medalha de prata nos Jogos Olímpicos de Atenas de 1896, e eu vi um homem de 92 anos trotando pela pista do salto com vara para tentar transpor uma barra transversal que estava colocada na mesma altura da minha cabeça.

Isso me deixou aterrorizado. Será que ele estava louco? Quem deixou isso acontecer? Toda aquela manhã atiçou a minha ansiedade enquanto eu fiquei ali, observando pessoas com a idade dos meus pais correndo e saltando com tanta força que isso quase os fazia vomitar. Eu não conseguia nem lembrar da última vez em que havia feito uma corrida de 400 metros. Uma coisa que todos esses atletas tinham em comum era o fato de que estavam quebrando as regras – não as regras da competição de atletismo, mas as regras implícitas que governam condutas aceitáveis para as pessoas identificadas como velhas. Todos aplaudem as vovós que participam das corridas locais de 5 quilômetros. Mas quando a vovó é capaz de deixar seus filhos de meia-idade comendo poeira nas competições de 100 metros rasos, as coisas podem acabar ficando estranhas. Isso simplesmente parece estranho, para não dizer perigoso. (Este parece ser um lugar adequado para incluir a seguinte declaração: ao comprar este livro, você concordou em absolver o autor de qualquer responsabilidade pelo que lhe acontecer quando você "tentar fazer isso em casa").

Mas essas não são pessoas que se importam com o que seus filhos pensam. No gramado, Ron, Don e Bernie falaram sobre seu treinamento e dietas como se fossem competidores experientes, algo que realmente são. Essa era a oitava competição de Don naquele ano, e ainda estávamos em julho. Hoje ele não estava se sentindo muito bem, graças a um olho roxo que havia conseguido "enquanto brincava de pega-pega com o meu neto no playground". Ron tinha a pele enrugada de um homem que passou tempo demais sob o sol das Montanhas Rochosas, algo que realmente fez. Mas o restante dele ainda tinha a mesma aparência do jogador de futebol americano da Universidade do Colorado que ele era no início da década de 1950, com o peito largo e antebraços musculosos sobre um par de pernas esguias e poderosas. Havia participado de competições de atletismo na faculdade, além das quatro temporadas em que jogou no time dos Buffs como *running back*. "Não fiz mais nada depois daquilo, por 55 anos", disse ele, aos risos. Ele definia "nada" como subir a pé as encostas montanhosas de Aspen e esquiar morro abaixo por suas encostas de 45 graus de inclinação, algo que fazia quase semanalmente.

Há quatro anos, um colega do tempo da faculdade sugeriu a Ron que participasse de uma competição de atletismo para Masters. Ele gostou da competição, o que o fez lembrar de seus dias no ramo de leilões. E adorou o treinamento. Agora ele se exercita três dias por semana em uma pista de atletismo local, sozinho, e mais dois dias na academia com um *personal trainer*. "Tudo isso faz com que você se sinta bem, as batidas do coração e as borboletas no estômago, e tudo mais", disse ele mais tarde. "E ganhar dos outros caras, é claro."

Uma coisa que me deixou intrigado foi o fato de que Ron, Don e Bernie encaravam o envelhecimento com a mesma disciplina que aplicavam ao próprio treinamento, como se o próprio envelhecimento fosse uma espécie de evento atlético. Ron mantém a juventude, de acordo com ele mesmo, evitando os "inflamáveis", um termo que ele parece usar para alimentos que contenham derivados de leite, trigo e açúcar. Ele vinha experimentando essa nova dieta "anti-inflamável" há cerca de seis meses e, em sua opinião, parecia estar funcionando. "Houve uma manhã que eu acordei no ano passado e nada doía", explicou ele. "Achei que estava morto. Agora eu acordo e nada dói porque nada dói!"

E, pensando bem no caso, ele *realmente* se parecia um pouco com o ator Rodney Dangerfield. Ele também empregava os serviços de um "médico pessoal", um profissional de saúde altamente especializado que ficava basicamente à sua disposição. Ele podia se consultar com o médico por qualquer motivo, a qualquer momento, e ficar por lá o tempo que quisesse. Educação, dinheiro e acesso a cuidados médicos, tudo isso se correlaciona fortemente com a longevidade, de acordo com o que Jay Olshansky e outros estudiosos descobriram. Ron, Don e Bernie tinham essas três coisas.

O trio estava planejando se inscrever no revezamento 4×100 como equipe, mas precisavam de um quarto elemento. Secretamente eu fiquei aliviado por ser quatro décadas mais jovem do que eles. O verdadeiro inimigo dos três, entretanto, não eram os outros corredores, mas sim os ferimentos. E, de fato, enquanto estávamos ali conversando no gramado, os rapazes e eu vimos uma mulher de 75 anos tropeçar durante uma eliminatória dos 100 metros rasos, bater a cabeça na pista e ser tirada do estádio numa ambulância, ainda inconsciente. Foi desconcertante. Logo na corrida seguinte, um senhor da mesma idade estirou violentamente o tendão de Aquiles e caiu na valeta ao lado da pista, contorcendo-se em agonia. "O estiramento foi *feio*", disse Ron, fazendo uma careta enquanto os paramédicos voltavam rapidamente com a maca.

Ron sabia o que estava fazendo. Ele se aquecia cuidadosamente antes de cada sessão de exercícios e cada corrida, usando uma sequência específica de movimentos para preparar seus músculos e articulações de 80 anos para correr. Conforme o seu horário de largada chegava, Ron fez seu aquecimento, como sempre. Em seguida, foi até perto da linha de largada, com seu uniforme vermelho do time dos Estados Unidos e shorts de compressão de lycra, enquanto os outros grupos organizados por faixa etária partiam, um a um, até que chegou o momento da largada da prova masculina para atletas com idades entre 80 e 84 anos. Ele estava saltitando sem sair do lugar até que seu nome foi chamado. Raia 6.

"Em seus lugares", disse o fiscal da prova.

Ron se agachou, colocou os dedos na superfície enrugada da pista e apoiou os pés nos blocos de largada. O da frente, depois o de trás. Dois dos corredores preferiram não usar os blocos; aos 80 anos, é muito mais difícil partir de uma posição agachada, além de ser mais perigoso. Assim, eles permaneceram sobre a linha de largada, uma posição mais confortável para seus tendões de Aquiles, mas também sem possibilidade de vencer. Isso deixou três corredores na competição: Ron, um homem afro-americano chamado Alex Johnson, que o havia derrotado com uma enorme vantagem durante as eliminatórias, e outro corredor chamado John Hurd, proveniente da Flórida, que também já havia ganhado dele no passado.

"Preparar", disse fiscal, e os atletas se colocaram em posição. Na linha de chegada, um pequeno grupo de espectadores – em sua maioria, esposas e os filhos de meia-idade dos competidores – estava recostada nas arquibancadas, com um ar meio entediado.

BANG!

Ron sai em disparada dos blocos de largada, um movimento que ele praticou várias vezes por semana na pista perto da sua casa. Em dois passos, já estava com o corpo ereto, correndo o mais rápido que podia, movendo os braços para frente e para trás, as palmas em riste como facas para cortar o ar enquanto suas pernas se agitavam como as lâminas de um batedor de ovos. Corria o mais rápido que conseguia, esforçando-se bem mais do que a maioria das pessoas pensa que um homem de 80 anos *deveria* correr. E, após cerca de dez metros, estava na frente, um passo ou dois à frente Hurd e Johnson. Mas Johnson o passou na marca dos 75 metros, devorando a pista com suas enormes passadas. Ron conseguiu garantir o segundo lugar, marcando o tempo de 16,75 segundos – quase um segundo mais rápido do que sua marca no torneio Masters Nationals três semanas antes. Ele estava feliz, tentando recuperar o fôlego no meio do gramado.

"Mal posso esperar pela próxima" disse ele, ainda ofegante.

∞

Atletas entendem o envelhecimento mais do que praticamente qualquer pessoa, pois sentem seus efeitos mais cedo do que o restante das pessoas. Um jogador profissional de futebol americano vai considerar a própria aposentadoria aos 30 anos; LeBron James já está passando do prazo, aos 33. Esportes de resistência são mais lenientes, mas nem tanto. Meb Keflezighi venceu a Maratona de Boston aos 39 anos, o que foi considerado uma grande proeza. O ciclista mais velho da Tour de France de 2014 tinha 43 anos. Jamie Moyer estava com 50 quando se tornou o arremessador mais velho a começar um jogo de beisebol da Major League. Ele arremessou por dois *innings*.

Para atletas profissionais, continuar saudável conforme a idade avança é vital para o seu sustento, e é por essa razão que o antigo astro do time de beisebol do New York Yankees, Alex Rodriguez, e alguns dos seus colegas frequentavam as clínicas "antienvelhecimento" do sul da Flórida em busca de hormônio de crescimento humano e outras feitiçarias químicas capazes de ajudá-los a prolongar suas carreiras. Para atletas da divisão de Masters, entretanto, essa dinâmica é revertida. Eles não são mais vítimas da idade, mas sim combatentes, batalhando contra ela conforme as décadas avançam.

"Tornar-se atleta aos 47 anos, aos 50 – ou aos 90, tenho certeza – é simplesmente uma maneira de dizer *Espere aí!*", escreveu o falecido John Jerome em seu maravilhoso livro de memórias sobre participar de campeonatos de natação após uma certa idade. "É uma maneira de agarrar o tempo pelos colarinhos, de dizer 'pare, espere um minuto, deixe-me entender o que está acontecendo aqui'. Talvez o importante não seja lutar contra a idade, mas deixar que ela venha, permitir-se mergulhar nela para descobrir exatamente o que é isso."

Poucos dos atletas do Senior Games haviam mergulhado tanto no envelhecimento quanto Howard Booth, que eu conheci naquela tarde nos "pits", uma área gramada onde os eventos de salto estavam acontecendo. A competição de salto em distância para homens estava indo a todo vapor, com homens de cabelos grisalhos se lançando sobre uma caixa de areia. Meus joelhos latejavam só de observá-los. Booth se distinguia por um estilo de salto muito especial: quando pousava, ele fazia uma rápida cambalhota e logo estava em pé outra vez. Isso fazia os espectadores e até mesmo os árbitros rirem toda vez.

Booth não era somente um ex-ginasta que começou a treinar ainda quando estava na faculdade – daí as cambalhotas – mas também um professor de biologia na Universidade Estadual de Michigan, com um forte interesse pessoal e profissional tanto em esportes quanto no envelhecimento. Compacto, mas ainda assim bastante musculoso, com cabelos brancos e uma barba branca curta, ele usava um macacão justo que mostrava que exibia uma forma física invejável para qualquer faixa etária. Sua especialidade, na verdade, era o salto com vara, o que é um pouco estranho considerando que Booth não é particularmente alto, mas o que lhe falta em altura é compensado pela sua paixão.

Ele havia treinado o salto com vara na faculdade, mas desistiu para se dedicar aos estudos de pós-graduação e à sua pesquisa. Há cerca de dez anos, um amigo lhe falou sobre o Senior Games e, apenas por diversão, ele verificou os resultados do salto com vara para a sua faixa etária. Pareciam estar ao seu alcance, então ele decidiu voltar a se dedicar ao esporte. Construiu uma área de treinos em seu quintal, criando as balizas com restos de madeira e uma área de aterrissagem composta por sacos de lixo cheios de folhas. Um galho de bordo lhe serviu como vara e outro como a barra transversal, e logo, *bum!* Ele havia voltado a saltar com vara. Desde então ele passou a usar equipamentos mais profissionais, e agora a área de treinos no seu quintal atrai saltadores de todas as idades nas manhãs de domingo. Ele conquista medalhas em eventos nacionais regularmente.

"Você pode acordar com músculos doloridos e perguntar a si mesmo '*Por que estou fazendo isso?*'", disse ele. Resposta: "Porque voar pelos ares é muito, muito divertido. Mentalmente, somos crianças brincando".

Talvez haja algo na parte "mental" da coisa. Isso remonta ao famoso experimento executado pela psicóloga Ellen Langer, de Harvard, que regrutou oito homens idosos para passar uma semana juntos em uma casa decorada, nos mínimos detalhes, no estilo da década de 1950. Até mesmo as revistas e livros eram daquela década. Os homens foram instruídos a se imaginar como se estivessem em 1959, quando estavam no ápice da forma física (e para ajudar a fazer com que isso acontecesse, todos os espelhos da casa foram retirados). Eles discutiram os esportes e as notícias da década de 1950 como se estivessem acontecendo no presente, e assim por diante. Ela lhes disse para "habitar" seus antigos eus.

Ao final da semana, os homens haviam rejuvenescido milagrosamente, com resultados muito melhores em teste de força similares aos do Estouro, e até mesmo se organizando espontaneamente para participar de uma partida de futebol americano de toques. "Parecia quase como o milagre de Lourdes", disse Langer posteriormente.

∞

Hipócrates acreditava que o exercício era um medicamento, assim como os médicos da China antiga. A prática saiu de moda no início do século 20, e acreditou-se até mesmo que era algo "perigoso" – coincidentemente, no mesmo período em que as doenças cardíacas estavam começando a emergir como uma das principais causas de morte. Durante a primeira metade do século 20, médicos tipicamente prescreviam repouso para pacientes com problemas no coração. Oops.

Isso mudou na década de 1960, quando o enorme estudo de Framingham descobriu que as pessoas que se exercitavam regularmente eram muito menos propensas a sofrer ataques do coração do que aquelas que não o faziam. Aqueles que fumavam, por outro lado, corriam um risco maior. Desde então, uma quantidade cada vez maior de dados sobre exercícios físicos aponta para a mesma direção. Uma recente análise sobre estatísticas de mais de 650 mil indivíduos mostrou que as pessoas que mantinham um peso normal e se exercitavam moderadamente, o equivalente a uma caminhada rápida de mais ou menos uma hora por dia, viviam em média *sete anos* a mais do que aquelas que não se exercitavam. Há um debate acalorado sobre se exercícios mais intensos conferem benefícios proporcionalmente maiores, mas um estudo feito com os veteranos da Tour de France descobriu que eles também viviam cerca de sete anos a mais do que seus pares. (E medalhistas olímpicos também viviam mais, cerca de três anos, de acordo com um estudo que analisou mais de 15 mil atletas de 1896 até 2010).

Isso pode se dever a todo o vinho que bebem, no caso dos ciclistas, mas provavelmente se dá pelo fato de que o exercício em si é literalmente como um remédio, conforme um grupo crescente de evidências está começando a demonstrar. Em uma comparação detalhada e reveladora, o cientista de Stanford John Ioannidis associou mais de trezentos testes clínicos randomizados de medicamentos com os resultados de 57 estudos sobre exercícios físicos, e descobriu que em praticamente todos os casos os exercícios eram tão eficazes quanto os remédios, e às vezes melhores, para prevenir mortes por doenças cardíacas, AVCs e diabetes.

"Se você pudesse colocar os benefícios do exercício em um comprimido, seria um comprimido espantoso", diz Simon Melov, pesquisador do Instituto Buck que estudou os exercícios físicos extensivamente. "Estamos produzindo dados sobre os efeitos do exercício crônico, e ele é espantoso em termos da sua capacidade de prevenir todos os tipos de doenças relacionadas ao envelhecimento como o câncer, doenças degenerativas, doenças cardíacas, até mesmo artrite. Todas essas coisas têm um risco muito menor em pessoas que se exercitam regularmente. E se isso estivesse em um comprimido, seria algo totalmente *insano*."

Sendo biólogo, Howard Booth já sabia disso. Depois da faculdade, ele continuou ativo praticando corridas a pé e ciclismo, mantendo uma forma física razoável, mas estava ficando entediado. Passou a praticar o salto com vara aos 60 anos em parte porque sabia que precisaria de um novo desafio quando se aposentasse da carreira de professor. "Eu refleti sobre a geração do meu pai, para a qual a ideia de se aposentar era que você trabalhou muito durante um tempo enorme e agora merece a oportunidade de não fazer nada", disse ele. "Não estou falando de fazer alguma outra coisa, e sim de *não fazer nada*."

Isso não era para ele. E ele também não queria jogar golfe, que já foi considerado o único passatempo socialmente aceitável para homens com mais de 60 anos. "Não é muito mais do que ficar olhando a grama crescer", zombou ele. Embora não tenha se aposentado completamente das funções de professor e *coach* na Eastern Michigan, treinar e competir em campeonatos de salto com vara lhe deram outro objetivo, ou o que os nativos de Okinawa chamam de *ikigai*, um senso de propósito. Os riscos e recompensas são baixos, – nos Senior Games, o máximo que ele conseguiria seria uma medalha barata feita com alguma liga metálica – mas, ao mesmo tempo, não podiam ser muito maiores do que isso. "Mesmo que seja uma fita de dois dólares e você tenha gastado milhares de dólares com a viagem e a hospedagem, isso não faz sentido", diz ele. "Mas, psicologicamente, faz um sentido enorme. Você não está só observando, está participando ativamente."

Havia algo similar acontecendo biologicamente, dentro dele. Ele estava *participando*. Enquanto pesquisava os resultados e os livros de registros, ele ficou curioso: Até que ponto é possível chegar? Um atleta mais velho seria capaz de igualar os resultados que tinha quando estava no auge da forma física? Seria capaz de chegar perto daquelas marcas?

Booth mandou que seus alunos entrevistassem os outros competidores no circuito sênior de atletismo, e descobriu que atletas dedicados na casa dos 60 anos conseguiam ter um desempenho que correspondia a cerca de 80 por cento do que tinham quando estavam no auge da forma física. Ou seja, se conseguiam uma marca de 5 metros no salto com vara quando estavam na faculdade, chegavam a 4 metros aos 60 anos. Os registros nacionais indicam o mesmo: nas competições de 100 metros rasos para homens, por exemplo, o melhor tempo registrado por um americano entre 60 e 64 anos em 2012 foi a marca surpreendente de 11,83s, pouco mais de 2 segundos a mais do que o tempo que deu a medalha de ouro a Justin Gatlin: 9,79s. Entre corredores que já entraram na sétima década da vida, o homem mais rápido acrescenta um segundo à marca (12,90s), o que ainda é bastante rápido.

O desempenho de alto nível cai drasticamente após os 75 anos, mas um fato bastante interessante que Booth descobriu foi que o seu "grupo de controle" – composto por adultos sedentários da mesma idade – havia mantido somente 22 por cento da sua capacidade física. Isso mostrou a Booth que havia muito mais naquelas competições do que simplesmente quebrar recordes e conquistar medalhas – coisas que ele conseguia fazer com relativa facilidade. Tinha mais a ver com o fato de poder continuar no jogo, de não desistir. "A maioria das pessoas não é basicamente saudável nessa idade", disse ele. "E a ideia de que, bem, isso é natural e você é simplesmente um velho agora – isso *não é* natural! Isso é o padrão. É o que acontece quando não procuramos novos desafios. O exercício é uma constante: quanto mais você fizer, menos irá perder."

Booth já havia terminado de competir em seus eventos naquele dia e estávamos sentados em cadeiras dobráveis, relaxando sob o sol e conversando sobre a ciência do esporte. Sua esposa, Luanne, estava sentada perto de nós enquanto ele falava, assentindo. "Podemos demonstrar isso na produção de proteína muscular; nas junções nervosas, que tendem a desaparecer; e na proporção em que as fibras musculares retornam", prosseguiu ele. "Todos esses fatores basicamente respondem a um aumento nos exercícios físicos, reduzindo a velocidade na qual elas naturalmente diminuem. E quanto maior for a intensidade que você aplicar ao conjunto, mais lentamente o seu desempenho vai diminuir".

Ele escolheu o salto com vara porque a modalidade não requer somente um condicionamento físico básico, mas também habilidades físicas e coordenação motora fina, o que – conforme o Estouro demonstrou – diminuem ainda mais rápido do que a capacidade aeróbica. As fibras musculares de contração rápida usadas nos saltos e em corridas curtas tendem a desaparecer antes das fibras de contração lenta usadas por atletas especializados em provas de resistência. "Quanto mais você as usa, para tarefas que requerem coordenação fina – a precisão de um belo saque no tênis, ou um arremesso de bola ao cesto com salto –, as fibras de contração rápida em particular terão quantidades maiores de unidades motoras [uma combinação de fibra muscular e do nervo que a ativa] nas áreas que você usou e desenvolveu", disse ele. "E, se você parar de fazer essas coisas, elas vão declinar."

∞

Enquanto eu estava trabalhando neste livro, quase todas as pessoas com quem eu conversava sobre o assunto queriam saber a mesma coisa: "E então, qual é o segredo do envelhecimento?"

Até o momento, o "segredo" parece ser: *Use o que tem, ou perca.*

Algo que parece ser simples, até mesmo simplista. Mas o conceito continuava a aparecer, quase como um mantra, não somente nas conversas mas em pesquisas de alto nível: aplica-se ao seu sistema cardiovascular, aos seus músculos, à sua vida sexual e ao seu cérebro. Howard Booth havia compreendido tudo.

Em contraste, *não usar* o que se tem pode ter consequências terríveis. Até mesmo o ato de se aposentar do trabalho – o ápice do Sonho Americano – pode ser perigoso para você. Um estudo publicado pelo National Bureau of Economic Research, um prestigioso grupo privado de analistas, descobriu que "a aposentadoria completa leva a um aumento entre 5 e 16 por cento em dificuldades associadas com a mobilidade e atividades diárias, um aumento de 5 a 6 por cento nas doenças e um declínio de 6 a 9 por cento na saúde mental" durante os próximos seis anos. Embora tenha sido registrado que uma aposentadoria precoce é capaz de diminuir o risco de mortalidade, pelo menos na Europa, pessoas recém-aposentadas frequentemente relatam a perda de seu senso de propósito – o *ikigai* dos nativos de Okinawa, outra vez – que pode ser difícil de substituir.

Como todo mundo desde Brown-Séquard percebeu, parâmetros físicos como a força física e o $VO_{2máx}$ tendem a se mover em uma única direção conforme a idade avança: para baixo. Mas não é igual para todos. Um estudo recente sobre esquiadores escandinavos que praticam a modalidade *cross-country* descobriu que esses atletas mais velhos preservaram muito da sua capacidade aeróbica em relação à que tinham quando eram mais jovens; e que estavam muito a frente do grupo de controle, composto por um grupo de homens sedentários que moram no estado de Indiana, com idades similares.

Parece ser a comparação mais injusta de todas – deuses nórdicos do esqui contra moleirões do meio-oeste americano – mas de qual desses grupos você gostaria de fazer parte? Os esquiadores conseguiram preservar sua capacidade de bombear sangue eficientemente, a elasticidade das suas artérias e a maleabilidade dos seus pulmões. Biologicamente, essas pessoas eram simplesmente mais jovens. Em nível prático, isso significava que elas tinham mais facilidade para caminhar, para subir escadas e, como o próprio Howard Booth define, para *participar* da vida. Nunca pararam de usar o que tinham, por isso não perderam.

Ao se examinar os músculos e ossos dos atletas mais velhos, o contraste com seus correspondentes sedentários fica ainda mais dramático. Uma das principais características da meia-idade – e uma das primeiras coisas que eu percebi – é que fica muito mais difícil ganhar e manter massa muscular. Nós começamos a perder gradualmente nossa massa muscular por volta dos 40 anos, e conforme o tempo passa, nós a perdemos mais rapidamente. Entre os 50 e os 70, perdemos cerca de 15 por cento da nossa massa magra por década. Depois disso, a perda salta para 30 por cento por década. "É possível argumentar que o envelhecimento começa nos músculos", diz Nathan LeBrasseur, pesquisador da Clínica Mayo.

Mas mesmo perdendo massa muscular na meia-idade, não perdemos peso de maneira geral (duh!). Isso significa que os nossos músculos estão sendo gradualmente, insidiosamente, substituídos por gordura. Mais gordura e menos músculos significam que o seu "motor" metabólico está funcionando com uma potência muito menor; você tem menos músculos, o que significa que tem menos mitocôndrias, o que significa que seu corpo não é tão eficiente para queimar o açúcar da sua corrente sanguínea. Não por coincidência, a maioria de novos casos de diabetes aparece em pessoas que estão nos meados da quarta década de vida e depois.

As razões para isso não são totalmente compreendidas. Níveis menores de testosterona foram identificados como o principal fator na perda de massa muscular na meia-idade, mas essa noção foi colocada em dúvida; é certo que as mudanças hormonais não podem ser culpadas por tudo que acontece. Pessoas mais velhas têm que enfrentar um inimigo ainda mais poderoso, algo que está dentro de seus próprios corpos. Experimentos envolvendo parabiose revelaram que, em camundongos mais velhos (e possivelmente em humanos mais velhos, também) as células-tronco musculares, ou "células-satélite", têm mais dificuldades em se ativar em resposta a ferimentos ou ao estresse por causa de algo que circula no sangue velho – ou que falta no sangue velho. E, se isso já não fosse suficientemente ruim, nossos corpos também produzem um hormônio chamado miostatina, cuja função é *refrear* o crescimento muscular – para impedir que fiquemos grandes demais e, consequentemente, que precisemos de muita comida, de acordo com LeBrasseur. (Obrigado, evolução.)

Se essa perda de massa muscular continuar e se acelerar, corremos o risco de desenvolver uma doença chamada sarcopenia, ou o que Shakespeare – um observador arguto da velhice – chamou de "canela encolhida", onde a massa muscular e a força basicamente definham até desaparecerem, colocando-nos em risco de debilidade. A perda de massa muscular devido à idade é a razão pela qual a minha cadela idosa, Lizzy, hoje tem dificuldade em saltar para a cama ou para entrar no carro, considerando que conseguia saltar cercas de um metro e meio sem qualquer esforço. Ela perdeu seu tônus e caminha mais lentamente do que jamais andou. Seus quartos traseiros, que há algum tempo eram firmes, ficaram flácidos. Não se trata apenas de saltar com vara ou pular sobre cercas, também. Pessoas (e cães) com sarcopenia têm um risco maior de cair, e, para aqueles que têm debilidade, uma simples queda pode se transformar em um evento fatal; é por isso que o definhamento muscular é a segunda maior causa para a internação de idosos em casas de repouso permanente, perdendo apenas para a doença de Alzheimer.

Ninguém sabe realmente o que causa a sarcopenia; até mesmo a sua definição exata é controversa entre os cientistas. A cura, também, é motivo de debate. Para pessoas como o dr. Life ou Suzanne Somers, a resposta é fácil: basta se entupir de testosterona e hormônios de crescimento. Neste ponto do livro, você já deve ter percebido que isso é uma má ideia. E, de qualquer maneira, embora a suplementação de testosterona aumente o tamanho da musculatura, isso nem sempre melhora a *qualidade* da musculatura. Pelo menos, não sem exercícios.

Há uma meia dúzia de empresas farmacêuticas desenvolvendo medicamentos para combater a sarcopenia nos idosos por meio da estimulação do crescimento muscular; essas drogas ainda estão passando pelos estágios preliminares de testes, mas algumas delas já apareceram no mercado negro para atletas e fisiculturistas. Mas há outro tratamento mais simples para a sarcopenia, algo que a ciência vinha ignorando até recentemente: permanecer ativo. Adultos que se exercitaram durante a maior parte de suas vidas mantêm sua massa muscular por mais tempo, e esta ilustração demonstra isso de maneira bem explícita:

MÚSCULO VS GORDURA

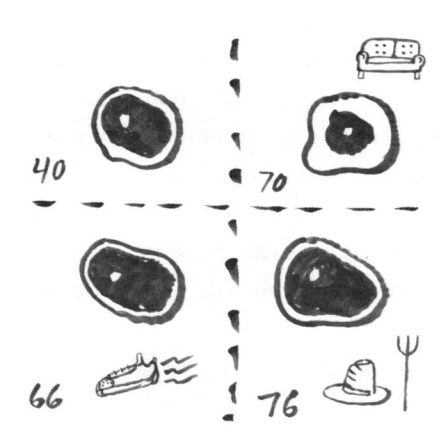

As ilustrações são baseadas em imagens de ressonância magnética da parte superior das pernas de quatro homens diferentes, similares àquelas registradas no Estouro. Cada uma delas retrata um corte longitudinal da coxa de uma pessoa. A imagem no canto superior esquerdo mostra a coxa típica de um homem de 40 anos em forma física razoável, e é possível ver como ela é composta predominantemente por músculos, cercada por um pequeno anel de gordura subcutânea na camada externa. A imagem no canto superior direito é a da coxa de um típico americano sedentário de 70 anos, com os sinais clássicos de sarcopenia; perceba como ela é composta quase totalmente por gordura, como uma fatia de panceta de um porco muito bem alimentado. Mas a gordura também se infiltrou completamente no músculo, dando-lhe uma aparência "marmorizada" e tornando-o fraco.

As duas imagens de baixo são tão impactantes quanto essas outras: à esquerda, um triatleta de 66 anos – praticamente com a mesma aparência do homem de 40 com um condicionamento razoável. (De acordo com Nathan LeBrasseur, as diferenças entre os dois só poderiam ser vistas em um microscópio). Mas o desenho da direita pertence a um homem de 76 anos (!) que nunca participou de um triatlo ou qualquer outro esporte de corrida na vida. Era um fazendeiro inglês, cujo emprego requeria que ele passasse a maior parte da vida em pé, movendo-se de um lado para outro todos os dias. Ele tem uma "idade muscular" similar à do homem de 40 anos, porque o seu estilo de vida é o mais próximo daquele que nossos ancestrais evolutivos tinham. Nós evoluímos para caminhar de um lado para outro, não para passarmos o dia sentados em poltronas reclináveis.

Ao praticar saltos com vara, saltos em distância e corridas curtas em sua idade avançada, Howard Booth e seus companheiros idosos e atléticos não estão somente desafiando o tempo e a gravidade, mas, de certa forma, imitando o tipo de coisas que os nossos ancestrais caçadores-coletores tinham que fazer. Evitar a sarcopenia é apenas um benefício que vem de brinde. Eles serão capazes de brincar de pega-pega com seus netos no playground, ou simplesmente caminhar por, digamos, Paris, quando estiverem em férias. Pessoas sedentárias não conseguirão. *Use o que tem, ou perca.*

O princípio do "use o que tem ou perca" se aplica até mesmo aos camundongos de laboratório. Tradicionalmente, os camundongos ficam alojados em gaiolinhas de plástico que não são muito maiores do que caixas de sapato, com acesso quase ilimitado a comida, mas sem oportunidades para se exercitar. Eles moram sozinhos, também, porque machos em cativeiro têm a tendência de brigar. Há cerca de uma década, um assistente de laboratório de Tom Kirkwood chamado Sandy Keith fez um experimento pequeno e que não chegou a ser publicado, onde simplesmente deu gaiolas maiores e mais brinquedos aos seus camundongos – coisas simples, como os tubos de papelão de rolos de papel higiênico. Ele também manipulava os camundongos todos os dias, fazendo com que ficassem envolvidos socialmente. Um desses camundongos "criados soltos", um macho chamado Charlie, viveu por um tempo extraordinário de 1551 dias, ou quatro anos e três meses – seis meses a mais do que os camundongos com restrição calórica mais longevos. E ele se divertiu muito mais, também.

Até hoje, Charlie é um dos camundongos de vida mais longa já registrada – porque recebeu a oportunidade de "usá-la". O problema é que não se espera e nem se estimula que a maioria das pessoas idosas faça muitas coisas, e eles frequentemente sentem dores quando tentam fazer algo assim – razão pela qual preferem não fazer. "Para algumas gerações, o exercício tem um estigma. Você diz 'exercite-se' e as pessoas perdem a vontade de se mexer", diz LeBrasseur, cujo centro de pesquisa está conectado a uma comunidade habitada por idosos. "A coisa mais chocante para mim é o fato de que as pessoas estão construindo seus mundos ao redor da poltrona reclinável. Eles têm seus medicamentos à mão, e também a TV e recebem comida. Conseguiram arrancar totalmente a atividade física da sua vida."

∞

Então, não se trata nem mesmo de "exercitar-se", no senso de encarar a esteira mecânica na academia, mas algo mais próximo com "simplesmente andar de um lado para outro", como fazia o fazendeiro inglês. Estudos recentes demonstraram que o simples fato de ficar sentado é um potente fator de risco para a morte. Uma análise publicada no *The Lancet* em 2013 indicou que a inatividade era responsável por mais de 5,3 milhões de mortes prematuras a cada ano em todo o mundo, de causas que iam desde doenças cardíacas até câncer de intestino. Os autores concluíram que a eliminação da inatividade – talvez se acorrentássemos pessoas à esteira? Ou as proibíssemos de assistir televisão? – reduziria as ocorrências dessas doenças, assim como o diabetes tipo 2 e o câncer de mama entre 6 e 10 por cento. E não é só isso: o estudo alegou que essas medidas aumentariam a expectativa de vida mundialmente, para toda a raça humana, em cerca de nove meses.

Passar muito tempo sentado é o tabagismo dos dias atuais, acreditam alguns cientistas: um hábito ruim que inevitavelmente resulta em doenças. Agora, vá fazer uma caminhada. Mas não esqueça de prender a respiração quando passar pelas pessoas que estão realmente fumando na calçada diante do seu prédio.

De qualquer maneira, está claro que botar a musculatura para se mexer faz algo muito mais profundo do que simplesmente queimar calorias. LeBrasseur e seus colegas concluíram recentemente um experimento que ilustra explicitamente o poder metabólico do exercício. No laboratório, LeBrasseur alimentou camundongos com uma dieta especial, criada especificamente para reproduzir o conteúdo nutricional de uma refeição a base de *fast-food*: um Big Mac, batatas fritas e uma Coca-Cola. Os camundongos haviam sido geneticamente modificados de modo que quaisquer células senescentes iriam aderir a um marcador fluorescente especial que as faria brilhar no escuro. Após alguns meses na dieta a base de *fast-food*, os camundongos chegavam a emitir uma luminescência esverdeada, pois estavam cheios, com muito mais células senescentes do que aqueles que foram alimentados com uma dieta normal. Mas os camundongos Big Mac que também haviam se exercitado tinham muito menos células senescentes. Os exercícios haviam negado os efeitos tóxicos do Lanche Número 1 – provavelmente pela eliminação das células senescentes que resultaram desse consumo ou impedindo que essas células se formassem em primeiro lugar.

"O estudo demonstra claramente o poder do exercício", diz ele. "Você está enchendo seu corpo com essa substância tóxica, mas, desde que se exercite, não vai ser tão ruim para você."

Portanto, não há problemas em ir ao McDonald's, desde que você corra até a lanchonete (ou melhor, que faça o percurso de volta correndo). Mas o que os cientistas estão descobrindo é que o ato de correr não é a única coisa que está tirando o Molho Especial das suas artérias; o que acontece é que os seus músculos, de algum modo, estão se comunicando com outros órgãos do seu corpo para otimizar seu funcionamento. Sabemos disso graças a experimentos inovadores feitos na década de 1990 com atletas que haviam ficado paralisados devido a lesões na coluna. Quando seus músculos eram estimulados, de uma maneira que imitava o exercício físico, pesquisadores descobriram que o fígado desses atletas "sabia" que devia mandar uma injeção de combustível direto para os músculos deles. No passado, pensava-se que essa comunicação acontecia por meio do sistema nervoso e do cérebro, mas os pacientes com lesões na coluna recebiam a mesma explosão de combustível; chegavam a sentir até mesmo a "euforia dos corredores". Como isso era possível?

Em 2003, os biólogos Mark Febbraio e Bente Pedersen descobriram que assim como a gordura "conversa" com o resto do seu corpo – geralmente pra dizer coisas horríveis – os músculos também fazem a mesma coisa. "Descobrimos que o tecido muscular, quando você o contrai, é na verdade um órgão endócrino, e pode liberar fatores que se comunicam com outros tecidos", diz Febbraio. "Assim, quando um músculo se contrai, não é somente um órgão de locomoção."

O principal fator sinalizador que eles identificaram causou surpresa: nossa velha amiga IL-6, a conhecida citocina inflamatória, normalmente associada a eventos ruins como inflamações e mortes precoces. Exercícios físicos geram quantidades enormes de IL-6, descobriram eles, mas nesse contexto essa citocina tem efeitos benéficos, tais como sinalizar ao fígado que é hora de começar a converter gordura em combustível. "Quando fizemos essa descoberta, as pessoas não acreditaram em nós, porque a IL-6 era considerada um fator ruim em muitas doenças", diz ele. "Mas o fato é que, nos exercícios, ela age de maneira verdadeiramente *anti*-inflamatória".

A diferença tinha a ver com o tempo. Pacientes obesos e idosos tendem a ter níveis constantemente elevados de IL-6, um sinal de inflamação crônica. Pacientes de peso normal e mais jovens tinham níveis mais baixos – mas, quando se exercitavam, seus níveis de IL-6 subiam a patamares muito altos, e depois se dissipavam no decorrer de algumas horas. Estas explosões curtas de IL-6, em essência, estavam mandando mensagens a outros órgãos, tais como o fígado e o intestino, dizendo-lhes para passarem a funcionar no "modo de exercício".

Desde então, várias outras dezenas desses mensageiros musculares específicos, chamados miocinas, foram identificados. Febbraio, um ex-triatleta profissional que se descreve como "viciado em exercícios", acredita que ainda há outras centenas de mensageiros esperando para serem descobertos, e que, em sua maioria, são responsáveis pela grande variedade e pelos complexos efeitos benéficos dos exercícios. Alguns deles até mesmo agem no cérebro, desencadeando a liberação de BDNF, sigla em inglês para o fator neurotrófico derivado do cérebro, que cura e protege os neurônios.

De certa maneira, exercícios físicos ajudam o corpo a limpar a casa. Atividades intensas desencadeiam um processo de limpeza celular chamado autofagia, assim nomeado devido às palavras gregas que indicam o ato de "comer a si mesmo". A autofagia é crucial para a sobrevivência das nossas células. Sem isso, elas se encheriam rapidamente com substâncias imprestáveis e ficariam disfuncionais, assim como aconteceria com a sua casa se você parasse de levar o lixo para fora. "Exercícios são um mecanismo incrivelmente eficiente para estimular a substituição de proteínas, similar a mandar as proteínas velhas pela descarga", diz LeBrasseur. O processo ajuda as nossas células a limparem a casa de modo que possam funcionar melhor por mais tempo.

Outras miocinas parecem agir sobre os ossos, sobre o pâncreas (que secreta insulina), sobre o sistema imune e sobre os próprios músculos, estimulando o crescimento e a cura. "Parece que a musculatura é o órgão que se contrapõe à gordura", diz Pedersen. Literalmente: uma miocina descoberta recentemente tenta até mesmo converter a gordura em um sistema de queima de energia, como os músculos. Em 2012, uma equipe sediada em Harvard identificou um hormônio chamado irisina, secretado pelos músculos durante a prática de exercícios físicos, que engana a velha gordura branca, que compõe a maior parte da nossa gordura, fazendo-a agir como a gordura "marrom", um tipo muito mais raro de tecido adiposo que tem grande densidade de mitocôndrias e que é capaz de queimar energia. Bruce Spiegelman, o cientista de Harvard que descobriu a irisina, está procurando agora por um composto medicamentoso capaz de ativar a sua liberação, independente da prática de exercícios.

Mas Febbraio avisa que "exercícios em um comprimido" não estão nos planos. "Isso nunca vai acontecer", diz ele firmemente, "porque os benefícios do exercício são multifatoriais. Nunca seria possível criar um medicamento para substituir os exercícios". Basta perguntar a Phil Bruno. Para ele, na verdade, os exercícios acabaram substituindo os remédios.

∞

Don, Ron, Bernie e Howard Booth tinham uma coisa em comum: tinham uma aparência e um jeito de ser característico de pessoas muito mais jovens do que a idade registrada em seus documentos de identidade. Mesmo assim, até recentemente, a ciência tradicional insistia que o exercício não afeta realmente o processo de envelhecimento em si; simplesmente estende a expectativa de saúde e melhora o funcionamento do organismo. Em estudos com camundongos (que os pesquisadores tanto amam), o exercício aparentemente só aumentava o tempo *médio* de vida, não o máximo; isso indicava que os exercícios não chegavam realmente a retardar o envelhecimento, mesmo que ajudassem certos indivíduos a viverem mais tempo do que viveriam se não os praticassem.

Mas algumas pesquisas recentes estão indicando que o exercício físico pode ter um efeito mais profundo no processo de envelhecimento do que os cientistas estavam dispostos a acreditar anteriormente. Em 2007, Simon Melov fazia parte de uma equipe que descobriu que a prática de exercícios parecia realmente reverter os efeitos do envelhecimento em um grupo de canadenses idosos. O estudo acompanhou dois grupos de pessoas, um mais velho e outro mais jovem. Os pesquisadores fizeram biópsias musculares em cada grupo, um processo doloroso que envolve uma agulha longa e grande, e analisaram os padrões da "expressão dos genes" nos tecidos – quais genes estavam ativados e quais estavam desativados. (Com o passar do tempo, diferentes genes são ativados em diferentes células do nosso corpo, um processo denominado mudança "epigenética").

Em seguida, colocaram metade de cada grupo em um programa de exercícios estrito, mas não muito puxado de exercícios de resistência durante seis meses. Ao final dos seis meses, os cientistas fizeram novas biópsias e descobriram que os músculos dos indivíduos mais velhos haviam se revertido a um estado "mais jovem" – ou seja, muitos dos seus genes foram ativados, assim como os dos indivíduos mais jovens do estudo. "Demonstramos que é possível essencialmente reverter a assinatura da expressão dos genes através da prática de exercícios", diz Melov.

Em resumo, o exercício havia ativado os genes "jovens" e desligado os genes "velhos". A maior parte desses genes estava relacionada à função das mitocôndrias, que você deve se lembrar das aulas de biologia do tempo do colégio: são as pequenas usinas de energia dentro das nossas células. Gosto de pensar nelas como minúsculas turbinas celulares, mas o que as torna realmente interessantes é a sua história. As mitocôndrias originalmente evoluíram como organismos totalmente separados – parasitas, na realidade – na época do caldo primordial. Naqueles tempos, a maioria das bactérias que compunham a vida na Terra era anaeróbica – elas sobreviviam sem oxigênio. Mas conforme a atmosfera foi lentamente ficando cada vez mais oxigenada, as criaturas anaeróbicas começaram a morrer e rarear – a menos que houvessem sido invadidas pelos minúsculos parasitas capazes de queimar oxigênio que hoje conhecemos como mitocôndrias. Hoje em dia, praticamente todas as formas de vida dependem do oxigênio, e as mitocôndrias são encontradas em praticamente todas as células vivas. Ainda assim, como são tão antigas e primitivas, as mitocôndrias ainda mantém seu próprio genoma separado, diferente do nosso, com apenas treze genes que são ao mesmo tempo altamente importantes e altamente frágeis.

O coautor de Melov, um pesquisador e médico chamado Mark Tarnopolsky, na Universidade McMaster de Ontário, ficou fascinado pelas mitocôndrias e continuou a partir do ponto onde o estudo de 2007 parou. Tarnopolsky dedicou sua carreira ao estudo de doenças mitocondriais raras em crianças e adultos, e percebeu que muitos dos seus pacientes sofriam de efeitos similares a uma espécie de envelhecimento acelerado: desenvolviam cabelos grisalhos precocemente, ou ficavam cegos quando estavam na casa dos 20 anos, ou perdiam a força muscular na casa dos 40. E isso faz sentido, pois acredita-se que as disfunções mitocondriais são uma das principais forças por trás do processo de envelhecimento. "O que há no processo de envelhecimento que deflagra tantas das nossas doenças?", pergunta ele.

Tarnopolsky também compreendia as mitocôndrias num nível mais funcional, porque ele também era um atleta amador de alto nível, renomado em nível nacional em competições de esqui *cross-country* e corrida em trilhas montanhosas. Conforme se aproximava dos 40 anos, começou a refletir sobre os efeitos da idade nas suas próprias mitocôndrias – e se a prática de exercícios o ajudaria a evitar essas consequências. Uma teoria sobre o envelhecimento diz que, com o passar do tempo, nossas mitocôndrias acumulam mutações em seu próprio DNA frágil, o que faz com que elas morram, uma a uma. Conforme perdemos mitocôndrias com a idade, nossa energia vai se esgotando, de acordo com o que Luigi Ferrucci observou. Para piorar as coisas, o fato é que as nossas mitocôndrias são o local onde ocorrem algumas das mais intensas reações químicas do corpo, que produzem radicais livres tóxicos e outras moléculas danosas. Quando uma quantidade suficiente de mitocôndrias para de funcionar, o mesmo acontece com a célula – seja uma célula muscular, uma célula cerebral, ou algum outro tipo de célula.

Tarnopolsky queria fazer um estudo sobre envelhecimento mitocondrial em camundongos, mas não conseguiu angariar verbas – porque, em sua opinião, o mundo científico tem reservas em relação a estudos sobre exercícios. "Infelizmente, quando você quer estudar o exercício físico, é como entrar em uma corrida ladeira acima", diz ele. "As pessoas dizem que o exercício físico é 'sujo' porque tem muitas rotas possíveis, e você não pode me dizer exatamente qual é a rota certa. Muitos dos nossos artigos são rejeitados porque as pessoas dizem: 'Você não demonstrou o mecanismo exato da rota do exercício.'"

Sem alternativa, Tarnopolsky decidiu financiar o estudo com seu próprio dinheiro, usando mais de 100 mil dólares do faturamento da sua clínica médica para pagar por uma pequena quantidade de camundongos geneticamente modificados muito caros. Os camundongos foram programados para desenvolverem mutações em seu DNA mitocondrial a uma velocidade muito maior do que o normal, o que fez com que suas mitocôndrias se degradassem mais rapidamente – o que, por sua vez, fez com que os camundongos envelhecessem mais rápido. Ele então colocou alguns deles em um programa regular de exercícios em esteira: apenas 45 minutos, três vezes por semana, enquanto deixava que os outros continuassem a levar uma vida sedentária em suas gaiolas.

Os resultados foram estarrecedores. Conforme o esperado, os camundongos sedentários haviam envelhecidos prematuramente: pelos esbranquiçados, fracos e debilitados. Mas os camundongos que haviam se exercitado continuavam fortes, ativos e exibiam pelagens negras e lustrosas; haviam literalmente vencido seus primos sedentários, apesar de terem o mesmo DNA mitocondrial quebrado. Os efeitos não foram apenas superficiais: autópsias mostraram que os camundongos que se exercitaram tinham corações mais fortes (é claro), mas também fígados e cérebros mais saudáveis, e até mesmo gônadas mais robustas do que os camundongos inativos. De algum modo, a prática de exercícios consertou o seu DNA mitocondrial – em outras palavras, reverteu o seu envelhecimento. Ele suspeita que, com os exercícios, as mitocôndrias enviam algum tipo de molécula sinalizadora que faz o trabalho de reparo em outros órgãos, não somente nos músculos. Ele estava determinado a descobrir que moléculas eram essas, porque elas podem levar ao desenvolvimento de medicamentos que podem ajudar seus pacientes que sofrem de doenças raras. Para todas as outras pessoas, entretanto, o exercício é o remédio.

"É muito simples", diz ele. "Levante-se do sofá."

∞

Acompanhei as competições dos Senior Games durante três dias, observando esses incríveis atletas mais velhos correndo, saltando e arremessando coisas. Em um dado momento, eu me acostumei ao que estava vendo, quase anestesiado com a imagem de uma senhora de 70 anos executando um salto em altura perfeito. Mas, na segunda tarde, o estádio inteiro parou para assistir a uma corrida extraordinária.

Eram os 800 metros rasos para mulheres, duas voltas ao redor da pista, e logo que o tiro de largada foi disparado, uma das corredoras se destacou das outras. Ela era alta, com longos cabelos prateados, e suas pernas longas devoraram a distância em passadas grandes e graciosas. Enquanto as outras em sua corrida pareciam lutar contra o próprio corpo, ou ter perdido o tônus muscular, ela contornou a pista com a postura de uma atleta olímpica da sua idade. Terminou a prova em 3 minutos e 28 segundos, um novo recorde dos Senior Games – uma marca que poucas atletas de 40 anos são capazes de igualar – e todos os torcedores vibraram. Foi algo espetacular de se assistir, até mesmo bonito. Eu tinha que descobrir os segredos dela.

Seu nome era Jeanne Daprano, ex-professora primária de 76 anos que vem dos arredores de Atlanta. É bem conhecida nos círculos de atletismo para competidores mais velhos e detém múltiplos recordes mundiais para a sua faixa etária. É a única mulher de 75 anos que conseguiu completar a prova da milha em menos de 7 minutos; de acordo com a fórmula de graduação etária usada nos eventos esportivos para Masters, seu tempo de 6 minutos e 58 segundos é o equivalente a uma pessoa jovem completar a milha em 4 minutos cravados, o que nenhuma mulher jamais conseguiu fazer (o recorde mundial feminino para a milha é de 4 minutos e 12 segundos).

Em outras palavras, ela era uma atleta *hors-concours* – mas, mesmo assim, sua história de vida dificilmente seria parecida com a de uma atleta de elite. Jeanne passou a infância e a adolescência em uma fazenda no estado de Iowa e, durante a maior parte da vida, os únicos exercícios que ela fazia regularmente consistiam em acompanhar o ritmo dos seus alunos do ensino fundamental em Long Beach, na porção sul da Califórnia. Começou a praticar *cooper* aos 45 anos, quando a prática se tornou moda na década de 1980, mas só começou a treinar e competir seriamente quando chegou aos 60. "As mulheres com quem comecei a correr há vários anos eram atletas melhores do que eu, mas elas não estão mais correndo hoje em dia", ela me disse.

Quando era professora, ela levava seus alunos para encontros de atletismo. Hoje ela treina para as corridas apenas em gramados macios para preservar os joelhos (joelhos, obviamente, não foram realmente projetados para durar 70 anos); e, como muitos atletas, ela dá uma atenção especial à sua dieta. Conforme foi se envolvendo com as corridas, ela abriu mão de comer batatas fritas – algo que ela adorava – por seis semanas, apenas para ver se seria capaz. Ao final das seis semanas, estava curada do vício em batatas fritas, e agora se refestela com uma dieta de "alimentos vivos", termo que usa para se referir a alimentos crus, saladas e sashimi. Ela usa o seu tempo de folga para visitar asilos e casas de repouso, tentando motivar os residentes – alguns dos quais são mais novos do que ela – a continuarem ativos e a se alimentarem de maneira mais saudável.

"Envelhecer é lindo", ela me disse enquanto estávamos no gramado. "Pode escrever que é lindo. A maneira que Deus usou para criar o envelhecimento é perfeita."

Tive dificuldade para discutir o argumento dela. Mas uma questão me ocorreu: será que Jeanne Daprano podia ter mais em comum com Irving Kahn, o guru dos investimentos de 108 anos do que com suas velhas companheiras de corrida? Jeanne, Ron, Don, Bernie e os outros competidores também estariam protegidos do envelhecimento, de alguma forma? Talvez a maneira que Deus (ou seja lá quem for) usou para criar o envelhecimento seja mais perfeita para alguns do que para outros.

Nathan LeBrasseur tem a mesma pergunta, e ela ainda não foi realmente respondida nas pesquisas existentes. "O problema com esses estudos é que você não sabe se a capacidade de se exercitar bem, de ter um índice alto de $VO_{2máx}$ ou de se sentir motivado fazem parte da mesma assinatura genética que a longevidade", diz ele. "Se você tem o talento para treinar e manter o condicionamento físico, esses fatores são os mesmos que protegem uma pessoa contra doenças cardiovasculares e AVCs?"

Todos nós conhecemos famílias inteiras que passam todo o seu tempo livre no sofá, assistindo à televisão – mas elas fazem isso por causa da hereditariedade ou porque todas as pessoas ao seu redor têm os mesmos hábitos? Pesquisas recentes sugerem que a própria disposição para se exercitar pode ser herdada, pelo menos em parte. Estudos de gêmeos, por exemplo, descobriram que parentes genéticos próximos mantêm níveis similares de atividade física durante toda a vida. Isso não responder realmente a questão sobre hereditariedade e ambiente.

Cientistas da Universidade do Missouri tentaram recentemente abordar a questão com um experimento interessante. Eles separaram vários camundongos de laboratório em dois grupos: aqueles que correm com bastante empolgação e aqueles que nem se animam a chegar perto da esteira de exercícios. Em seguida, selecionaram e cruzaram os corredores com outros corredores, e os ratos preguiçosos com outros ratos preguiçosos. Após oito gerações os pesquisadores encontraram diferenças distintas nos cérebros das duas linhagens de ratos. Os ratos corredores tinham quantidades maiores de um tipo particular de neurônio que está ligado ao prazer e ao vício, o que significava que eles tinham uma propensão maior de obter prazer com a prática de exercícios. Os ratos que preferiam sombra e água fresca tinham menos desses neurônios, que ficam localizados em uma região do cérebro conhecida como núcleo accumbens. Mas, logo depois, os cientistas acrescentaram uma nova variável ao teste: quando os ratos preguiçosos foram induzidos a correr (por meio de choques elétricos) eles também desenvolveram mais "neurônios de exercício". Assim, até mesmo os ratos geneticamente programados para serem preguiçosos aprenderam a gostar de se exercitar, pelo menos um pouco.

Isso é uma descoberta importante, já que estudos indicam que até 90 por cento dos americanos são incapazes de alcançar as diretrizes mínimas para atividade física, definidas pelo governo federal como trinta minutos de exercícios moderados (equivalente a "caminhada a passos rápidos"), cinco vezes por semana. Conforme tiramos a atividade física das nossas vidas a cada geração – algo que pode nos levar, talvez, a um mundo onde todas as pessoas fiquem presas às suas poltronas como no filme *Wall-E* – os seres humanos do mundo desenvolvido tendem a ficar cada vez mais preguiçosos, menos dispostos a serem fisicamente ativos (já que raramente precisam ser), mais parecidos com o grupo de ratos que não gostava de correr na esteira.

Mas, ao mesmo tempo, tanto os ratos dispostos a se exercitar quanto os que não gostavam de exercícios obtiveram benefícios quando fizeram alguma atividade física – e o mesmo se aplica às pessoas. Os pesquisadores finalmente estão conseguindo verbas para testes clínicos sobre exercícios como uma "intervenção" – ou seja, avaliando o exercício como se ele fosse um medicamento – e um dos maiores, o estudo LIFE, publicou resultados em junho de 2014. No experimento, um grupo de 800 pessoas sedentárias com idades entre 70 e 89 anos foi induzido a começar um programa não muito intenso de exercícios – provavelmente sem que fosse preciso recorrer a eletrochoques, mas quem sabe?

Essas pessoas já tinham seus próprios problemas, pois tinham pontuações baixas em testes de desempenho físico, mas ainda eram capazes de fazer pelo menos uma caminhada de 400 metros, o que é considerado o limite para uma coisa chamada de disfunção grave de mobilidade. Mesmo assim, estas eram as pessoas que provavelmente não estariam dispostas a se matricular numa academia de ginástica; estavam chegando em um ponto em que não conseguiriam mais viver de maneira independente. Depois de dois anos, o grupo que se exercitou tinha níveis de deficiência muito menores do que um grupo similar, que simplesmente foi informado de que *deveria* se exercitar. Um pouco de caminhada manteve muitos deles longe das casas de repouso, pelo menos por mais algum tempo. Se esse tipo de exercício fosse um medicamento, seria um argumento arrasador para merecer a aprovação do FDA.

"Exercícios físicos são a nossa intervenção mais promissora para os males da idade avançada", diz LeBrasseur. E são gratuitos.

CAPÍTULO II
FAMINTOS PELA IMORTALIDADE

Saí de Harrisburg a passos trôpegos. Maldita cidade! A carona que eu consegui foi com um homem magricela e envelhecido que acreditava em jejuns controlados para manter a saúde. Quando eu lhe disse que estava morrendo de fome enquanto rumávamos para o leste, ele disse: "Tudo bem, tudo bem, não há nada melhor para você. Eu mesmo não como há três dias. Vou viver até os 150 anos". Ele era um saco de ossos. Um bastão quebrado. Um maníaco.

Jack Kerouac, *On the Road*

Ao atender a porta da sua elegante residência ao norte de Boston, Down Dowden me recebe com a notícia de que acabei de perder o almoço. Levando-me até a cozinha, ele me mostra a enorme vasilha de salada, que agora está vazia, com exceção de alguns restos de espinafre, pimentões, brócolis, cogumelos e uma ou outra bolota de grão de bico. "Estava muito bom", diz ele, e, após dirigir 240 quilômetros sem tomar o café da manhã, eu tenho que concordar. Até o cheiro era delicioso.

Mas, mesmo no meu transe hipoglicêmico, sou capaz de apreciar a ironia da situação: estou ali, esfomeado, enquanto Dowden, um advogado especializado em patentes, aposentado, que pratica o que Kerouac chamava de "jejuns controlados para manter a saúde" – prática que também é conhecida como restrição calórica – está lambendo os beiços. Normalmente, ele é o cara que devia estar sentindo fome.

Imediatamente, Dowden, alto e elegante, me lembrou de outra figura patrícia que aderia à mesma disciplina. A diferença é que o outro cara fazia isso há cinco séculos, antes que a prática fosse considerada digna de nota.

O nome desse outro cara era Alvise Cornaro, e ele era um rico mercador e dono de imóveis que viveu em Pádua, na Itália, no século 16. Um homem que enriqueceu com o próprio trabalho, e, evidentemente, adorava festas. Seus amigos o chamavam de Luigi. Quando já estava próximo dos 40 anos, entretanto, sua vida de farras havia começado a cobrar o seu preço, e ele estava atormentado por uma saúde ruim: "cólicas e gota, uma febre baixa que raramente arrefece, estômago e intestinos frequentemente desarranjados e uma sede perpétua", como ele mesmo confessou.

Phil Bruno e quaisquer outros diabéticos reconheceriam instantaneamente esses sintomas como os sinais típicos do diabetes, uma doença moderna relacionada ao envelhecimento. Embora Johann Sebastian Bach às vezes seja citado como o primeiro diabético registrado, o pobre Luigi Cornaro já sofria do mesmo problema dois séculos antes. Ainda não tinha 40 anos, mas sentia um desconforto tão grande que, quando conseguia ser honesto consigo mesmo, tinha que admitir que estava quase a ponto de desejar a morte. Mas não podia deixar isso acontecer. Sua bela esposa, Verônica, havia acabado de dar à luz uma filha que era aguardada há muito tempo, e ele tinha que viver para vê-la crescer.

Seus médicos instantaneamente identificaram que a causa de todo aquele infortúnio era o estilo de vida "desregrado" – em outras palavras, uma quantidade enorme de banquetes renascentistas. (Sabemos bem como é isso). Os médicos cultos, citando os conselhos que já eram antigos do médico romano Galeno, disseram-lhe para comer com mais moderação. Naturalmente, ele ignorou os conselhos e continuou se empanturrando com os amigos. (Também sabemos bem como é isso). "De fato, assim como todos os outros pacientes, é algo que não conto aos meus médicos", admitiu ele posteriormente.

Após algum tempo, entretanto, sua doença obrigou-o a se render. Seus médicos o avisaram uma última vez que, se ele não parasse com o que estava fazendo, iria morrer em questão de meses. Desta vez ele decidiu mudar de atitude. Começou eliminando alguns alimentos que discordavam dele: "vinhos secos e muito gelados, assim como melões e outras frutas, saladas, peixes, carne de porco, hortaliças, tortas e pães recheados, [que], embora muito agradáveis ao meu paladar, mesmo assim discordavam de mim". Isso não deixou muitas opções, exceto talvez o gelo – mas ele cortou isso da sua dieta também. Uma das mais duras resoluções de ano novo já feitas.

No decorrer de alguns meses, ele passou a consumir uma dieta saudável mas aparentemente minguada de pão, um pouco de carne (de cabrito ou carneiro), ou carne de alguma ave ou peixe, geralmente misturados em caldo grosso, com uma gema de ovo para reforçar. Ele se permitia exatamente 340 gramas dessa mistura todos os dias.

"Sempre me levanto da mesa com disposição para comer e beber mais", comentou ele, o que não chega a surpreender. "Entretanto, como apenas o suficiente para manter o corpo e a alma juntos."

Por mais espartana que pareça, sua nova dieta literalmente lhe deu uma nova vida. Ele começou a se sentir melhor após uma semana, o que lhe deu o ânimo para continuar. Em vez de morrer aos 40 anos, como seus médicos temiam, Cornaro tornou-se um dos homens mais ricos e mais importantes de Pádua, e, após um bom tempo, um dos mais velhos. Tintoretto pintou o seu retrato, que agora está em exibição no Palazzo Pitti de Florença. No retrato, cujo ano é desconhecido, ele está calvo e obviamente envelhecido, mas seus olhos chegam a dançar com a vivacidade. Era um homem feliz. E se vangloriou para um amigo, dizendo que essa maneira de viver "me dava o vigor dos 35 quando eu estava com 58 anos".

Isso foi apenas o começo. Mesmo depois de passar da marca dos 80, ele ainda subia e descia as escadas de sua casa com facilidade e cuidava dos seus jardins. "Sou capaz de montar num cavalo com facilidade", alardeava ele. "E em muitas outras coisas."

Mas nem todo mundo estava tão empolgado. Sua família, preocupada, o estimulava a comer apenas um pouco mais. Ele aumentou o seu consumo para 400 gramas, mas queixava-se de que a quantidade extra de comida o deixava "melancólico". Assim, voltou aos 340 gramas e seus parentes pararam de perturbá-lo. Foi capaz de retornar em paz para a sua principal obra, escrever um tratado no qual vinha trabalhando há muito tempo sobre o seu novo estilo de vida. Ele o intitulou de *Discorsi della vita sobria* – Discursos sobre a vida sóbria – e a primeira edição surgiu em 1558, quando Cornaro chegou à venerável idade de 81, o dobro do que seus médicos haviam previsto. Ele revisou a obra dois anos depois, aos 83, e mais uma vez aos 90. Enquanto avançava pela casa dos 90, ainda em perfeita saúde, sentiu a necessidade de retrabalhar e estendê-la uma quarta vez, quando já chegava a uma idade quase impossível de 95 – uma prova, talvez, de que a única coisa que dá fim ao processo de edição é a própria morte, à qual ele finalmente sucumbiu aos 98 anos.

Nas quatro versões, entretanto, a mensagem básica era bem simples: *não* coma tanto. Ele escreveu que um homem "não deve comer mais do que o absolutamente necessário para sustentar a vida, lembrando-se de que todo excesso causa doenças e leva à morte".

O pequeno e sincero livro de Cornaro acabou se tornando o primeiro best-seller sobre dietas do mundo. Com um tom confessional incrivelmente moderno, o livro foi traduzido e republicado em praticamente todas as linguagens e em todos os séculos até o atual, tornando-se uma das obras mais populares sobre dieta e longevidade já escrita. O livro já surgiu em alemão, francês e inglês, incluindo uma edição compilada por ninguém menos que Benjamin Franklin, que, sem dúvida, reconheceu o bom senso contido na obra.

A obra de Cornaro desfrutou de um interesse renovado por volta da virada do século 20, quando o crescente Movimento da Temperança interpretou erroneamente o uso que o autor fez da palavra *sobriedade* – convenientemente esquecendo que ele engolia seus 340 gramas de sopa com 400 mL de vinho, ou quase três cálices. Thomas Edison redigiu a sinopse do livro – hoje em dia geralmente intitulado *A arte da longevidade* ou *Como viver até os 100 anos*. Henry Ford o dava de presente a seus amigos ricos, e novas edições continuaram a aparecer até a década de 1980. Por meio do seu livro, Alvise Cornaro conquistou a imortalidade que desejava. Mas também deixou sua marca na ciência.

∞

Uma das pessoas que descobriram o *Discorsi* e fez anotações em suas páginas foi um jovem professor de nutrição na Universidade de Cornell chamado Clive McCay, que encontrou uma edição de 1917 publicada sob o título de *A arte da longa vida*. Intrigado, McCay tentou submeter alguns ratos de laboratório à dieta de Luigi Cornaro. Ele alimentou um grupo de ratos recém-nascidos com uma dieta de calorias reduzidas (enriquecida com vitaminas para evitar a subnutrição), enquanto o restante foi alimentado normalmente. Embora os animais do primeiro grupo tenham ficado menores e mais magros (ou, nas palavras dele, "retardados"), eles viveram quase o dobro do tempo dos seus irmãos gorduchos – quase quatro anos, em alguns casos, o que é um tempo bem longo para um rato.

O artigo que resultou desse experimento, elaborado por sua aluna de pós-graduação e publicado no *Journal of Nutrition* de 1935, hoje é considerado um dos maiores trabalhos para compreendermos o envelhecimento – mas, na época, outros cientistas consideraram que o estudo era meio estranho, e, é claro, irrelevante. A nutrição, naquela época, era uma espécie de campo de estudo sem muito futuro. "As pessoas mal chegam a qualificar isso como ciência", disse McCay. E se a nutrição era uma área científica sem muito futuro, então o estudo do envelhecimento – a gerontologia – era praticamente um cemitério de carreiras.

O público, por outro lado, estava fascinado. Em uma entrevista no rádio, McCay alegou que seus ratos haviam vivido o equivalente a 120 anos humanos, o que atraiu a atenção das pessoas. "O tempo de vida provavelmente é muito mais flexível do que imaginávamos", declarou ele. Seu trabalho foi o foco de uma reportagem na revista *Time*, e ele deu inúmeras entrevistas em estações de rádio para um público que ficava fascinado pela ideia de que seria possível usar a fome para chegar a uma vida mais longa. O programa de Seguridade Social era algo novo na sociedade, e os americanos queriam aproveitar seus benefícios pelo máximo de tempo que pudessem. A Fundação Rockefeller não demorou a ligar, oferecendo uma verba de 42,5 mil dólares para que McCay continuasse a trabalhar em "dietas que podem promover a longevidade". John D. Rockefeller, o patriarca da família, tinha 96 anos na época, e já era tarde demais para se beneficiar dos trabalhos de McCay. Mesmo assim, as várias dietas experimentais que ele estudou com a grana dos Rockefellers – alimentar os ratos com café, vitaminas, "carne de órgãos" e pão integral – não conseguiram fazer com que eles vivessem tanto quanto a fome.

O recente entusiasmo do público pelas pesquisas sobre a longevidade acabou arrefecendo com a aproximação da 2ª Guerra Mundial que estava encurtando o tempo de vida de maneira bem abrupta por todo o globo. Racionamentos de comida e açúcar acabaram por enterrar qualquer apelo residual que o ato de passar fome voluntariamente pudesse ter, e McCay passou a se dedicar a outros projetos. Trabalhando com as forças armadas, ele desenvolveu um novo tipo de pão: denso, altamente nutritivo, e, digamos, *duro de mastigar*, que foi batizado de "pão de Cornell"; o alimento ganhou popularidade e ainda podia ser encontrado em lojas especializadas em produtos para a saúde espalhadas por todo o país, até a década de 1980. O que as pessoas não sabiam era que o pão era baseado na própria receita de McCay para a comida dos ratos de laboratório.

McCay, entretanto, nunca desistiu de sua fascinação pela longevidade. Uma alma gentil que ficou órfã ainda cedo, ele se cercou de animais, especialmente cães velhos. Sua fazenda Green Barn nas cercanias de Ithaca, no estado de Nova York, era um verdadeiro canil, cheio de cães recolhidos das ruas que recebiam todo o seu carinho, assim como beagles aposentados que haviam sido usados em pesquisas. Suas carreiras científicas não haviam sido encerradas completamente, pois McCay continuava a manipular suas dietas. Esses estudos ajudaram a estabelecer os requisitos nutricionais básicos para rações de cachorro modernas. E, para a sua completa não surpresa, ele descobriu que cães que tinham uma dieta limitada pareciam ter vidas mais saudáveis do que aqueles que eram alimentados plenamente. (Um conselho que eu levei em conta quando alimentava meus próprios cães – sempre perto do limite mínimo das quantidades recomendadas).

Algum dia ele aplicaria sua pesquisa a seres humanos, se tivesse a oportunidade. "Aprendemos a impedir que a maioria das nossas crianças morra, mas não fizemos muito progresso em dar a homens e mulheres uma meia-idade mais longa e mais saudável", lamentava ele, perto do fim da vida. "Não desejamos prolongar o sofrimento que acompanha uma velhice debilitada; queremos estender a parte da nossa vida em que estamos no auge, quando a maior parte de nós vive e gosta de viver."

∞

Depois da morte de Clive McCay, os sacramentos em prol de passar fome para ter mais saúde encontraram um apóstolo bastante improvável, num dos lugares mais improváveis: Venice Beach – e em uma década bastante hedonística, a de

1970. Parte hipster, parte artista, parte Svengali e parte cientista, Roy Lee Walford era fascinado pelo envelhecimento há muito tempo, mesmo quando era adolescente em San Diego no início da década de 1940. "Quando era jovem, ele simplesmente queria viver para sempre" disse uma das suas (muitas) namoradas para o diretor de documentários Christopher Rowland em 2007. "Se você estender a sua vida, vai poder ter múltiplas carreiras, múltiplos casamentos. Vai poder conquistar todo tipo de coisa no mundo."

Walford queria fazer tudo. Era ator, escritor e aventureiro, uma pessoa à frente do seu tempo em muitos aspectos. E também era inteligente: de acordo com um relato, ele pagou as dívidas do seu financiamento estudantil indo até a cidade de Reno com um amigo matemático. Os dois passaram três dias por ali, analisando como os mecanismos das roletas estavam programados para dar vantagens para os cassinos. Em seguida, fizeram as apostas de acordo com suas descobertas e saíram de lá. Ele tirava férias periódicas da sua prática científica, incluindo um ano inteiro que passou viajando pela Índia usando apenas uma tanga de pano – "como um peregrino nu", nas palavras dele, levando consigo um termômetro para estudar a temperatura corporal e o envelhecimento em iogues indianos. Ao regressar a Los Angeles, ele fez amizade com uma turma descolada que incluía Timothy Leary e membros do grupo teatral Living Theater. Ele se destacava dos hippies cabeludos de Venice Beach com sua cabeça raspada e bigodes loiros-acinzentados em estilo Fu Manchu – novamente, à frente do seu tempo. Ele se interessou pelo punk rock muito antes que a maior parte do mundo soubesse o que era isso. Já passava dos 50 anos naquela época. "Ele era uma espécie de cara maluco", lembra-se Rick Weindruch, aluno de pós-graduação e pupilo de Walford. "Vivia a vida no limite."

Walford ficou fascinado por Clive McCay e seus ratos esfomeados. McCay e outros acreditavam que a restrição calórica estendia a vida dos animais porque "retardava" seu desenvolvimento desde o nascimento: um crescimento mais lento resultava em um envelhecimento mais lento, pensavam eles. Walford e Weindruch suspeitavam que a restrição calórica poderia estar refreando o próprio processo de envelhecimento, em um nível mais fundamental. Eles comprovaram a hipótese selecionando camundongos adultos e diminuindo gradualmente a sua oferta de comida. Pensava-se que animais mais velhos não poderiam sobreviver a uma redução da sua quantidade de alimentos, mas o fato é que eles viveram mais tempo, com uma incidência muito menor de cânceres. A dieta restrita pareceu "levá-los a um estado metabólico e fisiológico diferente, consistente com um envelhecimento mais lento", diz Weindruch.

Eles não faziam ideia de como isso acontecia, mas foi o bastante para convencer Walford a encarar sua própria dieta mais seriamente: ele reduziu a quantidade de comida que ingeria para um *shake* de proteínas no café da manhã, uma salada na hora do almoço, e uma batata-doce assada e talvez um pedaço de peixe no jantar. E manteve-se fiel a esse cardápio, o que Cornaro talvez considerasse de uma gulodice exagerada, por praticamente todo o resto da vida. E começou a apregoar as maravilhas da restrição calórica a qualquer pessoa disposta a ouvi-lo. Como a Califórnia era um lugar onde as pessoas davam bastante atenção à saúde, ele encontrou um público receptivo. E publicou uma série de livros bastante populares, incluindo um volume chamado de *A dieta dos 120 anos*, que vendeu bem apesar do título. "Quem quer passar 120 anos fazendo dieta?", pergunta Weindruch.

Mas ele mal conseguiu negar a si mesmo. "Roy era muito diferente da maioria dos outros praticantes de dietas de restrição calórica que conheci", diz Weindruch. Ele se mantinha rigorosamente em forma levantando pesos no Gold's Gym original em Venice Beach. Em jantares sociais, ele visivelmente se abstinha de comer enquanto todos se empanturravam; dizia a um amigo em tom de brincadeira que isso o fazia sentir-se como "uma criança malcriada". Supostamente, ele só passava fome em um a cada dois dias; em dias alternados, sabia-se que ele engolia quantidades imensas de comida. Seu amigo Tuck Finch destacou que os jantares lautos e regados a muita bebida alcoólica dos quais ambos desfrutavam sempre pareciam cair nos dias de em que Walford não estava em restrição calórica, o que Finch ainda acha ser "estatisticamente improvável".

Graças a Walford, e McCay antes dele, a prática de "jejuns controlados para manter a saúde" atraiu um pequeno, mas dedicado grupo de seguidores, incluindo Don Dowdent. Cientificamente falando, entretanto, ainda não era possível ter certeza se a restrição de calorias era boa para as pessoas ou não. Por motivos óbvios – principalmente o fato de que um estudo desses levaria décadas para ser concluído – não havia uma boa base de dados para os seres humanos.

Mas, no início da década de 1990, Walford teve a oportunidade de fazer parte de algo que mudaria radicalmente a sua carreira, e também sua vida. Em uma das fases periódicas de inquietação, ele se inscreveu na função de oficial médico chefe para o Biosfera 2, a famosa (ou infame) "estação espacial" na Terra que estava sendo construída no deserto ao norte de Tucson. "Acho que é bastante útil pontuar o tempo com atividades perigosas e excêntricas", explicou ele ao *Los Angeles Times*.

Financiado por Ed Bass, um excêntrico herdeiro de uma família que fez fortuna com a indústria do petróleo e que se considerava um ambientalista, a Biosfera 2 era um terrário de 12,7 mil metros quadrados revestido com vidro, projetado para reproduzir os principais ecossistemas da Terra (a Biosfera 1). Walford e outros sete "Terranautas" deveriam passar dois anos dentro da câmara hermeticamente selada, vivendo com a comida que produziam em suas enormes hortas orgânicas e na fazenda de piscicultura que havia no local. Não receberiam nada que viesse de fora, nem mesmo ar ou água, que seriam reciclados pelo ecossistema interior.

Quando a equipe entrou na Biosfera em 26 de setembro de 1991, Walford exibia uma silhueta impressionante em seu uniforme ao estilo *Star Trek*, que combinava perfeitamente com suas orelhas parecidas com as do sr. Spock e a cabeça calva e reluzente. Entretanto, as coisas logo sofreram uma reviravolta inesperada quando os exploradores descobriram que não seriam capazes de produzir comida suficiente para alimentar a si mesmos. Percebendo uma chance de transformar limões em limonada, Walford decidiu que aquela seria a oportunidade perfeita para estudar a restrição de calorias em pessoas: Assim, os oito membros da equipe seriam colocados em uma dieta fortemente reduzida de menos de 1800 calorias por pessoa por dia, no início. Como era o médico da equipe, Walford iria monitorar seus efeitos.

Normalmente, humanos são naturalmente programados para burlar qualquer tipo de dieta, outra razão pela qual é tão difícil estudar restrições calóricas. Mas agora a Biosfera havia dado a Walford oito cobaias isoladas em um cativeiro, durante dois anos. A dieta autodenominada de fome saudável era rica em frutas (eles cultivavam bananas, mamões e uma variedade de citrus conhecida como *kinkan*) e uma grande variedade de hortaliças, castanhas e legumes, além de um punhado de ovos, leite e derivados das cabras e uma quantidade muito pequena de carne de tilápia e frango. Apenas 10 por cento das calorias que eles consumiam eram provenientes de gordura, e eles comiam carne apenas aos domingos. Tudo isso devia abastecê-los para aguentarem jornadas semanais de oitenta horas de trabalhos manuais intensos, incluindo cuidar das plantações, dar manutenção em equipamentos pesados, podar trepadeiras que se prendiam às paredes de aço e vidro e até mesmo vestir equipamento de mergulho para limpar os tanques dos peixes.

Sem qualquer surpresa, os Terranautas perderam peso como lutadores de sumô em uma sauna, livrando-se dos quilos extras até que o seu IMC médio caísse para baixo de 20 para os homens e mulheres (ou, em termos científicos, eles pudessem ser classificados como pessoas "muito magras"). Um dos homens perdeu 26 quilos, baixando de pesados 94 para esbeltos 68. Os membros da equipe perderam peso com uma velocidade tão grande que Walford ficou preocupado com a possibilidade de que suas células de gordura poderiam estar liberando toxinas, como pesticidas e poluentes, de volta em seus corpos. Era exatamente o que estava acontecendo, pelo que ele descobriu, mas a dieta rígida e a carga de trabalho fisicamente intensa também causavam problemas mais imediatos, como o fato de estarem definhando. De acordo com outra pessoa da equipe, Jane Poynter, que escreveu um livro de memórias sabiamente intitulado de *O experimento humano: dois anos e vinte minutos dentro da Biosfera 2*, o ato de lamber o próprio prato após uma refeição se tornou um hábito socialmente aceito, para que não se perdesse nem uma única caloria preciosa. O estoque de bananas, o item mais saboroso do cardápio, tinha que ser guardado em recipientes trancados a chave. Uma das coisas mais tristes era quando os Terranautas ocasionalmente usavam seus binóculos e avistavam turistas comendo no carrinho de cachorro-quente que havia na propriedade, como monges assistindo a filmes pornográficos. "Roy estava se divertindo como nunca", declarou Poynter sem qualquer empolgação, "porque essa seria a obra da sua vida".

E era verdade. Walford só havia conseguido observar os efeitos da restrição de calorias em camundongos de laboratório (e também em ratos, peixes e macacos). Agora ele podia mensurar seus efeitos em seres humanos, incluindo ele mesmo. Ele pegava amostras de sangue dos membros da equipe a cada oito semanas, e descobriu que eles tinham o melhor sangue que ele já havia visto. Os níveis de colesterol haviam baixado drasticamente, de uma média de mais de 200 para valores bem abaixo de 140. Os níveis de insulina e glicose no sangue de todos também haviam despencado, assim como a pressão arterial, de acordo com um artigo que Walford publicou quando ainda estava "lá dentro". Metabolicamente e cardiovascularmente falando, ali estavam algumas das pessoas mais saudáveis do planeta. Ou, pelo menos, pareciam ser.

∞

Quando os oito Terranautas emergiram da Biosfera, em setembro de 1993, a pompa e a cerimônia competiam com o incrível alívio de perceber que o projeto longo e intensamente monitorado finalmente havia chegado ao fim. Embora houvesse começado em uma atmosfera de otimismo exultante – é assim que viveremos em Marte! – o projeto havia sido vítima de um ceticismo exacerbado e cobertura bastante negativa da imprensa, incluindo uma dura reportagem investigativa do jornal *Village Voice* que explorou as raízes do projeto em uma estranha organização chamada Synergia, que o veículo de comunicação caracterizou como uma seita religiosa. Dois anos de confinamento dividiram a equipe em facções mordazes e antagônicas; a tensão e o drama dentro da Bolha foram ingredientes que chegaram até mesmo a inspirar o programa televisivo *Big Brother*. A dieta minguada não ajudou a elevar o moral da equipe, também. A abertura do "lacre" devia ser um dia de alegria para todos os envolvidos. Pelo menos agora eles poderiam dar uma passadinha no carrinho de cachorro-quente.

Para Walford, entretanto, o fim da Biosfera marcou o início de um capítulo novo e sombrio para a sua vida. Ele estava em forma e tinha uma disposição vibrante quando entrou na cápsula, aparentando ter bem menos do que os seus 65 anos. Dois anos dentro da Biosfera 2 fizeram horrores com o seu corpo. Talvez tenha sido a dieta parca ou alguma outra coisa, mas nas fotos tiradas na Biosfera Walford está magro ao ponto de estar quase esquálido, com os olhos fundos no rosto e abatidos. Perdeu 11 quilos no decorrer do experimento, tendo iniciado o programa com 65, e parece muito mais velho do que a versão de si mesmo após a conclusão da Biosfera, à esquerda.

> Jovem para sempre (ou morra tentando)

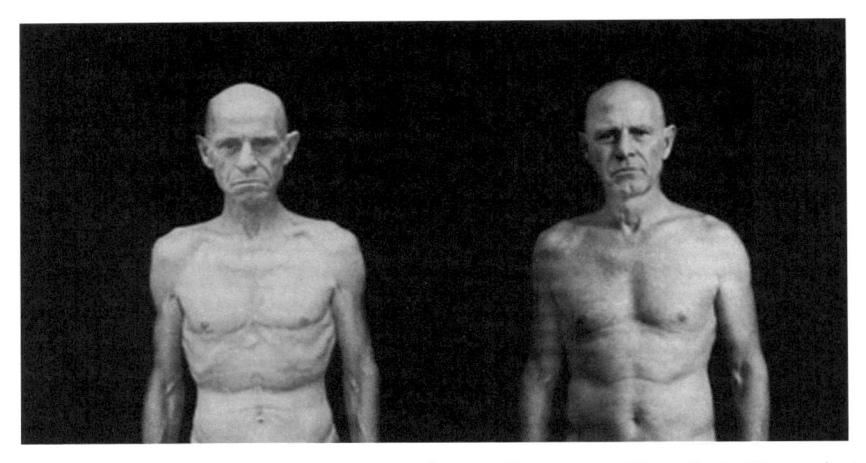

de Walford et al., "Calorie Restriction in Biosphere 2: Alterations in Physiologic, Hematologic, Hormonal, and Biochemical Parameters in Humans Restricted for a 2-Year Period." *Journal of Gerontology*, 57A, no. 6 (2002), B211– B224.

Mas o verdadeiro estrago era invisível. Nos seis meses seguintes à saída da Biosfera, Walford entrou em depressão profunda, bebendo uma garrafa de vodka inteira a cada quatro dias. Havia machucado as costas enquanto trabalhava no complexo, e, no início, mal era capaz de caminhar. Alguma coisa também parecia ter mudado em seu cérebro: apenas três anos depois de sair da Biosfera, ele começou a passar por episódios de "paralisia", onde simplesmente parava de caminhar, caindo ao chão em seguida. Não demorou muito até ele precisar usar um andador.

As pessoas mais próximas suspeitavam que ele havia contraído alguma forma da doença de Parkinson, e que ela poderia não ter sido causada pela restrição de calorias, e sim pela restrição de oxigênio. Os responsáveis pelo projeto da Biosfera não haviam previsto que as enormes superfícies de concreto do complexo literalmente absorveriam toneladas de oxigênio precioso, chegando, com efeito, a competir pelo gás com a equipe. O próprio Walford ficou alarmado, seis meses após o início do projeto, quando descobriu que não era mais capaz de fazer cálculos matemáticos simples.

Mesmo depois que a atmosfera foi "reequilibrada", com a injeção de oxigênio e a instalação de mais purificadores de CO_2 (que os jornalistas descobriram mais tarde, o que os alegrou bastante), os níveis de oxigênio continuaram baixos. Os Biosferianos estavam vivendo em uma atmosfera equivalente à de uma altitude de 2.100 metros acima do nível do mar, o que pode ser bastante árduo. E não somente isso, mas as concentrações de CO_2 e monóxido de carbono subiram até chegar a níveis perigosamente altos. A exposição ao monóxido de carbono, em particular, é um fator associado ao mal de Parkinson e a outras doenças neurológicas.

Apesar dos seus problemas de saúde, entretanto, a mente de Walford continuava lúcida e ele permaneceu fiel à sua dieta, insistindo que ela havia refreado a progressão das doenças que o acometiam ao invés de acelerá-las. Mesmo em 2001, ele ainda apregoava os benefícios da restrição de calorias a Alan Alda, que, na época, era o apresentador de um programa de TV produzido pela revista *Scientific American*, insistindo que aquele tipo de dieta permitiu que "eu vivesse mais tempo do que viveria se não a adotasse". Ele disse que tinha esperança de viver até os 110 anos, assim como Suzanne Somers.

Mas, fisicamente, ele estava deteriorado. Um vídeo que retrata Walford, produzido naquele mesmo ano, é verdadeiramente estarrecedor. Pouco mais de uma década depois de entrar na Biosfera, como uma versão vigorosa do capitão Jean-Luc Picard da vida real, Walford havia sido reduzido a um velho encarquilhado e trêmulo, com o corpo encurvado e quase incapaz de se locomover sozinho. Já havia sido diagnosticado com a doença de Lou Gehrig, da qual acabou morrendo em 2004. Embora a imortalidade lhe tenha escapado, Walford teve mais experiências em seus 79 anos na Terra do que a maior parte de nós conseguiria encaixar em três vidas.

∞

Quando Roy Walford morreu, ele e outros cientistas haviam passado várias décadas estudando a restrição calórica – ou séculos, se contarmos a partir de Luigi Cornaro – sem nunca entender uma coisa importante: como o processo realmente funciona.

O aspecto mais surpreendente da restrição calórica é que ela *realmente funciona*, e ponto final. Vai contra todo o tipo de lógica; considera-se que animais que comem pouco acabariam ficando fracos devido à fome e talvez até morresse. Mas, na verdade, o oposto é verdadeiro. Camundongos colocados em uma dieta restrita se tornam muito mais ativos, literalmente correndo quilômetros a mais, quando suas gaiolas estão equipadas com esteiras, do que seus irmãos e irmãs alimentados de maneira normal, de acordo com Rick Weindruch. E não se trata apenas de ratos e camundongos, também; já foi demonstrado que uma variedade enorme de criaturas, desde cães até as formas mais simples de leveduras, acaba vivendo melhor quando está sob dietas restritas. E, por muito tempo, ninguém fazia a menor ideia do motivo pelo qual isso acontecia.

Weindruch e Walford suspeitavam que a falta de comida, de algum modo, fazia com que o animal – independente de ser uma levedura unicelular, um camundongo ou um ser humano – passasse para um estado metabólico diferente que, por alguma razão, era mais saudável. "Não é o fato de que um carro é azul e outro é vermelho", diz Rozalyn Anderson, colega de Weindruch na Universidade de Wisconsin. "No caso, um dos carros tem um motor diferente."

No início da década de 1990, um cientista do MIT chamado Leonard Guarente descobriu um gene específico na levedura que parecia responder à falta de nutrientes. Tais organismos unicelulares produtores de álcool pareciam ser capazes de perceber a quantidade de alimento que havia à sua disposição e reprogramavam seu metabolismo de acordo, de maneira que os ajudassem a viver por mais tempo. O gene em si foi chamado de SIR2, e parecia ser responsável por otimizar a função celular em resposta à falta de comida.

A história ficou ainda mais intrigante quando genes similares ao SIR2 foram encontrados em outros organismos como vermes, moscas, camundongos e macacos. Esses genes, denominados sirtuínas, pareciam ser o que os cientistas chamam de "conservados" – ou seja, eles evoluíram em várias espécies diferentes de animais e até mesmo em algumas plantas. Isso significava que esses genes, de alguma forma, eram importantes para a própria vida, e é fácil perceber o motivo: eles permitem que os animais sobrevivam aos longos períodos de fome que são parte integral da vida no mundo natural. Um caçador-coletor que fosse capaz de passar por um inverno escasso, ficando mais forte e mais saudável embora comesse uma quantidade menor de alimentos, teria uma vantagem evolutiva sobre aquele que precisa de uma dieta constante a base de Big Macs. Em contrapartida, quando estamos bem alimentados e empapuçados, nossos genes parecem querer nos matar.

A descoberta das sirtuínas eletrizou o campo dos estudos sobre o envelhecimento. Sua existência indicava que, em algum nível, tínhamos a longevidade programada em nossas células. Mais tarde, em 2003, um aluno de Guarente chamado David Sinclair descobriu que os genes das sirtuínas podiam ser ativados por um composto químico chamado resveratrol – que, por acaso, é encontrado nos vinhos tintos (já que é produzido na casca das uvas, onde tem a função de evitar infecções por fungos conforme a fruta amadurece). Em um estudo publicado na revista *Nature* em 2006, Sinclair e sua equipe demonstraram que camundongos mantidos em uma dieta com alto teor de gordura viviam tanto tempo quanto camundongos normais – quando recebiam também resveratrol. E não somente isso, mas tinham um condicionamento físico melhor, eram mais rápidos e tinham uma aparência muito melhor do que seus companheiros rechonchudos.

A mídia ficou de pernas para o ar com essa descoberta. A notícia chegou às páginas do *New York Times*, e Sinclair chegou até mesmo a brindar com o apresentador Morley Safer, do programa *60 Minutos*. Ele encantou Barbara Walters com sua aparência agradável e jovem, e, em poucos dias, pelo que se viu, a internet estava apinhada de anúncios de suplementos nutricionais a base de resveratrol, alguns dos quais insinuavam até mesmo que o próprio Sinclair recomendava o seu consumo (o que não era verdade). Um dos poucos suplementos existentes a base de resveratrol, uma marca chamada Longevinex, viu sua demanda aumentar em 2.400 vezes no intervalo de duas semanas. Se havia um medicamento feito sob medida para os americanos gordos que se entupiam de *fast-food*, o resveratrol parecia ser esse medicamento.

E o resveratrol caiu direitinho no chamado Paradoxo Francês, no qual os franceses comem todo tipo de alimentos gordurosos e ainda assim não sucumbem a doenças cardíacas (ou à obesidade) em níveis que similares aos dos americanos. Pensava-se há muito tempo que o vinho tinto era a razão, e, pasmem, o resveratrol pode ser encontrado no vinho tinto; claramente, existe alguma coisa no vinho tinto que faz bem. Talvez várias coisas. (Gente que bebe scotch e cerveja, e até mesmo os que tomam vinho branco, também têm benefícios à saúde em relação aos abstêmios, mas não tanto quanto aqueles que consomem vinho tinto).

Enquanto isso, as pesquisas sobre o resveratrol se transformaram em sua própria mini-indústria, já que centenas de artigos foram publicados sobre a pílula milagrosa que aparentemente é capaz de refrear o processo de envelhecimento. Aparentemente ela também aumentava a resistência física, fazendo com que alguns membros do laboratório de Sinclair a tomassem em busca de uma melhora no seu desempenho atlético. Os críticos eram poucos, mas bastante eloquentes. De fato, alguns dos principais críticos incluíam outros cientistas que já haviam trabalhado no laboratório de Leonard Guarente, o que provavelmente tornava as reuniões meio constrangedoras. (Para mais informações sobre o uso do resveratrol como suplemento, e por que ele talvez não seja o comprimido milagroso que se imagina, veja o apêndice, "Coisas que podem funcionar").

Não importava: Sinclair já havia deixado de estudar o resveratrol e estava se dedicando a coisas muito maiores. Mais ou menos um ano e meio após a publicação do artigo na *Nature*, o laboratório GlaxoSmithKline pagou 720 milhões de dólares para comprar a Sirtris, uma *start-up* do ramo farmacêutico da qual Sinclair era cofundador. A empresa deveria desenvolver medicamentos ativadores de sirtuínas que teriam alvos melhores e mais específicos que o resveratrol, algo que Sinclair desdenha por ser uma "droga suja". Os novos medicamentos da Sirtris também seriam protegidos por patentes, o que significa que uma empresa farmacêutica poderia ganhar dinheiro com eles.

Em seguida... nada. A GSK/Sirtris colocou um grupo de novos medicamentos em testes clínicos, mas seus resultados foram ruins. Um deles teve que ser recolhido devido aos efeitos colaterais, e, em março de 2013, a GSK fechou seu escritório da Sirtris em Cambridge, no estado de Massachusetts. Embora a empresa diga que não abandonou a causa completamente, somente um punhado de pessoas parecia ainda estar trabalhando no projeto.

"É uma decisão que foi tomada do ponto de vista administrativo, não por causa da ciência", disse-me Sinclair, uma semana depois que a GSK decidiu dar fim às suas operações. Ele não havia desistido, mas parecia estar resignado. "Lembro-me de dizer aos meus amigos na faculdade quando estávamos jogando baralho: 'Vocês já pararam para pensar que provavelmente nós fazemos parte da última geração que vai viver por um tempo de vida normal? Alguém vai fazer uma grande descoberta, e a próxima geração vai viver por muito, muito tempo. Vai ser muito ruim, porque nascemos uma geração antes disso acontecer'".

Outra razão pela qual isso "vai ser ruim" é porque, na ausência de um comprimido de restrição calórica (era assim que se descrevia o resveratrol), então, aparentemente, ainda precisamos passar fome se quisermos viver mais tempo. Mas quanto nós realmente devemos deixar de comer?

Foi para tentar responder a essa pergunta que eu procurei Don Dowden. Eu o encontrei durante a minha busca por um Luigi Cornaro dos tempos modernos. Alto e patrício, ele teve uma carreira de sucesso trabalhando como advogado de patentes em Manhattan por várias décadas antes de se aposentar e se mudar para este local ao norte de Boston, que parece ser uma espécie de retiro familiar. "Ele é interessante", disse um amigo. "É um sujeito mais velho, mas é bastante vivaz."

Eu percebi rapidamente o que meu amigo queria dizer. Dowden tem seus oitenta e poucos anos hoje e, embora sua pele revele a idade, seus olhos dançam de um lado para outro com lucidez. Fomos até o seu escritório, decorado com móveis já desgastados porém ainda elegantes, e ele me contou a sua história: Antes de completar 30 anos, recém-casado e começando sua carreira em Nova York, Dowden leu um relatório feito pela Sociedade Americana de Atuários que "dizia que era melhor ser magro do que ser gordo", lembra ele.

Isso foi na década de 1960, quando *insights* como esse ainda eram novidade, e ele entendeu a mensagem: havia engordado 13 quilos depois de se casar, graças à comida que sua esposa fazia. Decidiu tentar se livrar do peso extra, e seu plano era simples: comer menos. Também começou a correr, um hábito que era encarado como excentricidade naquela época – assim como a noção de comer menos, particularmente na cultura da parte central de Manhattan acostumada à combinar filés com martinis no início da década de 1960.

Mais tarde, no início da década de 1980, ele leu o best-seller de Roy Walford, *A dieta dos 120 anos*, e decidiu agir de maneira mais sistemática. Passou a fazer parte da Sociedade de Restrição Calórica, um grupo de pessoas com a mesma mentalidade (que incluía o próprio Walford) e que preferia refeições bem pequenas. Ele também percebeu por que o número de associados nunca foi particularmente robusto: ele ofereceu uma festa para seus camaradas que praticavam a restrição de calorias, e um dos convidados trouxe uma balança para pesar a comida. "Eu peso a mim mesmo, mas não peso a comida", disse ele.

Ele realmente parece bastante jovial para a idade que tem. Com 82 anos, ele não toma remédios e tem orgulho disso. Tem 70 quilos distribuídos por 1,82 metro de altura, menos do que pesava na época da faculdade, diz ele, esforçando-se para parecer humilde, mas não parece estar subnutrido. Continuou correndo até depois dos 70 anos, quando seus joelhos finalmente pediram água, e ainda sai para fazer caminhadas na floresta por uma hora ou noventa minutos. Sente falta apenas da esposa, que morreu em 2000 devido a um problema neurológico, aos 65 anos; ela não adotava a sua dieta de restrição calórica, diz ele.

Toda essa autoprivação valeu a pena? Dowden acha que sim. Em meados de 2000, ele se ofereceu como voluntário para um estudo coordenado por Luigi Fontana, cientista da Universidade de Washington em St. Louis e principal pesquisador de restrição calórica em pessoas (e também é adepto da prática, elevando a possibilidade de que seu trabalho esteja sujeito ao "viés de confirmação", onde a pessoa enxerga os resultados que quer enxergar).

Dowden foi um dos 32 membros da Sociedade de Restrição Calórica que participou do estudo e, assim como os detentos da Biosfera, os praticantes da restrição calórica tinham pressão arterial mais baixa, níveis melhores de colesterol e artérias muito mais saudáveis do que os membros do grupo de controle. Isso já era esperado, mas eles também se mostraram muito mais saudáveis do que um grupo composto por pessoas que corriam maratonas regularmente. Isso foi surpreendente. Com essas medições, Fontana concluiu que Don Dowden e seus companheiros adeptos de comer pouco tinham resultados equivalentes a pessoas que eram algumas décadas mais jovens do que a sua idade cronológica apontava.

E o mundo inteiro disse *Aff, grande coisa*. Apenas mais uma subcultura dietária americana, junto com os veganos, frutarianos, crudívoros, pessoas que vivem apenas a base de sucos e todos os outros. O resto do mundo os encarava como um bando de bonecas de pano, lunáticos, birutas.

Mas somente até 9 de julho de 2009. Naquele dia, dois macacos muito especiais apareceram na primeira página do *New York Times*. Estavam colocados lado a lado: Canto, de 27 anos, e Owen, de 29. No mundo dos macacos, eles eram o equivalente a cidadãos idosos, mas o aspecto mais impactante era que Owen parecia ser o pai beberrão e dilapidado de Canto: sua pelagem era irregular, o rosto era flácido e caído, e seu corpo estava envolto por camadas de gordura. Canto, por outro lado, exibia uma pelagem grossa (embora um pouco grisalha), um corpo esbelto e uma expressão alerta e vivaz – como uma versão símia de Don Dowden.

Canto, à esquerda, foi mantido em uma dieta com redução calórica durante toda a vida.
Owen, à direita, não foi. Obviamente.

Os dois macacos faziam parte de um longo estudo sobre restrição dietética e envelhecimento conduzido na Universidade de Wisconsin e coordenado por Rick Weindruch e Roz Anderson. Desde o fim da adolescência – por volta do final da década de 1980 –, os pesquisadores alimentavam Canto e alguns outros macacos azarados com porções que eram cerca de 25 a 30 por cento menores do que aquelas dadas a Owen seus amigos mais bem alimentados. Os macacos são substitutos primatas para seres humanos, próximos o suficiente para se extrair conclusões sobre se a restrição calórica realmente poderia atrasar o envelhecimento nas pessoas. (Um dos primeiros diretores do Instituto Nacional do Envelhecimento propôs que o experimento fosse executado com presidiários, mas sua ideia foi vetada).

O estudo durou décadas – pesquisas sobre o tempo de vida são bastante tediosas – mas, ao final de 2008, os cientistas conseguiram divulgar resultados significativos. As diferenças eram tão chocantes quanto as fotos que estavam lado a lado: os macacos que comiam menos eram muito mais saudáveis em termos de medições básicas como pressão arterial e tinham uma incidência muito menor de doenças relacionadas à idade, tais como diabetes e câncer. Assim, pareciam estar vivendo 30 por cento a mais do que seus amigos empanturrados.

Resumindo em uma palavra: Uau. (E resumindo em duas: Não, obrigado). Independente de qualquer coisa, a restrição de calorias agora estava explodindo na consciência popular: finalmente, uma cura para o envelhecimento! A única desvantagem é o fato de não poder comer.

A descoberta mais impactante nos macacos de Wisconsin, entretanto, tinha a ver com os cérebros dos bichos.

O macacos com restrição calórica na dieta haviam preservado muito mais massa cinzenta – uma nova descoberta que não havia sido vista em camundongos em dieta de restrição calórica (nem em vermes, obviamente). Assim como os humanos, os macacos passam por um processo longo e constante de atrofia cerebral conforme envelhecem. Os macacos caloricamente restritos pareciam estar protegidos desse envelhecimento cerebral, entretanto. Em particular, haviam preservado regiões do cérebro responsáveis pelo controle motor e "funções executivas", a parte do cérebro onde tomamos nossas decisões diárias importantes (exemplo: salada ou *cheeseburguer*?)

Entre os cientistas que estudavam a restrição calórica, o estudo com os macacos foi considerado a prova definitiva de que comer menos estenderia o tempo de vida, para todos, o tempo inteiro. Havia funcionado até mesmo com um grupo de labradores num estudo patrocinado pela Purina. É claro que funcionaria com pessoas. Mas foi aí que os macacos da Whole Foods entraram na história, e eles realmente mandaram tudo por água abaixo.

∞

Dois anos depois que Canto e Owen apareceram na primeira página, um cientista chamado Rafael de Cabo sentou-se em seu escritório no Instituto Nacional do Envelhecimento, em um prédio reluzente de vidro com vista para o porto de Baltimore, em um estado grave de ansiedade. Estava analisando os dados de um segundo grande estudo sobre restrição calórica em macacos, financiado pelo NIA, e a conclusão era tão chocante quanto inescapável: desta vez, os macacos "em dieta" *não* haviam vivido mais tempo. Imaginava-se que a restrição calórica fosse um método infalível, mas, em vez disso, esse estudo havia fracassado, jogando milhões de dólares em verbas federais pelo ralo e criando um pesadelo incipiente de relações públicas.

Como o estudo de Wisconsin, o estudo do NIH foi iniciado na década de 1980. "Não existe maneira mais rápida de se fazer um estudo sobre o envelhecimento", diz Roz Anderson, de Wisconsin. Quando os dados começaram a chegar, Cabo não viu apenas um problema, mas dois: não era somente fato de que seus macacos em restrição calórica não estavam vivendo mais tempo, mas os macacos "gordos" do NIH *também* estavam vivendo bastante tempo – tanto quanto os macacos caloricamente restritos de Wisconsin. Que diabos estava acontecendo?

Cabo e seus coautores publicaram suas descobertas devidamente na *Nature* em agosto de 2012, e as manchetes eram previsíveis: "Dietas severas não prolongam a vida, pelo menos em macacos", declarou o *Times*. A situação não parecia apenas questionar toda a teoria por trás da restrição de calorias, mas chegava perto de ser um desastre institucional: o governo havia acabado de gastar cerca de 40 milhões de dólares para ajudar a aprovar que a restrição de calorias ajudava os macacos a viver mais tempo no estado de Wisconsin, mas não em Maryland. No entanto, as manchetes também mascaravam uma história muito mais complexa – e esperançosa.

Embora os macacos "esfomeados" do NIH não vivessem mais tempo, em média, do que aqueles que comiam o quanto quisessem, eles realmente permaneceram saudáveis por mais tempo. Tinham incidência menor de doenças cardiovasculares, assim como menos diabetes e câncer – e mesmo quando esses problemas apareciam, os casos eram registrados em estágios mais tardios da vida. Além disso, quatro dos macacos do NIH passaram dos 40 anos de idade, tornando-se os macacos rhesus mais longevos de todos os tempos. "Acho que isso é uma das nossas descobertas mais interessantes", diz Cabo. "Podemos exercer um efeito tremendo no tempo de vida, sem melhorar a sobrevivência."

Nativo da Espanha, Cabo é uma anomalia no mundo da pesquisa sobre restrição dietética pelo simples fato de que ele ama comer. Em uma área dominada por pessoas magricelas como Luigi Fontana, que pesa suas saladas, ele tem o físico robusto de um chefe de cozinha: seu sonho é abrir um restaurante, algum dia. Adora um bom vinho Rioja, e faz a melhor *paella* deste lado do Atlântico. "Adoro cozinhar", diz ele. "Se eu gostaria de praticar a restrição calórica? Acho que não."

E, na verdade, talvez ele não devesse: uma quantidade enorme de bons dados epidemiológicos aponta para o fato de que é melhor ter um pouco de sobrepeso (ou seja, um IMC de 25) do que ter um peso muito baixo (IMC abaixo de 21), como

Don Dowden; os praticantes mais ardentes da restrição calórica podem chegar a um IMC de 19, um valor considerado perigoso. A razão, de acordo com Nir Barzilai e alguns outros, é que pessoas muito magras podem não ter as reservas de gordura que precisam para sobreviver a uma infecção, especialmente conforme envelhecem.

Talvez pelo fato de ser um *foodie*,[7] Cabo se concentrou na principal diferença entre os dois estudos: a dieta dos animais. Os macacos de Wisconsin haviam comido uma ração "purificada" para macacos que consistia de ingredientes processados e refinados, enquanto os macacos do NIH comeram uma formulação diferente, feita a partir de ingredientes mais naturais e alimentos integrais, incluindo farinha de peixe e cereais. A dieta de Wisconsin permitiu que os pesquisadores controlassem o conteúdo nutricional de maneira mais precisa. Mas, como os macacos do NIA estavam comendo mais ingredientes naturais, eles também ingeriam mais polifenóis e outros compostos aleatórios que hoje sabemos terem efeitos benéficos à saúde. "Há micronutrientes e flavonoides que mudam de acordo com a época do ano", diz Cabo.

Havia outras diferenças. Os macacos de Wisconsin ingeriam proteína de produtos a base de *whey* (ou seja, derivados de leite), enquanto as proteínas o grupo do NIH vinham de derivados da soja e de peixe. Devido a regimes de alimentação diferente, os macacos do NIH acabaram comendo de 5 a 10 por cento a menos que os gorduchos de Wisconsin – ou seja, eles também estavam em uma forma bem leve de restrição calórica. E enquanto somente 5 por cento das calorias dos macacos do NIH vinham do açúcar, a ração dos macacos de Wisconsin era composta de mais de 30 por cento de açúcar, em termos de calorias. "Isso é similar a sorvete caseiro", diz Steven Austad. "Eu imagino que [os macacos de Wisconsin] não gostavam da comida que recebiam, e os cientistas acrescentaram todo esse açúcar para que eles comessem". (É parecido com o que os fabricantes de alimentos fazem, adicionando colheradas de açúcar nas embalagens de, digamos, iogurte "sem sabor").

Assim, com efeito, os macacos do NIH estavam se alimentando com algo similar ao que os seres humanos compram em supermercados especializados em comida saudável como o Whole Foods, enquanto os macacos de Wisconsin se empanturravam com comida de botequim – linguiça, cerveja e frituras – todos os dias, durante mais de trinta anos. "Os macacos do NIH, na realidade, estavam submetidos a uma dieta mediterrânea a base de peixe", diz Luigi Fontana. Descrito dessa forma, não é surpresa que os dois grupos tiveram resultados diferentes. E também não é surpreendente o fato de que quase metade dos macacos de Wisconsin tinham diabetes ou pré-diabetes, assim como 25 por cento da população dos Estados

---

7 Mais comum nos Estados Unidos (embora venha ganhando popularidade no Brasil nos últimos anos), *foodie* é um termo utilizado para se referir a uma pessoa com um interesse em comidas e bebidas que vai além da mera degustação. É quase como um hobby por comida. O primeiro uso do termo costuma ser atribuído a Gael Greene, escritora e crítica de restaurantes, que o utilizou em um texto publicado em junho de 1980, na *New York Magazine*. (N. dos E.)

Unidos; de maneira geral, esses eram os macacos que morreram cedo. Mas, como Roz Anderson de Wisconsin destaca, "a nossa dieta era muito mais próxima do que as pessoas comem de verdade".

Mesmo com todos os seus problemas, o estudo com os macacos do Wisconsin ainda é considerado um dos melhores experimentos sobre comida de *fast-food* já realizado – e, claramente, quanto menos *fast-food* os macacos comem, melhor.

Com as pessoas, a situação é igual. Ninguém tentou fazer um teste clínico envolvendo *fast-food*, mas Luigi Ferrucci, o cientista do NIA que coordena o Estouro (e colega de Cabo) recentemente fez um experimento similar e bastante interessante. Em um pequeno estudo que não chegou a ser publicado, Ferrucci ofereceu um almoço enorme a base de *fast-food* para duas dúzias de voluntários, e monitorou a química do sangue dessas pessoas durante o resto do dia. As pessoas que comeram *fast-food* tinham níveis extremamente altos de IL-6, o principal marcador para inflamações sistêmicas, por um tempo bem maior do que um grupo de controle que havia comido uma refeição saudável composta de folhas verdes e salmão. Era como se as pessoas que ingeriram *fast-food* tivessem sido machucadas pela própria comida.

Portanto, claramente, *o que* se come é tão importante, ou até mais, do que a quantidade. Assim como Hipócrates – que disse "deixe que tua comida seja teu medicamento" – deduziu há mais de 2 mil anos.

E é basicamente isso que Don Dowden faz: sua dieta é similar à de Luigi Cornaro – limitada, mas muito menos austera do que muitos seguidores devotados das dietas de restrição calórica, que vivem pesando sua comida e contando calorias. O jantar inclui peixe e legumes ou uma salada (ele come muita salada), e não se nega uma taça ocasional de vinho. Mas ele é flexível: se você o convidar para jantar e oferecer um burrito mexicano com filé, ele irá educadamente comer pelo menos metade do que estiver no prato, como manda sua criação.

De maneira geral, entretanto, ele come como um dos macacos do NIH: não em excesso e nada que seja industrializado; apenas comida boa e verdadeira. Ele anseia por seus almoços a base de salada e jantares à base de salmão assim como qualquer apreciador da boa culinária. Inclusive, quando eu o visitei, ele estava se preparando para reformar a cozinha. E, como eu descobri, ele não deixa muitas sobras no prato. A dieta de Dowden é responsável pela sua boa saúde? É difícil ter certeza; a resposta pode simplesmente estar em seus genes, particularmente aqueles que herdou do seu bisavô, que viveu até os 97 anos. Mas essa dieta funciona bem para ele, e não é difícil de seguir. Portanto, ele se mantém fiel a ela, da mesma forma que Luigi Cornaro.

"Aposto que há milhões de pessoas na América que basicamente fazem o que eu estou fazendo", diz ele. "Eles simplesmente não dizem que estão se 'restringindo caloricamente'; dizem que estão fazendo dieta."

E, com isso, ele se despede de mim, mandando-me rumo à lanchonete mais próxima que serve um sanduíche quente e suculento, bem ao estilo da Nova Inglaterra.

CAPÍTULO 12
O QUE NÃO MATA...

Não tenho medo da morte; simplesmente não quero estar presente quando ela acontecer.

Woody Allen

Pouco depois das onze em uma manhã de sábado, dois homens de meia-idade chegaram a uma praia da Califórnia, tiraram suas camisas e correram rumo à arrebentação das ondas. Isso não seria digno de nota, exceto pelo fato de ser abril em Half Moon Bay, logo ao sul de São Francisco, e também porque a temperatura da água estava abaixo dos 10 graus.

O ar estava ainda mais frio, com o efeito frio causado por uma forte brisa costeira e o fato de que o sol estava encoberto por trás da camada habitual de névoa litorânea. Pelo menos a praia não estava abarrotada de gente. Um rapaz jogava *frisbee* consigo mesmo, atirando o disco rumo ao mar e deixando que o vento gelado o trouxesse de volta. Um surfista solitário estava protegido em um traje grosso e quente de neoprene, tentando pegar uma das ondas de pouco mais de meio metro. As pessoas sensatas estavam encapotadas com suas blusas de moletom com capuz ou protegidas em barracas à prova de vento.

Com exceção de dois idiotas. Eles trotavam sobre a areia em bermudões havaianos de surfe, sem se importar com os olhares que suas peles pálidas como ricota atraíam. O mais velho, com cabelos prateados que já rareavam, correu rumo ao mar, abrindo caminho com o próprio peito em duas ondas antes de mergulhar em uma terceira com uma cambalhota. O outro, cujo cabelo que rareava era mais aloirado, o seguia de perto – mas então, subitamente, ficou paralisado onde estava, com a água até o umbigo, onde soltou um berro estridente e parecido com o de uma menininha antes que os seus pulmões se fechassem e ele sentisse que não conseguia respirar, e que possivelmente estava prestes a ter um ataque cardíaco naquele exato momento.

Em seguida, ele se virou e começou a correr para *longe* da água, como um maricas.

O segundo cara, como você já deve ter adivinhado, era eu. O primeiro, o destemido, era Todd Becker, um engenheiro bioquímico de 57 anos, de modos gentis e que provavelmente era o Nerd Mais Durão do Mundo. Becker adora nadar em águas geladas e outras atividades dolorosas, mas que solidificam o caráter, porque segue uma escola antiga de filósofos conhecidos como estoicos, que acreditavam que o sofrimento se transforma em força. Praticamente ignorados nos modernos cânones filosóficos ocidentais, as teorias dos estoicos encontram ecos em religiões orientais, especialmente no budismo, que ensina seus praticantes a manterem a calma diante das dificuldades.

Becker usa esses ensinamentos como um manual de instruções para a vida. Ele é o principal – e talvez o único – praticante de algo que chama de estilo de vida "hormético", no qual ele ativamente busca experiências estressantes (como mergulhar em águas tão frias que fazem gelar até os ossos). O termo vem de *hormesis*, uma antiga palavra grega que atualmente é usada por cientistas para descrever um certo tipo de resposta ao estresse que foi observado na natureza. A ideia básica da hormese é que certos tipos de estresse ou desafios – e até mesmo alguns venenos – podem, na realidade, suscitar efeitos benéficos nas doses corretas. "Sabemos que o estresse crônico nos humanos é algo ruim", diz Gordon Lithgow, que estudou a hormese em vermes *C. elegans*. "Mas períodos curtos podem ser benéficos."

O fenômeno é observado em todos os tipos de organismos, desde os mamíferos até as bactérias. O efeito da extensão do tempo de vida causado pela restrição calórica provavelmente se deve a uma resposta similar à hormese. Em nossas próprias vidas, vemos isso acontecer mais frequentemente quando nos exercitamos, particularmente ao treinarmos com pesos: os movimentos estressam e até mesmo danificam as nossas fibras musculares, mas graças ao milagre da hormese, nós as reparamos e as reconstruímos com fibras novas e mais fortes. A maioria das vacinas funcionam de acordo com o mesmo princípio: uma pequena dose de um patógeno estimula uma resposta que nos torna imunes à doença.

"O estresse é fortificante e até mesmo essencial à vida", opinou Todd durante o trajeto que começou em Palo Alto, onde mora. "Sem estresse, nós simplesmente iríamos nos dissipar até não restar nada."

E isso explica algumas das suas práticas diárias meio estranhas. Por exemplo: todos os dias, Todd passa meia hora ou mais fazendo exercícios com os olhos, o que, de acordo com ele, reforçaram sua visão até o ponto em que ele pôde jogar fora os óculos com lente de fundo de garrafa que costumava usar. Todas as manhãs ele acorda e toma um banho gelado, com o jato de água fria aberto ao máximo. Ele fica sob a água por cinco minutos, no mínimo, e diz que esse ritual terrível não só o acorda subitamente (reduzindo assim os seus gastos com café), mas também queima gorduras, melhora a tolerância à dor e aumenta a imunidade. Seu artigo sobre banhos de água fria ainda é o post mais lido em seu blog, que tem uma ampla base de leitores, o gettingstronger.org, cujo lema é: "Treine a si mesmo para prosperar sob estresse".

O Nerd Mais Durão do Mundo teve suas primeiras experiências com banhos gelados há mais de dez anos, e a prática rapidamente se tornou uma das pedras fundamentais do seu estilo de vida que promove a hormese. Ele jura que isso o ajudou até mesmo a superar a depressão, por razões fisiológicas e psicológicas. "É mais fácil lidar com outros estresses e situações na vida", ele disse. Incrivelmente, havia até convencido seu filho e sua filha, de 19 e 22 anos, respectivamente, a experimentar o método. Para sua surpresa, eles chegaram até mesmo a gostar da prática; Todd, no entanto, não teve o mesmo sucesso com a esposa, que retrucou: "Nunca, de jeito nenhum!" Fim da discussão. Ele conseguiu persuadir alguns amigos a entrar para o seu clube, e um desses amigos comentou posteriormente: "A ducha de água fria é a coisa mais assustadora, entre aquelas que não são perigosas, que já fiz".

Bem dito. Outras atividades dolorosas, mas não perigosas, que Todd pratica incluem jejuns de curto prazo – deixar de fazer uma refeição, ou às vezes duas – e rotinas de exercício fortes e intensas, como correr descalço por trilhas na floresta ou escaladas em uma academia de montanhismo nas proximidades, frequentemente de estômago vazio. Ele inclusive não comia havia 24 horas, ou desde o almoço do dia anterior, apesar de ter ido para uma corrida em marcha acelerada com os seus colegas de trabalho nas colinas de Palo Alto, treinando para uma corrida de revezamento de 200 quilômetros que aconteceria em pouco tempo. "Uma das coisas que eu *realmente adoro* é me exercitar em jejum", confessou ele.

Por pior que isso pareça, veremos no próximo capítulo os motivos pelos quais praticar exercícios quando se está com fome pode ser uma boa ideia.

Este mergulho no mar frígido e aberto seria uma oportunidade rara para ele, um luxo especial que ele se ofereceu generosamente para compartilhar comigo. Seu herói é um holandês maluco chamado Wim Hof, que está no livro *Guinness* dos recordes pela proeza de nadar 57 metros sob o gelo do ártico. Assim como Hof, Todd treinou para suportar água fria por longos períodos. "O segredo de nadar em águas frias, ou de tomar banho gelado, é que a primeira vez é sempre a pior", disse ele quando estávamos chegando ao estacionamento. "Depois do primeiro minuto é *ainda pior*. Mas fica melhor depois. Pode parecer estranho, mas é verdade."

Decidi que tentaria aquilo por 30 segundos, no máximo. Sou o tipo de cara que treme só de pensar em mergulhar na piscina do clube quando a água está a 26 graus. Uma bela ducha quente geralmente é o ponto emocional mais alto do meu dia.

Além disso, eu não conseguia evitar de pensar no fato de que um nadador de águas frias havia recentemente morrido na baía de São Francisco, não muito longe daí, no início do Triatlo Anual da Fuga de Alcatraz. Ele morreu quase instantaneamente, no que os organizadores da corrida chamaram de "evento cardíaco de grande intensidade". Tinha 46 anos, assim como eu. E estava usando um traje de mergulho. Diferente de mim.

Caminhamos até a praia e estendemos nossas toalhas e pertences. Eu ainda estava com o meu moletom, minha última e aconchegante camada de proteção. A temperatura parecia ter caído 5 graus no trajeto desde o estacionamento. Todd olhou para o meu moletom. "É agora ou nunca", disse ele.

"Estou bem aqui", respondi, enfiando os dedos dos pés na areia que ainda era relativamente quente e tentando esquecer algo que ele disse enquanto estávamos no trânsito: "Acho que a água está no ponto mais frio de todo o ano".

Em vez disso, tentei me concentrar nos deliciosos bolinhos de lagosta que comeríamos posteriormente, na Sam's Chowder House. Com batatas fritas e uma bela cerveja morna...

"Só se vive uma vez", disse Todd, interrompendo meu devaneio.

Ou algo parecido. Não me lembro de tudo que aconteceu a seguir, exceto que abri o zíper do meu moletom, disse *"Que se dane!"* e comecei a correr rumo à beirada da água.

∞

Um ser humano exposto à água gelada pode morrer de uma entre duas formas: rapidamente ou lentamente. A primeira forma geralmente envolve a reação ao choque do frio, onde a pressão arterial e a taxa de batimentos cardíacos elevam subitamente a níveis estratosféricos, resultando num ataque cardíaco (ou, nos termos típicos dos comunicados à imprensa, "um evento cardíaco de grande intensidade"). Essa forma de morrer é especialmente popular entre triatletas de meia-idade, e é infinitamente preferível à maneira lenta, onde a água fria simplesmente arranca o calor do corpo – 26 vezes mais rápido do que quando a pele está exposta ao ar, apenas para referência – até que a pessoa perde os sentidos e se afoga. De acordo com a Guarda Costeira dos Estados Unidos, isso geralmente acontece quando a temperatura interna cai para 30 graus, ou cerca de 20 graus acima da temperatura da água em Half Moon Bay.

Assim, eu precisava ser convencido de que esse mergulho na água gelada valeria a pena, ao invés de ser somente um exercício "revigorante" que eu acabaria por odiar. Isso se ele não me matasse. Havia outros benefícios à exposições de curta duração à água fria, ou Todd era apenas uma espécie de masoquista? Você sabe do que estou falando, o tipo que deliberadamente toma um banho de água gelada todos os dias e gosta do que faz?

Não precisei pesquisar muito a fundo na base de dados para encontrar alguns indícios de que um choque de frio pode até mesmo fazer bem. Algumas das criaturas mais longevas da terra vivem muito bem em água muito fria, para citar um dos meus achados. Lagostas podem viver por décadas, se forem espertas o bastante para não entrar nas armadilhas que os pescadores lançam ao mar. Sabe-se que algumas baleias-azuis chegaram a viver cerca de 200 anos, e, é claro, havia também Ming, a ostra oceânica de 507 anos que vivia na Islândia, que Deus a tenha. A água fria também pode explicar por que certas espécies de peixes do gênero *Sebastes* parecem essencialmente não envelhecer nunca, não demonstrando quase nenhum sinal de deterioração relacionado à idade. Mas quem sabe se a água fria é a verdadeira responsável por sua longevidade?

Vermes nematoides, entretanto, são bem fáceis de se criar em laboratório, e estudos feitos com essas espécies sugerem que a água fria pode ajudar a aumentar sua longevidade. Durante muito tempo pensou-se que isso tinha a ver com o simples fato de que temperaturas mais frias diminuíam a velocidade das reações químicas que acabavam levando ao envelhecimento. Pesquisas mais recentes, entretanto, sugerem que algo muito mais profundo pode estar acontecendo. Em um artigo recente publicado no periódico *Cell*, cientistas da Universidade de Michigan descobriram que temperaturas frias ativaram uma rota química que estimula a longevidade nos vermes.

A boa notícia é que os seres humanos têm a mesma rota química genética. Isso pode explicar por que a atriz Katherine Hepburn, que nadava todos os dias nas águas de Long Island, no inverno ou no verão, viveu até os 96 anos. Em um estudo finlandês sobre praticantes de natação em águas frias, os indivíduos foram analisados no início da "temporada de natação de inverno" (sim, isso é algo que realmente existe) e depois novamente ao fim do período, cinco meses mais tarde. Depois passar alguns meses nadando em águas geladas, os indivíduos pesquisados tinham níveis muito mais altos de enzimas antioxidantes naturais em seu sangue. E também tinham uma quantidade maior de células vermelhas em seu sangue, e mais hemoglobina – em outras palavras, havia mais sangue em seu sangue. Seus corpos haviam se adaptado verdadeiramente ao estresse da imersão em água fria, de uma maneira positiva.

Ainda mais interessante foi uma pesquisa que demonstrava que a exposição à água fria podia ativar a gordura marrom, que queima energia e ajuda a gerar calor (por exemplo, quando fazemos coisas idiotas tais como mergulhar em águas geladas). Infelizmente, a gordura marrom também é relativamente rara em adultos, presente apenas em uma pequena fração das nossas reservas totais de gordura; na maioria de nós, ela se limita a alguns pequenos bolsões na parte superior das costas, entre as escápulas. A gordura marrom entra em ação em condições frias para nos manter aquecidos, mas também exerce efeitos benéficos no metabolismo, especialmente ao queimar a gordura branca de maneira mais rápida e eficiente do que fazer exercícios ou dieta. Quanto mais uma pessoa fica exposta ao frio, de acordo com o que foi demonstrado em estudos, mais gordura marrom ela cria. E isso é bom.

Finalmente, em um nível bem mais fundamental, o calor é ruim para nós. O fato de sermos criaturas de sangue quente é algo que acaba acelerando o nosso envelhecimento. É o preço que pagamos por não sermos répteis. O motivo tem a ver com as nossas proteínas – não o tipo que comemos na forma de carne ou tofu, mas aquelas que formam as estruturas mais básicas das nossas células. (Basicamente, tudo que acontece nas nossas células depende das proteínas). O problema é que calor em excesso faz com que nossas proteínas percam a sua estrutura tridimensional, em um processo conhecido como enovelamento, que é crucial para o seu funcionamento apropriado. Quando as proteínas se desnaturam (o processo oposto), elas não conseguem mais fazer seu trabalho. Podemos observar isso quando cozinhamos: "Quebre um ovo, jogue-o na frigideira e as proteínas se desnaturam", explica Gordon Lithgow.

Essas proteínas desnaturadas acabam se tornando inúteis para os nossos corpos, como garrafas vazias de vinho espalhadas pela casa. Precisam ser jogadas fora ou recicladas por um conjunto complexo de aparelhos celulares responsáveis pela retirada de refugos e reciclagem de proteínas chamado de proteassoma. Mas mesmo em temperaturas mais baixas – digamos, por volta de 37 graus – a mesma coisa acontece: nossas proteínas estão literalmente cozinhando.

Isso se dá graças a um fenômeno chamado de reação de Maillard (assim chamada graças ao francês que a descobriu há cem anos), que todos nós já observamos: por causa dessa reação, a casca do pão é marrom, o churrasco fica tostado na grelha e o arroz cozido cheira bem. A reação de Maillard acontece quando aminoácidos se combinam com açúcares sob a ação do calor, tornando a comida mais apetitosa. Infelizmente, a mesma reação está acontecendo dentro dos nossos corpos, em uma espécie de Maillard em câmera lenta que produz coisas bastante desagradáveis conhecidas como AGEs, da sigla em inglês para "produtos finais da glicação avançada", que ajudam a acelerar algumas doenças do envelhecimento, especialmente a degeneração macular, mas também aterosclerose, diabetes e Alzheimer. Sabemos que a presença de AGEs em nossos vasos sanguíneos são uma das principais causas do enrijecimento de artérias e da elevação da pressão arterial, por exemplo.

Em suma, o que estava acontecendo era o seguinte: minhas proteínas estavam adorando o banho de água fria. E a minha gordura marrom também. E enquanto outras partes do meu corpo não estivessem gostando tanto daquela situação, meu cérebro sabia o suficiente para saber que Todd havia pesquisado o assunto a fundo e que talvez soubesse o que estava fazendo. Assim, prometi a mim mesmo que faria o possível para ficar naquela p*rr@ de água fria de Half Moon Bay pelo máximo de tempo que conseguisse.

∞

> Jovem para sempre (ou morra tentando)

No começo, eu parecia estar queimando. Pelo menos, foi a sensação que tive: a de estar entrando em um poço de lava quente. A sensação não durou mais do que alguns segundos antes da realidade gelada me atingir. Foi de tirar o fôlego, literalmente: eu não conseguia respirar. Gritei, e logo estava em pânico. Parei quando estava com a água na altura da cintura. "Não consigo respirar!", eu disse, virando-me para voltar para a areia.

Todd mergulhou em uma onda, ignorando o que eu dizia. Eu tinha duas escolhas: fazer o mesmo que ele ou ser derrubado. Quando voltei à superfície, uma coisa estranha aconteceu: as coisas melhoraram. Um pouco. O impulso de fugir estava se apagando, de qualquer maneira. Outra onda se ergueu e nós mergulhamos nela. Eu gritei outra vez, mas agora de alegria; isso era divertido. O cara do *frisbee* havia parado de jogar seu disco e agora olhava fixamente para nós.

"É importante se mover bastante", disse Todd. Não para se aquecer; pelo contrário, para intensificar ainda mais o frio. "Caso contrário, você gera uma pequena camada de calor sobre a pele", acrescentou ele, como se aquilo fosse algo ruim. Ficamos nos agitando no lugar em que estávamos e nos jogando sobre as ondas que chegavam, rindo e gritando como crianças. A minha pele formigava por inteiro: minhas pernas estavam entorpecidas dos joelhos para baixo. Meu coração batia furiosamente, tentando manter o meu interior aquecido, ao mesmo tempo em que roubava o calor das minhas extremidades. E também dos meus testículos, que doíam furiosamente, como se estivessem nas mãos raivosas de uma ex-namorada vingativa. "Meu saco está doendo", eu disse.

"Pois é", disse o Nerd Mais Durão do Mundo, assentindo com um ar de conhecimento de causa. "Isso acontece."

O resto do meu corpo tinha uma sensação muito agradável. Uma tranquilidade estranha tomou conta de mim e eu relaxei dentro da água, como se fosse aquele o mesmo Oceano Pacífico que afaga o Havaí (e, tecnicamente, é mesmo). Quando mergulhei em outra onda hipotérmica eu me perguntei: "Será que é isso que acontece quando morremos?" Eu quase me sentia bem demais. Olhei para o meu relógio, que dizia que estávamos na água há pouco mais de 4 minutos. Estava frio, mas eu não me importava muito. Pouco tempo depois, uma onda maior se aproximou e eu deixei que ela me levasse até a beira do mar. Havia ficado imerso por quase 6 minutos, e, estranhamente, gostei muito da experiência. Foi a coisa relativamente perigosa mais empolgante que eu havia feito naquele mês.

"Parabéns", disse Todd quando saiu da água, depois de outros 6 minutos refrescantes. Nós nos secamos, com a impressão de que éramos os caras mais durões naquela praia, e entramos na caminhonete para ir almoçar. Nunca um bolinho de lagosta foi tão saboroso, graças ao efeito da água gelada.

"É como se fosse uma mina de ouro que ninguém explora", suspirou ele durante o almoço. "Para mim, é algo muito óbvio. Não entendo como isso pode acontecer."

∞

De volta à minha casa, tentei incluir duchas frias na minha rotina algumas vezes, dizendo a mim mesmo que a água encanada da nossa cidade não era tão frígida quanto a de Half Moon Bay. Seria fácil! Além disso, os argumentos sobre o bem que a água fria fazia pareciam ser bem fortes. E mesmo se eu não conseguisse viver para sempre, o dia sempre começava com uma descarga de energia. E, frequentemente, com um gritinho.

Era ótimo depois de pedalar com força em um dia quente, ou quando eu precisava de mais energia do que aquela contida em outra xícara de café. De vez em quando. Mas o meu entusiasmo pelas duchas geladas diárias encolheu rapidamente (o trocadilho não foi intencional). Ficar embaixo de um chuveiro gelado não era tão divertido quanto mergulhar e me agitar no mar. Assim, embora eu me disponha a mergulhar em praticamente qualquer copo de água gelada agora, sem medo ou hesitação, acabei retomando os banhos quentes em minha vida diária.

Por isso, foi um alívio descobrir que assim como o frio pode lhe fazer bem, pequenas doses de calor também são benéficas. O calor ativa algo em nossas células chamado de proteínas do choque térmico – um nome que parece ser ruim, mas não é. Sua função é basicamente ajudar a reparar proteínas celulares, que tendem a se desfazer ou desnaturar em condições quentes ou estressantes. Estudos em animais menores como vermes mostraram que essa resposta pode ser "treinada" – vermes que passaram por estresses em suas vidas desenvolvem respostas mais poderosas a choques térmicos.

As proteínas de choque térmico são especialmente importantes nos exercícios. Para resumir uma história muito longa e complicada: certas proteínas de choque térmico, tais como aquelas produzidas em exercícios de alto impacto, realmente ajudam as nossas células a fazer a faxina na casa, o que permite que funcionem melhor por períodos maiores de tempo. Toda vez que aumentava a intensidade das suas aulas de *spinning*, por exemplo, Phil Bruno estava criando proteínas de choque térmico que ajudavam a reparar suas próprias células – e também a reduzir sua resistência a insulina, outro aspecto no qual os exercícios servem para combater o diabetes.

Mas o meu encontro com Todd Becker fez com que eu pensasse mais sobre o tópico do estresse, de maneira geral. E conforme eu investigava a leitura sobre o estresse e a hormese, comecei a perceber que muito do que pensamos que sabemos sobre o estresse está completamente equivocado.

Estresse é um termo muito abrangente e genérico. Podemos usá-lo para descrever como nos sentimos quando estamos sob pressão no trabalho, quando dirigimos nas *freeways* de Los Angeles ou quando o prazo final para entregar o livro que estamos escrevendo se aproxima; também ficamos "estressados" quando precisamos chegar ao aeroporto até um determinado horário, quando vamos passar as férias com os parentes ou com qualquer coisa que esteja relacionada a criar e educar adolescentes. Esse estresse psicológico pode causar estresse biológico: uma das formas pelas quais isso acontece é pela liberação de hormônios do estresse como o cortisol, que ajudava nossos ancestrais paleolíticos a ativar o processo de decisão entre combater ou fugir e também a armazenar mais calorias com as quais pudessem se sustentar durante jornadas longas e famintas rumo ao exílio. No mundo moderno, entretanto, o cortisol simplesmente faz com que pessoas com empregos sedentários engordem. O estresse também parece encolher nossos telômeros, aqueles penduricalhos que protegem nossos cromossomos. Outro estudo muito interessante descobriu que pessoas que se sentem solitárias, uma das formas mais intensas de estresse psicológico, tinham seus genes para inflamação ativados em um índice muito maior do que aqueles que se sentiam mais conectados socialmente.

O tipo mais comum de estresse biológico é aquele que você também já deve ter ouvido falar: estresse oxidativo, causado por radicais livres. E se você sabe alguma coisa sobre o estresse oxidativo, então você sabe que ele é ruim, mas que esses radicais livres podem – e devem – ser combatidos com o consumo de antioxidantes, tanto na forma de suplementos como pela alimentação. E é por isso que, quando você vai ao supermercado, quase todos os produtos, incluindo sucos de frutas, cereais matinais e ração para cães alardeiam suas propriedades antioxidantes na embalagem. Antioxidantes, de acordo com o que a maioria de nós acredita, são capazes de "absorver" ou combater os efeitos dos radicais livres. São coisas boas, como todo mundo sabe. Exceto pelo fato de que isso não é verdade.

A descoberta do estresse oxidativo foi um efeito colateral benéfico da corrida armamentista para construir a bomba atômica. Durante as pesquisas do Projeto Manhattan,[8] as coisas às vezes acabavam sendo feitas sem muito cuidado no quesito segurança, e muitas pessoas eram expostas acidentalmente a altas doses de radiação. Quando isso acontecia, essas pobres vítimas da radioatividade pareciam envelhecer de maneira extremamente rápida: seus cabelos caíam, sua pele se enrugava e elas desenvolviam vários tipos de câncer em um curto período de tempo.

Os cientistas descobriram rapidamente que a radiação ionizante criava quantidades enormes de radicais livres, que são moléculas de oxigênio com um elétron livre. Esse elétron solitário as torna quimicamente "irritadas", e elas começam a causar tumulto, procurando por moléculas boas e inocentes com as quais possam reagir e corromper. Esse assédio químico resulta na *oxidação*, que é também o motivo pelo qual o metal exposto enferruja e as maçãs cortadas ficam escuras; esse escurecimento também acontece dentro dos nossos corpos (e é diferente do "escurecimento" que acontece durante a reação de Maillard). Os radicais livres também danificam o DNA

---

[8] Liderado pelos Estados Unidos e com o apoio do Reino Unido e do Canadá, o Projeto Manhattan foi uma investida norte-americana no contexto da Segunda Guerra Mundial. Com mais de 130 mil pessoas envolvidas e com um custo que hoje equivaleria a quase 30 bilhões de dólares, o projeto tinha como principal objetivo construir as primeiras bombas atômicas. (N. dos E.)

celular, o que leva ao câncer (entre outras coisas). Os cientistas atômicos perceberam que poderiam ajudar vítimas de intoxicação por radiação alimentando-as com compostos "radioprotetores", que basicamente absorviam os radicais livres em excesso. Esses foram os primeiros antioxidantes. E eles funcionaram... mais ou menos.

Mas não se pensava que os radicais livres tinham qualquer ligação com o envelhecimento até uma manhã de novembro de 1954, quando um jovem cientista chamado Denham Harman estava sentado em seu laboratório em Berkeley, sem muito o que fazer. Naquela época, os cientistas não precisavam passar todo o tempo redigindo pedidos de verbas como acontece hoje em dia, e, assim, podiam passar o tempo na empreitada bastante produtiva de simplesmente ficarem sentados, pensando em coisas. Fazia quatro meses que Harman vinha ao trabalho e fazia a mesma coisa – apenas refletia sobre um problema singular que o consumia: o envelhecimento. Como todo animal envelhecia e morria, Harman acreditava que "devia haver alguma causa básica e comum que matava tudo que existia", disse ele a um entrevistador algumas décadas mais tarde. Naquela manhã, ele se deu conta da resposta em um momento ofuscante: "Os radicais livres simplesmente surgiram na minha cabeça", lembrou ele posteriormente.

Após muito tempo, Harman conseguiu provar que todas as formas de vida que consomem oxigênio produzem radicais livres, moléculas de oxigênio carregadas negativamente que os químicos de hoje chamam de espécies reativas de oxigênio, ou EROs, em suas mitocôndrias. Ele acreditava que essas moléculas causavam danos ao DNA e outros problemas celulares que seriam responsáveis pelo processo de envelhecimento – e que também causariam o câncer. Em particular, Harman acreditava ainda que o colesterol LDL oxidado (o "colesterol ruim") parecia ser responsável pela formação de plaquetas arteriais. Eles também danificam as proteínas em nossas células. Mas como os EROs são uma consequência implacável e inevitável da respiração aeróbica, esses danos oxidativos são o preço que pagamos por viver em uma atmosfera rica em oxigênio. Em outras palavras: respirar mata.

Um conceito muito deprimente. Mas Harman tinha uma solução: antioxidantes. Em um experimento famoso, ele alimentou camundongos com uma comida rica com o conservante BHT, que por acaso também era um forte antioxidante, e eles tiveram um tempo de vida 45 por cento maior. Ele fez isso várias e várias vezes com outros compostos, incluindo as vitaminas C e E. Sua teoria foi respaldada por Linus Pauling, ganhador do prêmio Nobel, que adotou a vitamina C – um dos mais poderosos antioxidantes naturais – como uma cura para todas as doenças, desde o resfriado até o câncer. (Pensava-se que o estresse oxidativo tinha uma função importante na formação de cânceres).

A teoria que associava os radicais livres ao envelhecimento era o postulado perfeito da década de 1960, colocando de um lado os "radicais livres" contra as forças responsáveis por manter a ordem, na forma de antioxidantes. Chegava a ser sedutora em sua simplicidade: basicamente, o envelhecimento estava reduzido a uma reação química que podia ser refreada, ou talvez até mesmo interrompida, apenas consumindo alguns comprimidos. O próprio Harman tomava altas doses de vitamina C e E, os dois antioxidantes mais comuns; também corria 3 quilômetros todos os dias, e continuou fazendo isso mesmo depois de completar 80 anos. Ainda estava vivo enquanto este livro estava sendo escrito, em uma casa de repouso no estado de Nebraska, e sua teoria havia conquistado o mundo. Mais recentemente, os *foodies* acabaram adotando antioxidantes mais exóticos, desde o betacaroteno até vários compostos fitoquímicos presentes em mirtilos, romãs e uvas viníferas vermelhas, apenas para citar alguns. Mais de 50 por cento do público americano ingere conscientemente algum tipo de suplemento antioxidante, de acordo com algumas estimativas. O dr. Oz os louva diariamente em seu programa de TV. É seguro dizer que a teoria dos radicais livres foi quase que universalmente aceita pelo público.

Mas na década de 1990, gerontologistas começaram a perceber que havia um problema incômodo: os antioxidantes não pareciam realmente estender o tempo de vida dos animais em laboratório. O próprio Harman ficou ligeiramente preocupado pelo fato de que, embora fosse capaz de aumentar o tempo de vida *médio*, ele não conseguiu estender o tempo de vida *máximo* dos animais. Não ficou claro que seus antioxidantes estavam afetando o processo de envelhecimento propriamente dito. Se realmente estivessem retardando o envelhecimento, absorvendo os radicais livres, então os ratos mais longevos deveriam ter vivido mais tempo. (Linus Pauling, por outro lado, consumia quantidades imensas de vitamina C e viveu até os 93 anos).

Outros tinham dificuldades para repetir os experimentos de Harman. E em estudos com seres humanos – particularmente os testes clínicos randomizados e duplo-cegos que são o padrão-ouro para as ciências médicas – os suplementos antioxidantes tiveram resultados inconclusivos, na melhor das hipóteses. Um imenso estudo de revisão literária do *JAMA* que analisou 68 testes clínicos de antioxidantes, abrangendo mais de 230 mil pessoas, encontrou uma disparidade enorme entre os resultados: alguns estudos mostravam que os antioxidantes reduziam os riscos de mortalidade, mas, de maneira geral, a maioria dos estudos feitos adequadamente descobriam que as pessoas que ingeriam vitamina A, vitamina E e betacaroteno aparentemente demonstravam um risco *aumentado* de morte. O betacaroteno em particular, que já foi o queridinho de todos os nutrientes, estava fortemente associado com o risco de desenvolver câncer. Os dados sobre a vitamina C eram menos conclusivos, e havia algumas indicações de que o selênio podia ser ligeiramente benéfico.

Ainda assim: que diabos estava acontecendo? A teoria dos antioxidantes parecia muito simples e elegante. E agora parecia estar errada. Se os radicais livres realmente causavam dano celular, e consequentemente o envelhecimento, então por que os antioxidantes não pareciam evitar isso?

Em 2009, um cientista alemão pouco ortodoxo chamado Michael Ristow conseguiu encontrar algumas explicações para a questão com um experimento simples, mas bastante subversivo. Sua equipe recrutou quarenta jovens para um programa no qual eles teriam que se exercitar durante mais de 90 minutos, cinco dias por semana. Metade dos indivíduos recebeu um suplemento antioxidante com altas doses de vitaminas C e E, enquanto a outra metade recebeu um placebo.

Sabemos que a prática de exercícios físicos aumenta drasticamente o estresse oxidativo, pelo menos no curto prazo. Durante muito tempo os cientistas refletiram sobre esse fato, concluindo que exercícios são saudáveis *apesar* dos níveis maiores de EROs que produzem. E realmente é possível se exercitar em excesso, podendo até chegar a um ponto em que isso comece a nos prejudicar: se sairmos para levantar pesos depois de passarmos um mês inteiro sem fazer nada, ficaremos doloridos no dia seguinte graças, em parte, aos danos oxidativos – pelo menos, era isso que se pensava. Assim, durante várias décadas, atletas vêm tomando suplementos antioxidantes e pensando que isso suavizaria as dores causadas pelos seus treinamentos.

As descobertas de Ristow viraram a teoria do estresse oxidativo de cabeça para baixo. Ele submeteu seus jovens e, esperamos, bem-remunerados voluntários a biópsias musculares excruciantemente doloridas antes e depois do período de treinamento. Os dois grupos mostraram evidências de estresse oxidativo nos músculos, conforme o esperado, mas ele descobriu que os indivíduos que haviam tomado os suplementos – vitaminas que pareciam ser inofensivas – acabaram se beneficiando muito *menos* do programa de exercícios do que os jovens que receberam o placebo. Ao contrário do que se imaginava, os antioxidantes pareceram ter acabado com os benefícios do treinamento. E tudo isso fez com que Ristow sugerisse, em uma carta subsequente ao editor, que chamar os suplementos antioxidantes de inúteis seria um elogio.

É o que ele realmente acha, e aqui está o motivo: nossos corpos produzem seus próprios antioxidantes, enzimas poderosas com nomes que parecem ser bem poderosos, tais como superóxido dismutase e catalase, que absorvem o excesso de radicais livres produzidos pelos exercícios. Os suplementos pareciam bloquear a ação dessas enzimas. "Se você tomar antioxidantes, você impedirá que os sistemas antioxidantes do seu corpo sejam ativados", explica Ristow. "E não somente os antioxidantes, mas também outras enzimas reparadoras."

Em outras palavras, quando tomamos suplementos, permitimos que as nossas defesas antioxidantes nativas fiquem mais fracas e preguiçosas, fazendo com que fiquemos mais vulneráveis a danos causados pelas EROs. Acrescentar um pouco de estresse, na forma de exercícios, ajuda a manter nossas próprias defesas antioxidantes em boas condições. Nós nos adaptamos ao estresse e ficamos mais fortes (sem mencionar o fato de vivermos por mais tempo). "É por isso que os benefícios do exercício duram muito mais do que os exercícios em si", explica ele. (A resposta à restrição calórica, na opinião dele, também é uma forma de hormese).

Os suplementos estavam embotando essa resposta hormética. A boa notícia é que vamos acabar economizando muito dinheiro no corredor das vitaminas do Whole Foods – assim como Todd Becker, o Homem Hormese, que rejeita praticamente todos os suplementos, até mesmo coisas como óleo de peixe e ácidos graxos ômega-3. Já em relação a coisas como romãs e mirtilos, que passaram a ser celebrados como "superalimentos" devido às suas propriedades antioxidantes, Ristow diz: "São saudáveis, *independentemente* do fato de também conterem antioxidantes".

O trabalho de Ristow também aponta para uma nova compreensão do próprio estresse oxidativo: ele não somente não é nocivo, como Ristow suspeitava que era um processo benéfico e talvez até mesmo essencial para a vida. Em estudos, ele e outros pesquisadores descobriram que níveis mais altos de estresse oxidativo também *aumentam* o tempo de vida de vermes. Até mesmo borrifá-los com doses baixas do herbicida Paraquat, que ativa um forte estresse oxidativo – devido ao fato de ser um veneno –, acabou fazendo com que aquelas pequenas criaturas vivessem mais tempo. O mesmo aconteceu com o arsênico. (Repito: não tentem fazer isso em casa). Outros pesquisadores observaram resultados similares: até mesmo camundongos cujas enzimas antioxidantes foram removidas completamente dos seus organismos (por meio de manipulação genética) não sofreram nenhuma redução no tempo de vida ou na saúde. As coisas ficaram mais estranhas. Em outros experimentos, Ristow descobriu que os antioxidantes também neutralizaram os benefícios de restringir caloricamente os seus vermes, o que normalmente estenderia seu tempo de vida.

Em português claro: os antioxidantes parecem ser irrelevantes para combater o envelhecimento. E não importa se são produzidos pelos nossos próprios corpos ou engolidos na forma de comprimidos. Ristow chegou até a sugerir que os EROs não são nem de perto as toxinas perigosas que Denham Harman imaginou; na realidade, são moléculas sinalizadoras essenciais, produzidas pelas mitocôndrias especificamente para ativar respostas benéficas ao estresse em outras partes da célula. Ou, para simplificar, os EROs são o equivalente celular de Paul Revere, o mensageiro americano que alertou seus compatriotas sobre a invasão iminente dos ingleses na época da Guerra de Independência. Exercícios e ausência de comida – que, em termos evolucionários significam que estamos caçando ou passando por um período de fome crônica – na realidade fazem com que as nossas mitocôndrias passem a funcionar em um estado completamente diferente, que ele chamou de mitohormese, no qual elas produzem mais radicais livres, que por sua vez ativam as respostas ao estresse que estimulam a saúde dentro do nosso próprio corpo, como o reparo do DNA, a busca mais intensa por glicose e até mesmo a "caça" de células cancerosas em potencial.

Um pouco de estresse, então, faz bem para nós. Mas e se estivermos sob *muito* estresse? Para responder a essa pergunta, eu viajei ao Texas em busca do animal mais estressado de todos, e também um dos mais feios.

∞

Em um quarto sem janelas instalado no porão de uma casa que fica em um ponto além dos arredores de San Antonio, o animal mais estranho que eu já vi está subindo pelo meu braço. Ela é maior do que um camundongo, mas menor do que um gerbilo, e tem uma aparência muito esquisita: rosa-pálido, com uma pele enrugada delicada e dois pares de dentes enormes parecidos com os dos castores. Eu mando uma foto para a minha namorada, que responde dizendo que o bicho parece um "pênis com presas".

E parece mesmo.

Mas os dois fatos mais interessantes sobre essa criatura, um rato-toupeira-pelado que apelidei de Queeny, são os seguintes: ela tem 30 anos, seis vezes a mais do que o camundongo de laboratório mais velho já registrado. E, em segundo lugar, está prenha. Muito, muito prenha. Tão prenha que eu consigo ver os contornos da sua próxima ninhada: calombos escuros pequenos e protuberantes por baixo da sua pele quase translúcida. Assim, em termos humanos, estou segurando na minha mão o equivalente a uma mulher grávida de 800 anos. Ratos-toupeira-pelados, pelo que parece, conseguiram superar a menopausa.

Não é apenas isso que há de fascinante em Queeny: ela e seus irmãos e irmãs (e seus pais, filhos, tios e primos, já que todos vivem juntos em um ambiente labiríntico de plástico e isolado) têm que aguentar quantidades enormes de estresse oxidativo em seus corpos, níveis que poderiam queimar a pelagem de virtualmente qualquer outro animal do planeta. Mesmo assim, isso não parece incomodá-los nem um pouco. "Desde muito jovens, eles sofrem de níveis muito altos de danos oxidativos, e mesmo assim vivem por mais 28 anos", diz a minha guia, Shelley Buffenstein.

Há mais de três décadas, quando ainda estava na faculdade, Buffenstein ajudou a coletar os pais de Queeny e cerca de cem dos seus parentes e amigos de uma colônia que vivia sob uma estrada de terra no Parque Nacional de Tsavo, no Quênia. Na época não se sabia muito sobre o rato-toupeira-pelado além do fato de que são animais muito estranhos. Como vivem embaixo da terra, raramente são vistos. Diferentemente da maioria dos roedores, os ratos-toupeira-pelados são "eussociais", ou seja, vivem em colônias dominadas por uma única fêmea reprodutora, como muitas espécies de formigas e abelhas. São o único mamífero que vive dessa forma. E eles raramente veem a luz do sol, se é que algum dia chegam a vê-la, o que explica sua pele rosada e delicada, além do fato de que são cegos. Eles "enxergam" através dos seus bigodes, informou-me Buffenstein, com o seu melodioso sotaque africâner.

Buffenstein foi criada em uma fazenda no país então conhecido como Rodésia, dominado por uma minoria branca, e as sanções internacionais obrigaram-na a encontrar uma maneira de pagar por sua educação no Quênia. Assim, ela conseguiu um emprego como assistente de laboratório, trabalhando para uma bióloga chamada Jenny Jarvis, que foi a primeira pessoa a estudar o rato-toupeira-pelado. Jarvis mantinha alguns ratos-toupeira-pelados em gaiolas em seu escritório, e quando Jarvis embarcou em uma expedição para estudá-los em seu habitat natural, Buffenstein foi junto. O resultado foi que os ancestrais de Queeny foram arrancados do seu aconchegante ninho subterrâneo e, quando Buffenstein decidiu emigrar para a América, trouxe consigo a colônia de ratos-toupeira-pelados. Aqui, no porão do seu laboratório, eles vivem em um sistema que se assemelha a um labirinto composto por tubos e módulos de plástico. Uma das câmaras é usada como banheiro comunitário, assim como acontecia no ninho subterrâneo original. O cheiro no ar é bem pungente.

Originalmente, Buffenstein estava estudando a biologia endócrina dos animais – seus hormônios, basicamente – mas, conforme os anos passaram, ela percebeu algo esquisito em seus animais já bastante estranhos: aparentemente, eles se recusavam a morrer. "Quando completaram 10 anos, eu pensei: 'Nossa, eles vivem bastante!' Eu disse: 'Devíamos começar a estudar o envelhecimento e descobrir como eles conseguem viver tanto tempo'", disse ela.

É mais fácil falar do que fazer. Todos os aspectos dos "pelados" (como ela os chama) pareciam ser peças de quebra-cabeças diferentes, começando com seus níveis estratosféricos de danos oxidativos; seus corpos minguados têm mais "ferrugem" do que uma montanha-russa abandonada. Mesmo assim, os bichos continuam vivendo por décadas, muito tempo depois do que a teoria do estresse oxidativo insistiria que eles já deviam ter morrido.

A sobrevivência é ainda mais confusa para Buffenstein, que acredita que esses níveis extremos de oxidação são, na realidade, uma função da sua nova vida em cativeiro. Em ambientes naturais, nas profundezas das suas tocas subterrâneas, os pelados sobrevivem com muito menos oxigênio do que nós, habitantes da superfície, temos à disposição; eles raramente chegam a ver o sol (e alguns nunca o veem) ou mesmo respirar o ar da superfície. Assim, eles têm muito menos estresse oxidativo. "Imagine como seria compartilhar uma toca a 2 metros de profundidade com trezentos dos seus amigos mais chegados", diz ela com um toque de sarcasmo na voz.

Mas, em suas gaiolas no laboratório, os ratos-toupeira-pelados são expostos a níveis muito mais altos de oxigênio do que os patamares aos quais estão acostumados em ambientes selvagens, o que deveria intoxicá-los. "E mesmo assim eles os toleram! Eles vivem 30 anos em cativeiro com essa quantidade enorme de dano oxidativo", exclama ela.

Ela acredita que os ratos-toupeira-pelados desmentem a teoria do envelhecimento baseada no estresse oxidativo, pelo menos em sua forma mais simples. Entretanto, ela acha mais interessante a ideia de que eles podem estar sofrendo uma espécie de reação ao estresse – nossa amiga hormese – que os mantêm vivos por décadas a mais do que a maioria dos outros roedores. Ela crê que essa resposta ao estresse ajuda a condicioná-los para o estresse da vida em uma colônia, onde uma hierarquia social é imposta rigidamente. "A rainha é uma valentona", explica ela, e dentro da colônia existem disputas pelo poder dignas de estarem em uma peça de Shakespeare, até mesmo para saber quem vai ficar incumbido de limpar o "banheiro" do grupo. Como a rainha é a manda-chuva do pedaço, ela tem o direito de fazer cocô bem na porta de entrada. E como é a beneficiária de todo o trabalho dos outros e da proteção que eles lhe oferecem, talvez não seja surpreendente o fato de que ela vive por um tempo tão longo.

Ainda assim, o mesmo acontece com os operários mais humildes. O fato de que vivem debaixo da terra, de onde os predadores têm dificuldades para tirá-los (embora algumas espécies de cobras e íbises colhereiros tentem fazer isso) lhes deu o luxo de evoluírem até o ponto de terem vidas muito longas. Seus corpos são simplesmente melhor projetados para envelhecer – o que significa que eles têm uma capacidade melhor para lidar com o estresse, e o fazem regulando os mecanismos protetores internos das suas próprias células.

Por exemplo, a proteassoma dos pelados, o sistema de remoção de refugos celulares, funciona num ritmo muito maior do que a de um camundongo comum, o que por sua vez ajuda o animal a se livrar de todas aquelas proteínas e componentes celulares danificados oxidativamente. Desta forma, enquanto a maioria dos camundongos de laboratório morre de câncer e o restante morre com ele, os ratos-toupeira-pelados são completamente livres do câncer; a equipe de Buffenstein nunca encontrou nenhum tumor em um rato-toupeira morto. Suas células simplesmente não se tornam cancerosas. Mesmo quando os ratos-toupeira-pelados foram emplastados com um carcinógeno muito potente chamado DMBA, que induz camundongos imediatamente ao câncer, eles continuaram saudáveis; foi como se tivessem sido besuntados com protetor solar.

"Pensamos que os ratos-toupeira-pelados têm mecanismos melhores de monitoramento que dizem: 'Espere um pouco, tem algo estranho aqui, alguma mudança no meu genoma, e não vou deixar isso proliferar'", diz ela.

Os ratos-toupeira-pelados são incomuns, mas nem por isso são as únicas criaturas com esse tipo de talento nato na natureza. Há outros animais que toleram níveis extremos de dano oxidativo sem morrer. Uma dessas criaturas resistentes, uma espécie de salamandra, que habita cavernas, chamada de proteus, é encontrada apenas em cavernas da Eslovênia e do norte da Itália; pálida como um fantasma, cega e nunca com mais de 25 centímetros de comprimento, o proteus vive quase 70 anos – um tempo de vida ensandecidamente louco para uma salamandra. Vive quase tanto quanto um homem esloveno, razão pela qual é apelidada localmente como "o peixe humano".

De fato, os proteus e os ratos-toupeira-pelados me faziam lembrar um pouco dos centenários de Nir Barzilai, como Irving Kahn; e não somente por serem tão pequenos e enrugados. Eles dificilmente seriam considerados as criaturas mais robustas do mundo, mas ainda assim ambos possuem uma resiliência interior intrínseca, uma qualidade que o autor Nicholas Taleb chamou de *antifragilidade*, que lhes dá a capacidade de viver por um tempo extremamente longo. Irving Kahn escapou das doenças cardíacas e do câncer que matam mais da metade dos americanos idosos – e isso apesar do fato de ter fumado durante décadas. Assim como os ratos-toupeira-pelados, ele deve ter alguma característica única e intrínseca que resiste aos danos oxidativos, e o seu "proteoma" provavelmente é excelente, também. Assim como os ratos-toupeira-pelados, suas células vão para a oficina que conserta Jaguares, não para o mecânico da esquina.

Mas há também uma diferença fundamental entre os ratos-toupeira-pelados e os centenários – uma que talvez seja a mais importante de todas. O tempo de vida humano, como já vimos, chega à sua extensão máxima por volta dos 120 anos. Ninguém sabe ao certo por quanto tempo um rato-toupeira-pelado pode viver – ou o quanto vive um proteus, também, embora haja muito poucos deles em cativeiro para se ter certeza. No caso dos ratos-toupeira-pelados, não está claro nem mesmo se eles envelhecem, pelo menos não como as outras coisas vivas; suas taxas de mortalidade não aumentam com a idade da mesma forma que a nossa (de acordo com a lei de Gompertz, que mencionamos anteriormente). Os ratos-toupeira-pelados também não passam por nenhum processo similar à menopausa ou ao envelhecimento reprodutivo – como Queeny demonstrou amplamente, pouco depois da minha visita, quando pariu uma ninhada de mais de uma dúzia de filhotes que se retorciam. Será que eles realmente chegam a envelhecer?

Em um esforço para descobrir as respostas, uma equipe que incluiu Buffenstein trabalhou para sequenciar o genoma do rato-toupeira-pelado. Eles publicaram um artigo na *Nature* relatando que, em termos de expressão genética – quais genes são ativados e quais são desligados, um barômetro crucial do *status* do envelhecimento – um rato-toupeira-pelado de 20 anos era essencialmente igual a um rato-toupeira-pelado de 4 anos, um jovem adulto. Decididamente, esse não é o caso dos humanos, onde os padrões da expressão genética e metilação do DNA são cada vez mais considerados os "relógios" biológicos do envelhecimento. E isso significava que, em essência, os ratos-toupeira-pelados não estavam envelhecendo – ou, se estavam, o processo era muito lento. Muito, *muito* lento.

> O que não mata...

Mais do que qualquer outro mamífero – até mesmo do que os morcegos de 40 anos ou das baleias-da-groenlândia de 200 anos –, os ratos-toupeira-pelados alcançaram o que os gerontologistas chamam de senescência desprezível. Ou seja, eles praticamente não envelhecem. O que deve ser bem legal.

Mas o que os ratos-toupeira-pelados – e as salamandras das cavernas da Eslovênia – podem nos ensinar sobre o nosso próprio envelhecimento? A resposta pode até mesmo ser "nada", já que esses animais são tão singulares. Não há nenhum fator que podemos transformar em um medicamento, nenhum gene que podemos esperar replicar, pelo menos entre aqueles que encontramos até o momento. Assim como muitas outras coisas referentes ao envelhecimento, a resposta é extremamente complicada (ou, como os cientistas dizem, "multifatorial").

Mas há maneiras surpreendentes através das quais podemos melhorar nossa própria resistência ao estresse e até mesmo a nossa resistência ao câncer. Uma dessas maneiras é o exercício físico, que já conhecemos. Nadar em água gelada... bem, isso também pode entrar na lista. Mas a última dessas maneiras, sim, é a fome – mas não a fome longa, lenta e sofrida pela qual passaram as pessoas da Biosfera 2, que tinham até mesmo que lamber seus pratos (já passamos por isso). O tipo de fome do qual estou falando se encaixa bem com um sanduíche de filé com queijo e cerveja.

CAPÍTULO 13
INDO EM FRENTE

*A barriga é uma miserável ingrata.
Nunca se lembra dos favores que
já lhe fizemos, e sempre pede
mais amanhã.*

Alexsandr Solzhenitsyn,
Um dia na vida de Ivan Denisovich

Entre as pessoas diante da porta quando a Biosfera 2 foi reaberta, em setembro de 1993, estava um jovem estudante de pós-graduação vindo da Itália chamado Valter Longo. Embora trabalhasse no laboratório de Roy Walford, Longo nunca chegou a se encontrar com seu chefe em pessoa, porque, quando chegou na UCLA em 1992, o cientista já estava dentro da "Bolha", mantendo contato com o seu laboratório por videoconferência. Ao observar Walford e seus companheiros saírem pelo portal e aparecerem sob o sol ofuscante do Arizona, Longo ficou horrorizado.

"Quando as pessoas saem da cadeia, elas têm uma aparência normal", lembra ele. "As pessoas da Biosfera pareciam ter saído do inferno. Foi quando eu decidi que talvez a restrição calórica não fosse uma ideia tão boa."

Longo, cuja aparência lembra um pouco o ator Javier Bardem, veio aos Estados Unidos com a intenção de se tornar músico, não cientista. Seu plano era estudar para ser guitarrista de jazz na Universidade do Norte do Texas, que tem um departamento de música mundialmente renomado. Para bancar a faculdade, Longo se alistou nas reservas do exército americano, o que parecia uma carreira bastante segura até que o Iraque invadiu o Kuwait em agosto de 1990. Sua unidade de tanques estava a poucas horas de ser enviada para o Oriente Médio quando a Operação Tempestade no Deserto terminou abruptamente. Posteriormente, a escola pediu a ele que coordenasse a banda marcial, um emprego que ele considerou muito pouco atraente; assim, Longo decidiu mudar de curso para estudar o envelhecimento. Foi desse modo que ele passou a trabalhar no laboratório de Walford na UCLA.

Longo começou trabalhando com leveduras e, logo cedo, fez uma descoberta impressionante: durante um feriado prolongado, ele saiu da cidade e se esqueceu de alimentar a sua colônia de leveduras. Quando voltou, esperava encontrar todas mortas devido à fome, o que não seria um grande problema, pois eram apenas leveduras. Ao retornar ao laboratório, ele descobriu, para sua surpresa, que não apenas suas leveduras estavam vivas, como estavam em ótimas condições.

"Só de brincadeira", em suas próprias palavras, Longo tentou repetir a situação como se fosse um experimento laboratorial de verdade: a restrição calórica levada a um nível absurdamente extremo. Ele pegou uma placa com leveduras, que normalmente vivem em meio a uma espécie de xarope açucarado e, em vez disso, deu a elas somente água. Novamente, as leveduras esfomeadas viveram por mais tempo. "Muito mais tempo", diz Longo. (Sim, até mesmo as leveduras envelhecem e morrem).

O que começou como uma brincadeira agora havia despertado o seu interesse. Por que isso acontecia? E o que isso poderia revelar sobre dietas e o envelhecimento? Talvez o aspecto mais importante da restrição calórica não seja quantas calorias uma criatura consome por dia, pensou ele, mas o que acontece com ela quando *não está* comendo.

Todas as pessoas que já deixaram de fazer uma refeição sabem que nos sentimos diferentes, de algum modo, quando estamos em jejum – às vezes a sensação é pior, outras vezes é melhor. Neste caso, a religião está bem à frente da ciência: muitas fés por todo o mundo incorporam alguma forma de jejum de curto prazo, desde o Ramadã dos muçulmanos até os quarenta dias de Cristo no deserto. Cientistas levaram mais tempo para descobrir que o jejum pode ter benefícios à saúde além dos benefícios morais. Na década de 1940, não muito tempo depois de Clive McCay ter feito seus ratos passarem fome, um cientista chamado Frederick Hoelzel obteve resultados similares em termos de extensão de tempo de vida simplesmente alimentando seus animais de laboratório a cada dois dias. Mas seu artigo publicado em 1946 não recebeu quase nenhuma atenção até décadas mais tarde.

Houve outro estudo, ainda mais fascinante, conduzido na década de 1950 em uma casa de repouso na Espanha. Os médicos da casa dividiram os pacientes aleatoriamente em dois grupos de sessenta pessoas cada. Um dos grupos foi alimentado com o cardápio normal da casa de repouso, enquanto o outro recebeu uma alimentação que se alternava: num dia, eles comiam a quantidade normal; no seguinte, recebiam 50 por cento *a mais*. No decorrer dos três anos seguintes, os médicos encontraram diferenças gritantes entre os dois grupos. Os pacientes alimentados normalmente passaram quase o dobro de dias a mais no hospital quando comparados aos pacientes que se alimentavam com quantidades alternadas de comida, e uma quantidade duas vezes maior deles havia morrido nesse período: treze mortes contra seis.

Ainda assim, esses estudos foram basicamente ignorados até mais ou menos uma década atrás, quando um cirurgião plástico do estado do Mississipi chamado Jim Johnson os descobriu enquanto fazia uma busca num banco de dados eletrônico. Johnson vinha batalhando contra o próprio peso há anos, e estava procurando por uma técnica dietética que o ajudasse a emagrecer de uma vez por todas. "Sou o tipo de pessoa que perde peso e logo volta a engordar", admite ele. Também é fluente em espanhol, e quando leu aquele antigo artigo sobre a casa de repouso (que foi publicado somente em espanhol), ficou empolgado e imaginou se jejuns de curto prazo ou alimentação diferente em dias alternados poderiam ter efeitos mais amplos na saúde humana. Mas ainda não havia quase nenhuma "literatura" recente sobre o assunto.

Johnson acabou chegando a um cientista do NIA chamado Mark Mattson, que estava pesquisando o efeito de jejuns em camundongos. Em 2007, Johnson convenceu Mattson a colaborar com ele em um pequeno experimento com humanos de verdade. Johnson recrutou uma dúzia de voluntários com sobrepeso e também obesos, todos eles com algum grau de asma, um problema de saúde que tem suas raízes em processos inflamatórios. Os voluntários comiam normalmente a cada dois dias, mas, nos outros dias, alimentavam-se apenas com um *shake* que substitui as refeições e fornece apenas 20 por cento da quantidade normal das calorias diárias.

Os voluntários perderam peso, o que não foi algo tão surpreendente, mas os sintomas de asma também desapareceram, talvez porque o jejum houvesse reduzido o nível de inflamação em seus corpos. Ficou claro que o jejum estava fazendo algum bem para esses pacientes, embora pudesse simplesmente ter reduzido sua quantidade de gordura corporal. Estudos feitos em muçulmanos durante o período do Ramadã constataram um efeito similar, e até mesmo o desempenho de atletas muçulmanos parecia melhorar durante o mês em que eles jejuavam durante o dia. Por falar em atletas, o *running back* profissional Herschel Walker tinha a fama de não comer nada nos dias que antecediam as partidas de futebol americano, algo que vai contra toda a sabedoria convencional. Isso não o impediu de conquistar o troféu Heisman – o prêmio dado ao melhor jogador universitário da temporada – e de jogar durante 15 anos na NFL. Mesmo quando já estava com seus quarenta e tantos anos, Walker competia em lutas de MMA, arrasando adversários com metade da sua idade. (Ele já se aposentou desse esporte, o que provavelmente foi uma decisão inteligente).

Para o restante de nós, a ideia de ficar sem comer parece ser torturante, algo que apenas as pessoas devotas de alguma religião podem tentar fazer. Mas Mattson indica que, na realidade, nossos corpos são programados para sobreviver sem comida.

"Se você olhar para a história do ponto de vista evolutivo, nós não costumávamos fazer três refeições por dia acrescidas de petiscos", diz ele. "Nossos ancestrais, e mesmo nossos ancestrais pré-humanos, tinham que passar longos períodos sem comida, e assim os indivíduos que sobreviviam eram aqueles capazes de suportar essa situação."

Intrigado com esses resultados preliminares, Mattson começou a fazer uma dieta baseada no que descobriu e percebeu que não somente períodos curtos sem comida melhoram a saúde física – da mesma forma que a restrição calórica – como também pareciam ser bons para o cérebro. Ele descobriu que os camundongos (e, mais tarde, que os humanos) que comiam em dias alternados tinham níveis mais altos de algo chamado de fator neurotrófico derivado do cérebro, ou BDNF, que promove a saúde e a conectividade dos neurônios, e também ajuda a preservar a memória de longo prazo – e a evitar doenças degenerativas como Alzheimer e Parkinson.

"Quando você está com fome, é melhor que sua mente esteja ativa e pensando em como vai encontrar comida, como competir e como evitar perigos para conseguir alimento em quantidade suficiente para sobreviver", diz Mattson. Em outras palavras, quando estamos com fome, temos vontade de matar alguma coisa. Isso é a evolução trabalhando. Infelizmente, a evolução não nos deu uma força de vontade muito grande quando o assunto é comida. Na verdade, a situação é o oposto. Assim, nem todas as pessoas têm a disciplina necessária para cortar seu consumo de comida em 25 por cento, dia após dia (ei, a maioria de nós não é capaz nem de passar o fio dental regularmente). Há uma razão pela qual o estudo de restrição calórica de Luigi Fontana contou com apenas duas dúzias de participantes. Sim, eles tinham ótimos índices de colesterol, mas será que a maioria de nós estaria disposta a trocar de lugar com eles?

O jejum, por outro lado, tem uma linha de chegada bem definida; existe uma possibilidade de alívio no horizonte depois de um ou dois dias. Jejuar por períodos breves parece trazer muitos dos mesmos benefícios da restrição calórica, e é mais tolerável do que um comprometimento vitalício com a austeridade. "Somente 10 por cento das pessoas são capazes de se colocar num regime de restrição calórica", diz Valter Longo. "Com o jejum, talvez cheguemos a 40 por cento."

Uma das razões pode ser que, como Mattson e outros demonstraram, os jejuns intermitentes – ou, se preferir, a alimentação intermitente – têm benefícios maiores do que a restrição calórica, e esses benefícios parecem ser independentes da quantidade de calorias que a pessoa come. Em outras palavras, você pode comer tanto quanto comia antes; só não pode continuar comendo o tempo inteiro. Parece fácil, não?

O corolário de tudo isso é que não há uma "maneira certa" de fazer o jejum intermitente. Outros pesquisadores descobriram que o emagrecimento e outros benefícios podem ser obtidos a partir de todos os tipos de cronogramas alimentares: desde jejuns em dias alternados (o que parece difícil), jejuar duas vezes por semana e até mesmo o simples ato de deixar de fazer algumas refeições; tantos livros sobre jejuns foram publicados nos últimos anos que é seguro dizer que a alimentação intermitente é algo que está na moda. Mas, diferente de tantas "dietas da moda", existe uma ciência sólida por trás dos jejuns.

Satchin Panda, pesquisador no Scripps Research Institute em San Diego, submeteu camundongos a uma "janela" de alimentação limitada com duração de oito horas e descobriu que eles não ganharam peso algum, mesmo alimentando-se de uma dieta rica em gordura. Para seres humanos, isso se traduz em não tomar o café da manhã, todos os dias. Ou, melhor ainda, em não jantar. Melhor nem pensar nisso. Mas eu cheguei a tentar essa dieta durante algum tempo, e depois que me acostumei com ela (um bom café com leite no início da manhã, e depois mais nada até as 13 horas) até passei a gostar dela. Pelo menos eu era capaz de seguir a dieta, e sinto que perdi peso e me sentia mais alerta durante o período da manhã.

Como uma mulher que praticou jejuns intermitentes durante anos para perder peso me aconselhou, "Eu aprendi a aceitar um pouco de fome".

O que é algo útil de se dizer a si mesmo da próxima vez que você estiver enfurnado em um longo voo sem comida decente. *Aceite a fome*. É um bom estresse, afinal de contas. Somos evolutivamente programados para isso. E, como Longo acabou descobrindo, os benefícios da fome chegam até o nível celular.

∞

Voltando ao seu laboratório, Longo estava tentando compreender por que suas leveduras esfomeadas estavam vivendo por mais tempo e o que isso poderia significar para nós. Indo mais a fundo na biologia molecular da questão – para encurtar uma história longa –, ele acabou destravando uma série de rotas metabólicas que parecem regular a longevidade. No nível celular mais profundo, o metabolismo e a longevidade estão tão entrelaçados que são basicamente inseparáveis.

Essas rotas metabólicas todas derivam de um importante complexo chamado TOR, que talvez possa ser melhor imaginado como o principal interruptor em uma fábrica grande e complexa. Quando o interruptor é ativado, a fábrica (ou seja, a célula) começa a funcionar, transformando aminoácidos nas proteínas, que são os componentes básicos, mensageiros e moeda de troca da vida. O processo é agitado e desorganizado, como a época que antecede o Natal na fábrica do Papai Noel. Quando o interruptor é desligado, a célula passa a funcionar em algo similar a um modo de manutenção, "reciclando" proteínas velhas e danificadas e amplificando a autofagia, livrando-se assim dos refugos que se acumulam nas nossas células no decorrer do tempo – como o mês de janeiro na oficina do Papai Noel.

Em um artigo influente publicado na revista *Science* em 2001, Longo descobriu que bloquear a rota do TOR fazia com que suas leveduras vivessem três vezes mais. Isso o levou a crer que muitos dos efeitos da restrição calórica acontecem porque a falta de proteínas e aminoácidos desativam o TOR – um efeito observado não apenas nas leveduras, mas também em criaturas mais complexas como vermes, moscas e camundongos. (Assim como as sirtuínas, o TOR é "conservado", o que significa que ele está presente em praticamente todas as partes da árvore da vida).

Desativar o TOR também inibe muitas das rotas de crescimento que parecem estar conectadas com o envelhecimento. Com o interruptor do TOR desligado, a produção de proteínas é interrompida e as células não se dividem tão rapidamente, então o animal não cresce. Em vez disso, as células ficam mais "limpas" e saudáveis. Elas também resistem melhor ao estresse e usam o seu combustível de maneira mais eficiente – e assim são menos suscetíveis a danos. É um exemplo clássico de resposta benéfica ao estresse, ou hormese. E faz sentido de um ponto de vista evolutivo: quando a comida é escassa, não faz sentido desperdiçar energia com o crescimento.

Mas depois da sua experiência no laboratório de Roy Walford, Longo não estava tão interessado em restrições dietéticas, o que ele considerava ser "um sofrimento gradual e crônico". Entretanto, da mesma forma que o estresse crônico e prolongado é ruim, um estresse de curto prazo e agudo pode ser bom. Jejuns temporários e limitados se qualificam como estresses de curto prazo – e, de qualquer forma, pareciam desativar o TOR mais completamente do que um corte parcial na ingestão de calorias. Assim, seus efeitos eram mais intensos. "Jejuar é uma estratégia muito mais poderosa do que a restrição calórica", diz Longo. "É como se fosse o mais forte coquetel de remédios."

Mas esses remédios seriam usados para quê?

É aí que a história fica realmente interessante.

Um dia, há cerca de dez anos, Longo recebeu notícias de uma amiga chamada Lizzia Raffaghello, pesquisadora de câncer no Hospital Infantil de Los Angeles. Ela estava com uma jovem paciente, uma garota italiana de 6 ou 7 anos que sofria de um tipo raro de tumor cerebral conhecido como neuroblastoma. Raffaghello queria saber se Longo poderia ajudar a garota de alguma forma. Ele disse que não podia – ele estudava o envelhecimento, não o câncer – e a garotinha faleceu pouco tempo depois.

A morte da menina fez com que Longo começasse a refletir sobre a carreira que escolheu. "Lizzia e eu tivemos muitas discussões sobre se seria correto tentar estender o tempo de vida do ser humano quando uma menina de 7 anos pode morrer de câncer, e não conhecemos nada que possa ajudá-la", lembra ele. Longo não era médico; ele pesquisava leveduras. Mas percebeu que as suas leveduras poderiam ter revelado algo importante sobre a natureza do câncer.

Quando ele diminuiu a dose de alimento que dava às leveduras, elas não somente viveram mais tempo, mas tornaram-se imensamente resistentes a estresses de todo tipo, como o estresse oxidativo causado por radicais livres e exposição a toxinas. Ao mesmo tempo, embora as células dos tumores parecessem invencíveis, ele sabia que esse não era o caso. A razão para isso é que as células cancerosas precisam se alimentar constantemente, empanturrando-se como André, o Gigante, no *buffet* de um cruzeiro oceânico. (Uma das maneiras usadas pelos médicos para localizarem tumores é injetá-los com glicose aditivada com um marcador químico. Os tumores absorvem toda a glicose, iluminando-se com o marcador). Longo percebeu que isso as tornava potencialmente vulneráveis. Como estavam sempre comendo, sempre crescendo, seu TOR estava ativado na potência máxima – e isso *reduzia* sua resistência ao estresse. Em laboratório, ele demonstrou que submeter células cancerosas a doses maiores de estresse, removendo seu alimento, realmente as enfraquecia.

Ele propôs um experimento radical a Raffaghello e seus colegas: pegarem camundongos com câncer e forçá-los a passar fome pelo máximo de tempo que for possível, e depois lhes dar doses gigantescas de medicamentos quimioterápicos, que são (obviamente) altamente tóxicos para todas as células. "Eu ainda lembro de quando apresentei a ideia para um dos seus colegas médicos na Itália", diz ele. "Ele olhou para mim e balançou a cabeça negativamente, achando que essa era a ideia mais imbecil que já ouviu na vida."

Mas os resultados surpreenderam a todos: em alguns dos experimentos, todos os animais que foram forçados a passar fome previamente sobreviveram à quimioterapia, enquanto todos os que foram alimentados normalmente morreram. O jejum de curto prazo parecia ter colocado as células normais dos animais em um estado protegido, enquanto as células dos tumores continuaram mais vulneráveis aos agentes da quimioterapia. Essa "resistência diferencial ao estresse", o nome dado pelos cientistas, poderia tornar as drogas mais eficazes, fazendo com que elas atacassem as próprias células cancerosas, que não conseguiriam se adaptar, ao passo que as células não cancerosas estariam em um estado protegido devido ao jejum. Assim, sofreriam menos efeitos colaterais.

Testar o procedimento em pacientes humanos não foi fácil. Sabe-se há bastante tempo que a restrição calórica crônica protege mamíferos do câncer – como aconteceu com os macacos, afinal de contas –, mas a forte perda de peso que viria como consequência aparentemente eliminaria a possibilidade de que essa técnica fosse usada em pacientes de câncer. Essas pessoas já estavam lutando para manter o peso, especialmente durante a quimioterapia. Os oncologistas se mostravam céticos, e muitos não estavam dispostos a submeter seus pacientes já bastante maltratados a um sofrimento ainda maior. Os pacientes também não ficaram tão empolgados com a ideia, a princípio. "Ninguém quer jejuar, especialmente as pessoas com câncer", diz ele. "Eles retrucam assim: 'O quê? Você está me dizendo para não comer?' Parece estranho para as pessoas."

Os médicos também resistiram à ideia. Mas Longo e um médico em seu laboratório chamado Fernando Safdie conseguiram encontrar dez pacientes em estado avançado de câncer que se dispuseram a experimentar a solução de maneira voluntária. Eles jejuaram entre dois e cinco dias(!) junto com um ciclo de quimioterapia e, surpreendentemente, os dez relataram que os efeitos colaterais do tratamento tinham uma severidade menor depois de jejuarem. Em alguns pacientes a quimioterapia também parecia ser mais eficaz. Era apenas um pequeno estudo piloto, mas os resultados foram suficientemente intrigantes e se transformaram em cinco testes clínicos em maior escala que estão sendo conduzidos atualmente, experimentando jejuns de curto prazo em conjunto com a quimioterapia, cada um com cerca de cem pacientes, na USC, na Clínica Mayo e em Leiden, nos Países Baixos, além de outros locais.

"Pensamos que o mecanismo fundamental, na realidade, é algo que chamo de morte por confusão", explica Longo. "A ideia é que as células normais evoluíram para compreender todos os tipos de ambientes, e as células cancerosas de alguma maneira *involuíram*: são muito boas para desempenhar algumas tarefas, mas de maneira geral não conseguem se adaptar a ambientes diferentes, especialmente se as condições forem extremas."

Células cancerosas são burras, então; e quando jejuamos, as nossas células saudáveis ficam mais inteligentes, ou, pelo menos, mais adaptáveis ao estresse. E não saberíamos de nada disso se alguns turistas não tivessem descoberto a Ilha de Páscoa.

∞

Um território remoto no Oceano Pacífico, a mais de 3 mil quilômetros a oeste do Chile, a Ilha de Páscoa é famosa pelas suas gigantescas e misteriosas estátuas com o formato de cabeças humanas. Na década de 1960, quando o governo chileno estava se preparando para expandir o aeroporto para trazer mais turistas, uma expedição canadense visitou a ilha para colher amostras de solo e de plantas antes que o ecossistema isolado fosse perturbado pelos elementos externos.

Em uma das amostras, os cientistas encontraram uma bactéria até então desconhecida chamada *Streptomyces hygroscopicus*, cujo nome parece o de alguma doença que você pode contrair se usar algum bebedouro de rodoviária, mas que, na verdade, é relativamente benigna – para os seres humanos, pelo menos. No mundo escuro do subsolo, entretanto, uma guerra química é travada entre as bactérias, de um lado, e os fungos, de outro. A penicilina, por exemplo, é produzida por bolores para matar bactérias – daí as suas propriedades antibióticas. As bactérias reagem com seus próprios venenos. Os cientistas canadenses, que trabalhavam para o laboratório farmacêutico Ayerst de Montreal, descobriram que o *Streptomyces hygroscopicus* secreta um composto particularmente intrigante que combate fungos, e o chamaram de *rapamicina*, em homenagem ao nome nativo da Ilha de Páscoa, Rapa Nui.

Inicialmente, a equipe da Ayerst imaginava que a rapamicina seria um medicamento antifúngico em potencial (algo parecido com os talcos para curar pé de atleta), mas, no processo, eles descobriram que a substância tinha efeitos ainda mais poderosos no sistema imune humano, diminuindo a resposta do organismo a invasores. Não somente isso, mas havia sinais de que ela também seria capaz de fazer outras coisas. Entretanto, a Ayerst não demonstrou interesse, e logo fechou o laboratório de Montreal e demitiu a maior parte dos funcionários. O cientista que havia descoberto a rapamicina, Suren Sehgal, foi para Princeton e levou o precioso fungo do solo consigo; para encurtar uma história longa, a rapamicina acabou sendo aprovada para uso pelo FDA como um medicamento para impedir que pacientes transplantados rejeitem seus novos órgãos.

E isso a tornou um medicamento útil, mas relativamente obscuro. No entanto, seu impacto acabou por ir além dos pacientes de transplantes, levando a uma compreensão completamente nova da biologia celular. Pesquisadores que investigam o seu mecanismo de ação, após estudos, descobriram o TOR, o principal fator regulador de crescimento das células. A sigla é formada pelas iniciais em inglês da expressão "alvo da rapamicina".

Em outras palavras, esse estranho composto químico produzido por um organismo microscópico que vive na terra em uma ilha a mais de 3 mil quilômetros de distância do Chile, por obra do acaso, revelou o principal ativador do crescimento para quase todas as formas de vida neste planeta. Não é pouca coisa.

Mas isso foi só o começo. Em um grande estudo publicado em 2009 – exatamente no mesmo dia em que os macacos que passaram por restrição calórica apareceram na primeira página do *New York Times*, diga-se de passagem –, uma equipe de pesquisadores patrocinados pelo NIH descobriu que a rapamicina havia estendido significativamente o tempo de vida de camundongos. Isso era uma descoberta enorme, provavelmente maior do que o estudo com os macacos: nenhuma outra droga havia conseguido estender o tempo de vida *máximo* em animais normais antes – o tempo que os animais mais velhos conseguiam viver. (O resveratrol só havia funcionado em camundongos gordos). E isso confirmou o que o laboratório de Longo havia observado uma década antes: o fato de que desativar o TOR também parecia retardar o envelhecimento.

E não foi somente isso: a rapamicina funcionou mesmo em camundongos que já estavam na meia-idade quando a tomaram. O estudo demorou para começar porque o farmacologista da equipe passou meses tentando encontrar uma forma estável de incluí-lo na ração dos camundongos. Quando conseguiu, os animais já estavam com quase vinte meses de idade, o que, em termos humanos, corresponderia a cerca de 60 anos – velhos demais, de acordo com a sabedoria convencional, para que um medicamento antienvelhecimento consiga fazer algum efeito. Mesmo assim a coisa pareceu funcionar, aumentando tanto o tempo de vida médio quanto o máximo dos animais em 9 por cento para os machos e 14 por cento para as fêmeas. Pode não parecer muito, mas, considerando que o experimento começou em um período tardio, é o equivalente a dar a pessoas de 65 anos um adicional de 6 a 8 anos de vida, ou um aumento de 52 por cento na expectativa de vida remanescente.

Steven Austad foi um dos autores do estudo, e ele percebeu que os camundongos não somente viviam mais tempo, mas seus tendões eram mais elásticos – assim como os gambás de vida longa e que envelheciam mais lentamente estudados por ele há várias décadas na ilha Sapelo. Era um sinal muito bom de que a rapamicina estava realmente retardando o envelhecimento nos camundongos – em todos os lugares, exceto nos testículos, que sofriam uma degeneração misteriosa.

Você provavelmente está pensando que esse medicamento maravilhoso *tinha* que ter algum efeito colateral sério, mas os pesquisadores se debruçaram sobre a rapamicina e não demorou muito para que outras evidências positivas aparecessem. A rapamicina parecia reduzir a incidência de câncer, e havia algo mais interessante: parecia retardar a formação de células senescentes, aqueles maus elementos que se instalam em nosso tecido adiposo e em outros lugares e nos envenenam com suas secreções tóxicas. Ainda mais dramática foi a descoberta em 2013 por Simon Melov e outros cientistas do Instituto Buck, a qual revelou que a rapamicina conseguiu até mesmo reverter o envelhecimento cardíaco em camundongos idosos. Depois de receber um tratamento a base de rapamicina por três meses, seus corações e vasos sanguíneos estavam em condições melhores do que quando o estudo começou. "A função cardíaca deles melhorou em relação aos exames iniciais, efetivamente voltando a um estado melhor, o que foi um resultado impressionante", diz Melov.

Os pesquisadores também descobriram que a rapamicina reduzia o nível de inflamação nos corações dos camundongos – e que talvez estivesse agindo sobre o envelhecimento em um nível mais profundo. "Um dos grandes mistérios do envelhecimento é: por que desenvolvemos essa resposta pró-inflamatória com a idade? Ninguém sabe ao certo", diz Melov. "Descobrimos que o coração está cronicamente inflamado em animais velhos, o que, até onde eu sei, não é nenhuma novidade. E a rapamicina, por incrível que pareça, reduziu essa inflamação."

Ela havia até mesmo melhorado a força dos ossos dos animais. Parecia não haver nada que a rapamicina não fosse capaz de consertar. Aqui estava um medicamento que parecia retardar muitos dos efeitos do envelhecimento – mesmo quando tomada durante a meia-idade ou posteriormente. E já estava aprovada pelo FDA. Por que não experimentá-la? Mesmo assim, embora vários pesquisadores com quem conversei admitissem ter usado o resveratrol – sendo David Sinclair o caso mais notável –, ninguém assumiu que usava rapamicina. Com uma exceção.

∞

Havia talvez duas ou três pessoas em todo o mundo que não estavam surpresas com o fato de a rapamicina estender o tempo de vida, e um deles era um fascinante cientista que emigrou da Rússia chamado Mikhail Blagosklonny. Considerado excêntrico até mesmo quando comparado à média dos pesquisadores do envelhecimento, ele ainda assim é respeitado como um dos pensadores mais originais nesse campo do conhecimento.

Nascido e educado em São Petersburgo, onde recebeu seu mestrado e PhD em pesquisas sobre o câncer, ele atualmente trabalha no Instituto do Câncer Roswell Park em Buffalo, no estado de Nova York, talvez mais próximo do que poderíamos chamar de Sibéria Americana. Em sua base remota, Blagosklonny vem declarando há anos que a rapamicina pode ser a bala de prata que os pesquisadores especializados no envelhecimento vêm procurando. Em um artigo pequeno mas profético publicado em 2006, Blagosklonny previu que a rapamicina provavelmente estenderia o tempo de vida de mamíferos. Três anos depois, os RapaCamundongos provaram que ele tinha razão. Em sua opinião, isso era algo incrível: já existia um medicamento no mercado que havia passado nos testes de segurança e aprovado para uso em pessoas que verdadeiramente parecia refrear o envelhecimento. Além disso, diferente de um medicamento "sujo" como o resveratrol, a rapamicina tinha um alvo molecular altamente específico – e que, por acaso, era a rota de extensão de vida mais potente já descoberta. "É uma sorte extraordinária o fato de um medicamento como esse existir", exulta ele.

Mas a parte realmente interessante era o seu raciocínio, que indicava uma compreensão completamente nova e não intuitiva sobre como o envelhecimento funciona de verdade. Voltando aos meados do século 20, a maioria dos cientistas acreditava que o envelhecimento era o resultado de danos que se acumulavam no decorrer de décadas e que fatalmente levavam à disfunção celular, o que por sua vez causava doenças relacionadas à idade. Basicamente, nossas células se desgastavam até não conseguirem mais funcionar adequadamente. Essa era a razão pela qual o limite de Hayflick existia. O envelhecimento acontece devido à perda de função celular.

Mas, conforme Blagosklonny pensava sobre as células em geral, e as células cancerosas em particular, começou a perceber que, na verdade, o oposto é verdadeiro: muitas das coisas ruins que associamos com o envelhecimento são, na verdade, o produto do excesso de função celular. Ou seja, nossas células e sistemas corporais trabalham *bem demais*. O câncer seria um exemplo óbvio: em vez de morrer, nossas células cancerosas se dividem e crescem ad infinitum – graças às suas rotas hiperativadas de TOR. Mas não era apenas o câncer. Blagosklonny e outros começaram a perceber que muitos outros aspectos do envelhecimento são resultantes não de uma *perda* de função celular, mas de uma função celular *descontrolada*. Em algum momento depois que paramos de crescer, o motor que impulsionou nosso crescimento se transforma no motor do envelhecimento.

"Somos programados para funcionar em um nível elevado porque isso nos dá muitas vantagens no começo da vida", disse Blagosklonny em uma entrevista via Skype (ele não gosta de viajar e evita interações face a face de maneira geral). "Mas depois que o desenvolvimento está concluído, é como se um carro saísse da rodovia e fosse até um estacionamento. Se você dirige o seu carro a 120 quilômetros por hora num estacionamento, ele vai sofrer danos."

Valter Longo concorda, mas com uma ideia ligeiramente diferente: "Os programas otimizados para o crescimento e desenvolvimento não falham. Eles apenas param de contribuir com o problema, pois não têm mais nenhum propósito evolutivo", diz ele. Assim, o envelhecimento não está programado em nós, como August Weissman pensou há mais de um século; é mais parecido com um programa que começa a funcionar inadequadamente, algo que continuou ativo mesmo depois de não ter mais um propósito.

No passado, isso não importava tanto, já que a maioria dos humanos morria antes dos 50 anos. Poucos dentre nós chegavam ao "estacionamento". Agora nós chegamos e a hiperfunção se torna um problema. A hiperfunção é o motivo pelo qual 25 por cento das mulheres com mais de 70 anos são diagnosticadas com câncer de mama, em oposição a somente 2 por cento entre aquelas com menos de 40. É por isso que as mulheres com mais de 50 anos continuam acumulando gordura para alimentar filhos que não podem mais conceber, e também a razão pela qual a próstata masculina continua a crescer durante a meia-idade e a velhice, uma das principais causas da transmissão de comerciais constrangedores na TV sobre o ato de urinar e também do câncer de próstata. A hiperfunção é também a razão pela qual os pelos crescem nas nossas orelhas em vez do alto das nossas cabeças, onde é o seu lugar. E, em nível celular, o crescimento celular continuado leva à senescência celular e à toxificação das nossas células envelhecidas.

Assim, Blagosklonny não ficou tão surpreso com o fato de que a rapamicina havia retardado o envelhecimento nos camundongos. Ele já esperava. Sentia-se incomodado pela impaciência – o medicamento devia ser testado em pessoas imediatamente, em sua opinião. "A questão não é *se* devemos fazer isso, e sim *como*", disse ele. Blagosklonny ficou tão convencido pelo experimento com os camundongos que ele mesmo começou a tomar a rapamicina, uma atitude que deixaria o professor Brown-Séquard orgulhoso. "Funcionou imediatamente – como um placebo", disse ele, em tom de piada. "Depois de cinco minutos, eu me senti muito bem!"

Além desse ponto, sua única evidência de que a rapamicina funciona é o fato de que o seu desempenho em maratonas melhorou visivelmente nos últimos cinco anos desde que ele começou a tomá-la. Mesmo assim, ele não demonstra qualquer dúvida a respeito.

"Algumas pessoas me perguntam: é perigoso tomar rapamicina?", diz ele. "Quero escrever um artigo com o título: 'É mais perigoso *não* tomar rapamicina do que comer em excesso, fumar, beber e dirigir sem cinto de segurança, tudo isso junto'."

O fato de ter lido tudo até aqui significa, é claro, que você é inteligente demais para tomar uma droga forte e possivelmente perigosa apenas porque leu a respeito dela em um livro escrito por um sujeito formado em letras que não tem credenciais para dar conselhos médicos a ninguém. Além disso, embora a rapamicina tenha passado nos testes do FDA, ela só foi aprovada para pacientes transplantados que, de qualquer maneira, já estão bastante doentes. Se a rapamicina deveria ser usada por pessoas saudáveis como medida preventiva contra o envelhecimento? Isso é uma questão totalmente diferente – e uma questão cuja maioria dos especialistas responde negativamente. "Eu gostaria de ver menos efeitos colaterais em uma droga antes que eu comece a tomá-la", disse Randy Strong, o farmacologista da Universidade do Texas em San Antonio que descobriu como fazer os camundongos ingerirem rapamicina.

Um dos motivos é que o medicamento foi aprovado como um potente imunossupressor. Os RapaCamundongos viveram em um ambiente estéril, onde foram expostos a poucos ou nenhum patógeno. Seres humanos, em nosso mundo real infestado de germes, poderiam aumentar o risco de adquirir uma infecção. O segundo motivo pelo qual seria má ideia tomar rapamicina por longos períodos de tempo seria porque a substância parece aumentar a resistência à insulina, o que é uma porta de entrada para o diabetes, algo que obviamente é muito ruim se você espera viver até os 100 anos.

Há algumas evidências de que a rapamicina pode não ser tão ruim – em algumas circunstâncias, por exemplo, ela parece *melhorar* a função imune. Mas a evidência de que a rapamicina retarda o envelhecimento em pessoas simplesmente não surgiu até agora. E, finalmente, o grande obstáculo: para que uma droga funcione contra o envelhecimento, ela tem que ser completamente segura para que pessoas saudáveis a tomem – com risco zero, sem exceções. "Tem que ser mais segura do que a aspirina", diz Strong.

∞

Valter Longo não estava muito interessado em testar a rapamicina em pessoas, muito menos em tomá-la por conta própria; o medicamento parecia funcionar em rotas fundamentais demais da função celular normal para ser usada com segurança. Mas seu trabalho com as leveduras, com o TOR e com pacientes de câncer o levou a pensar mais a fundo sobre o papel de fatores de crescimento na promoção do envelhecimento. Seu laboratório identificou várias drogas que bloqueiam o receptor de hormônios de crescimento e que podem ser adequadas para testes em humanos. "Essa é a chave-geral", diz ele.

Ainda assim, sempre que fazia alguma palestra pública, especialmente na região sul da Califórnia, ele ouvia a mesma pergunta sobre o hormônio de crescimento – às vezes, até mesmo por médicos que prescreviam injeções de HGH para seus pacientes. Longo estava convencido de que isso era uma má ideia, mas as pessoas pareciam não querer ouvir o que ele dizia. Assim, em 2007, ele embarcou num avião com destino ao Equador para encontrar a prova definitiva.

Após algum tempo, Longo estava em um carro que se dirigia para o sul, passando por estradas sinuosas e assustadoras que o levavam para o interior da cordilheira dos Andes. Seu destino era o remoto vilarejo de ruas de terra de San Vicente del Río, onde iria estudar um grupo muito incomum de pessoas. Fazia tempo que ele suspeitava que níveis mais altos de fatores de crescimento resultavam em vidas mais curtas, mas até agora tinha poucas evidências com as quais pudesse trabalhar. Até que ouvi falar sobre o dr. Jaime Guevara-Aguirre, um endocrinologista equatoriano que estava estudando uma população de cerca de cem anões que viviam nas montanhas do sul do Equador.

Chamados de Laron, aquelas pessoas tinham uma mutação genética extremamente rara, similar à encontrada em camundongos-anões (e em chihuahuas também). Devido a essa mutação, suas células não apresentavam receptores de hormônio de crescimento, o que significava que seus corpos eram essencialmente insensíveis a ele. Como resultado, sua estatura era cerca de 1,20 metro, ou menos. Apesar da crença de que a mutação dos receptores de hormônio de crescimento afete apenas cerca de trezentas pessoas por todo o mundo, um grupo de cem dessas pessoas vivia nessa parte remota do Equador, espalhados por vários vilarejos nas montanhas. Localmente, são conhecidos como *viejitos*, ou "velhinhos", porque tendem a ser pequenos e enrugados. Mas, por dentro, essas pessoas não são nada velhas.

Guevara-Aguirre vinha estudando os Laron há mais de vinte anos; na realidade, era o médico de família da comunidade. No início, ficou curioso pelo seu tamanho diminuto, algo que se percebia como uma desvantagem. De fato, talvez como resultado da sua estatura e daquele ambiente remoto e rural, muitos deles bebiam demais e sofriam de problemas de saúde estranhos como resultado. Eles também pareciam se envolver em muitas brigas, o que também provavelmente acontecia devido à sua estatura baixa. Mas, apesar disso, outro padrão interessante se revelou com o tempo: nenhum deles jamais havia morrido de câncer. E nenhum deles tinha diabetes, embora um em cada cinco fosse obeso, uma taxa de incidência muito maior do que a média no Equador. Entre a população local, 20 por cento dos seus parentes não Laron morriam de câncer e pelo menos 5 por cento de diabetes.

Longo suspeitava que a falta de receptores de hormônio de crescimento os tornava imunes ao câncer e ao diabetes. Em laboratório, ele viu padrões similares em camundongos, vermes e até mesmo em leveduras: a "sinalização" de crescimento reduzida para as células de um animal parecia estar fortemente correlacionada com tempos de vida mais longos. Os Laron não necessariamente viviam mais tempo, pois tinham a tendência de morrer devido a fatores como acidentes e convulsões (e também bebedeiras e brigas), mas o que deixou Longo intrigado foi o fato de que, por algum motivo, nenhum deles morria devido a doenças relacionadas à velhice.

"Eles comem tudo o que quiserem, fumam e bebem, e ainda têm uma vida bem longa", disse-me Longo. De fato, desde que sua pesquisa começou, os Laron começaram a comer e beber coisas ainda piores do que estavam acostumados, consumindo quantidades absurdas de refrigerantes e bolos sem qualquer culpa. "Agora eles pensam que são imunes", suspira ele. "Estão ficando mais abusados."

Pelo menos estavam protegidos – diferente dos californianos do sul que insistiam em tomar injeções de hormônio de crescimento, virando a "chave-geral" na direção errada. Mas praticamente todas as pessoas estavam fazendo a mesma coisa, já que o hormônio de crescimento e o IGF podem ser ativados não somente por injeções caras, mas também por, digamos, uma passadinha no McDonald's.

Os milhões de americanos que estavam se empanturrando em dietas com alto teor de carboidratos a base de *fast-food* não estavam injetando coisas em seus corpos como faziam Suzanne Somers ou o dr. Life, mas o efeito seria praticamente o mesmo se o fizessem. Quando ingerimos uma dose grande de açúcar – quando tomamos uma Coca-Cola, por exemplo –, nossos corpos respondem com um aumento na produção de insulina para ajudar a transportar todo esse açúcar para as células. Assim, não apenas várias calorias chegam até as nossas células de gordura, como acontece com Phil Bruno, mas também a resposta à insulina, por sua vez, ativa o bom e velho IGF-1 – o fator de *crescimento* similar à insulina – que corre rumo ao TOR, dizendo-lhe para transformar essas calorias em proteínas, células e crescimento. Isso é bom quando somos jovens, mas, se não formos mais jovens, então isso fará com que coisas ruins comecem a acontecer.

A ideia de Longo se encaixa com muitas das pesquisas mais recentes sobre nutrição, que estão começando a confirmar que o açúcar e os carboidratos são vilões dietéticos muito piores do que a gordura jamais foi, e que a verdadeira epidemia de obesidade, doenças cardíacas e diabetes pode ser encontrada nas montanhas de açúcar que a maioria de nós come a cada ano.

Longo ainda vai um passo mais adiante, e sugere que dietas com alto teor de *proteína* podem ser tão ruins quanto as dietas ricas em carboidrato, e pela mesma razão: o excesso de proteína também ativa os receptores de hormônio de crescimento e o TOR, as duas principais forças por trás do envelhecimento celular. Por meio de um estudo de dezoito anos de duração publicado em março de 2014 em um periódico intitulado *Cell Metabolism,* a equipe de Longo mostrou que pessoas de meia-idade que haviam ingerido uma dieta rica em laticínios e carne tinham uma probabilidade muito maior de morrer de câncer futuramente – e que o consumo muito alto de carne vermelha é algo tão arriscado, do ponto de vista da mortalidade, quanto fumar. Pessoas que ingeriam 10 por cento de proteína em sua dieta ou menos – em contraponto aos 30 por cento recomendados em dietas "saudáveis" como a Dieta da Zona[9] – viviam por mais tempo, em média. E tinham somente um quarto de chance de morrer de câncer quando comparadas aos amantes de carne.

Em vez disso, Longo avalia modelos diferentes de comportamento: os centenários de Molochio, um vilarejo da região da Calábria, no sul da Itália, que foi o local onde seus pais nasceram. Ele fez amizade com um deles, um cantor de 109 anos chamado Salvatore Caruso que ainda vivia de maneira independente – uma versão pastoral de Irving Kahn. A diferença era que Caruso nunca comia pães recheados; alimentava-se com uma dieta muito mais saudável, que consistia de hortaliças verdes, uma dose de massa e um pouco de vinho. A carne é um luxo ocasional. Até mesmo Longo fica impressionado com a pouca quantidade que Caruso consome. A chave da dieta do calabrês, de acordo com Longo, é o seu baixo teor de carboidratos *e também* o seu baixo teor de proteínas – intencionalmente ou não, isso ajuda a manter seus fatores de crescimento e o TOR em níveis aceitáveis, o que efetivamente diminui o ritmo do seu envelhecimento. Ele e sua companheira foram treinados para comer menos, de fato, pela história – pelas guerras, pela pobreza e por crises periódicas de fome.

---

9 Tida como a dieta mais seguida pelos famosos de Hollywood, a Dieta da Zona foi criada por Barry Sears, um cientista norte-americano. Tornou-se popular por supostamente contribuir para a perda de uma quantidade significativa de peso por meio do consumo de gorduras, carboidratos e proteínas em uma proporção específica. (N. dos E.)

"Pessoas com a idade dele, ou com 80, 90 anos, já passaram por períodos difíceis e elas entendem", diz Longo. "Mas o que aconteceu nesses períodos difíceis foi o seguinte: eles estavam jejuando o tempo todo."

Uma razão pela qual o jejum (voluntário) de curto prazo é tão efetivo, de acordo com Longo, é o fato de que ele pode ser ajustado para a fisiologia de cada indivíduo, considerando até mesmo sua tolerância à fome. Mas, na maior parte do tempo, a pessoa ainda come de maneira mais ou menos normal. Longo começou a fazer esses jejuns controlados há cerca de dez anos, diz ele, mais ou menos na mesma época em que começou a trabalhar com os Laron, mas sua motivação foi bem mais básica – uma visita particularmente assustadora ao consultório do seu médico.

"Você acha que está bem saudável, mas, quando observa mais de perto, não está", diz Longo. "Minha pressão arterial, já há dez anos, chegava a 14, meu colesterol estava alto. E essa é a mesma história de metade da população da Europa e talvez de 80 por cento da americana. Você percebe que já passou dos 30 anos, dos 40, e está começando a se transformar num candidato para tomar Lipitor, um candidato para medicamentos para hipertensão, um candidato para medicamentos cardiovasculares... e, quando se dá conta, você é um paciente! E o que estamos percebendo agora é que você não precisa tomar nenhum desses medicamentos. Para 90 por cento das pessoas, você pode se livrar de todos eles, para sempre."

Longo modela sua própria dieta de acordo com os elementos básicos da dieta de Caruso, além do que descobriu com o próprio trabalho. Na maior parte dos dias, ele nem mesmo almoça, e no jantar ingere um prato mais ou menos vegano com baixo teor de proteínas, a base de vegetais projetado para diminuir seus níveis de IGF-1 (não somente para continuar magro como um astro do rock aos 46 anos). Uma ou duas vezes ao ano, ele se submete a um jejum forte durante até quatro dias, ingerindo um mínimo de nutrientes, para dar um "reset" no seu organismo. Ele acredita que essa é a melhor opção, baseado nos estudos feitos com camundongos e humanos, e também porque o plano funciona para ele.

Até mesmo o seu gosto para automóveis reflete essa dicotomia entre ativações e desativações: ele usa um Nissan Leaf para ir trabalhar, um veículo totalmente elétrico e ultraeficiente que também lhe concede o benefício de usar algumas das melhores vagas de estacionamento. Mas, na sua casa em Playa del Rey, há uma Ferrari na garagem.

CAPÍTULO 14
QUEM MEXEU NAS MINHAS CHAVES?

*Vamos passar a noite juntos,
acordar e viver para sempre.*

Jamiroquai

Em uma noite de primavera no ano de 2013, eu concluí algumas entrevistas em Berkeley, entrei no carro que havia alugado e me juntei ao fluxo esclerótico do *rush* noturno na rodovia 880, indo para o lado leste da baía, rumo a San Jose. Estava atrasado, e conforme o trânsito ficava mais lento, eu sentia que o estresse de dirigir naquela rodovia acelerava sutilmente o meu próprio processo de envelhecimento (juntamente com a poluição que eu estava inalando às golfadas). Após algum tempo, a situação melhorou e eu cheguei até um condomínio de escritórios na cidade de Mountain View.

Fui até lá para a reunião mensal de algo chamado de Salão da Extensão de Saúde, um grupo informal de pessoas que vivem na região da Baía de São Francisco que se interessa por pesquisas sobre o envelhecimento. Eu havia participado de vários congressos e conferências sobre o envelhecimento até então; eram eventos tipicamente sérios, frequentados por cientistas e um punhado de gerontologistas amadores autodidatas, em sua maioria com mais de 60 anos, ouvindo palestras que rapidamente degringolavam para a densa sopa de letrinhas que é a biologia molecular moderna. Quando entrei naquele salão, entretanto, eu vi algo que me deixou espantado: *pessoas jovens*.

O salão estava lotado, com mais de 150 pessoas em pé além daquelas que já estavam sentadas. A média de idade parecia estar bem abaixo dos 40; consegui contar as cabeças grisalhas nos dedos de três mãos. O vinho já havia acabado – meu castigo pelo atraso. Como aquele lugar era o coração do Vale do Silício, a plateia pulsava com a energia de pessoas ligadas a *start-ups* de tecnologia: havia dois rapazes usando jaquetas com o logotipo do projeto SpaceX e um rápido passeio pelo lugar confirmou que a empresa anfitriã estava envolvida com alguma coisa no campo da robótica. Mais tarde, conforme prometeu o organizador de cabelos despenteados, Joe Betts-Lacroix, haveria uma competição de "corrida com Twisters", uma atividade que normalmente não costuma acontecer em conferências científicas sobre o envelhecimento. Mas primeiro iríamos ouvir uma palestra sobre células-tronco e gêmeos siameses.

O palestrante que falou naquela noite de fevereiro era um pesquisador da UCSF chamado Saul Villeda, e ele se encaixava muito bem com o resto da plateia. De cabelos escuros e atarracado, era muito mais jovem do que o cientista-supervisor típico. Seu modo de falar era mais parecido com um surfista do sul da Califórnia do que com um acadêmico cheio de jargões técnicos, entremeando suas sentenças com alguns "tipo assim" ocasionais. Mas ele também mostrou ter um talento natural para explicar assuntos complexos para plateias leigas, e quando conversamos em seu escritório, alguns dias depois, ele revelou que havia aperfeiçoado esse talento descrevendo o seu trabalho para os seus pais, que haviam emigrado da Guatemala na década de 1970 sem nenhuma educação formal após o quinto ano primário.

Quando Saul nasceu, em 1981, a família vivia na zona leste de Los Angeles, onde seu pai trabalhava como faxineiro e sua mãe como assistente de enfermagem. Após um bom tempo, eles conseguiram guardar dinheiro suficiente para realizar o sonho americano e comprar uma casa, mas o lugar mais próximo que tiveram condições de pagar ficava longe, em Lancaster, na Califórnia, uma pequena cidade industrial nos arredores do deserto de Mojave. Saul teve um desempenho excelente na escola, com aptidão para ciências, e conseguiu uma bolsa de estudos para se formar na UCLA. Fez sua pós-graduação em Stanford, onde chegou ao laboratório de um professor de neurologia chamado Tony Wyss-Coray.

Junto com outro pesquisador de Stanford chamado Thomas Rando, Wyss-Coray ajudou a reviver a velha técnica de parabiose criada no século 19 – unir os corpos de dois animais de modo que eles compartilhassem um único sistema circulatório. Rando estava interessado em músculos e Wyss-Coray havia começado a observar o efeito do sangue envelhecido no cérebro dos ratos. Villeda ficou em seu laboratório o máximo de tempo que conseguiu.

Recentemente, Villeda estabeleceu seu próprio laboratório no novo Centro de Medicina Regenerativa e Pesquisa de Células-Tronco da UCSF na tenra idade de 32 anos, um fato que o transformou num ponto fora da curva. Por causa das verbas reduzidas, a maioria dos cientistas hoje em dia se considera com sorte se conseguem seus próprios laboratórios antes de chegarem aos 40 ou 45 anos. Uma olhada na história da ciência mostra por que isso é um problema: a maioria das grandes descobertas tende a ser feita por jovens pesquisadores, na casa dos 20 ou 30 anos, quando ainda estão no ápice da sua criatividade, ainda capazes de produzir boas ideias. Einstein, por exemplo, tinha apenas 26 anos quando elaborou sua mais famosa equação, $E = mc^2$.

Uma razão para isso, basicamente, é que cientistas jovens têm cérebros jovens; suas mentes são flexíveis, criativas e ricas em neurônios que os ajudam a criar os tipos de conexões entre fatos observados e até mesmo óbvios e os saltos intuitivos que levam a grandes descobertas científicas. Conforme envelhecemos, até mesmo os pensadores mais inteligentes e criativos parecem se enrijecer e ressecar, esgotando seu repertório de ideias.

E isso, de certa forma, seria o assunto da apresentação de Saul Villeda.

∞

O que a idade faz com os nossos cérebros não é algo bonito. Os problemas advêm do fato deprimente de que, assim como o músculo cardíaco, os neurônios não se regeneram (não muito, de qualquer maneira). Assim, de maneira geral, nós tipicamente perdemos 10 por cento dos nossos neurônios no decorrer da vida. O problema é que também perdemos mais ou menos um quarto das nossas sinapses, as *conexões* entre os neurônios que são cruciais para todos os processos mentais. E não somente isso, mas os nossos próprios neurônios ficam menos conectivos, com menos espinhas dendríticas que nos permitem formar memórias, pensamentos e ideias.

Essa erosão acontece de uma maneira muito, muito lenta a princípio, mas um estudo recente do *BMJ* descobriu que um declínio cognitivo significativo já é evidente em muitas pessoas quando elas chegam aos 40 anos. E não somos o único animal cujo cérebro se degrada com a idade. Até mesmo as moscas-das-frutas perdem a memória. Cientistas testaram essa capacidade expondo as moscas a ameixas e dando-lhes um choque elétrico de intensidade moderada. Quando são expostas a cerejas, as moscas não recebem os choques. Após algum tempo, elas aprendem que cerejas são boas e ameixas são ruins. Em seguida, apenas duas semanas mais tarde – o final da meia-idade para uma mosca-das-frutas – elas esquecem qual é qual. Em uma história parecida, eu passei meses sem conseguir encontrar o controle remoto do meu TiVo.

Os cérebros das moscas-das-frutas têm outra coisa em comum com o nosso: com o passar do tempo, alguns começam a acumular "plaquetas" feitas de refugos celulares entre seus neurônios, algo que as prejudica bastante e às vezes acaba por matá-las. É o mesmo tipo de entulho que o dr. Alois Alzheimer, um médico da Bavária que administrava o Sanatório de Frankfurt, observou no interior do cérebro da sua paciente mais incomum quando ela morreu em 1906, aos 56 anos.

Seu nome era Auguste D. Esposa de um funcionário de uma empresa ferroviária, ela ficou, literalmente, demente. Confusa e desorientada, tinha dificuldade de se lembrar das coisas e sofria de paranoia e alucinações. Auguste D. também acusou o marido de ter um caso com uma vizinha, o que pode ou não ter sido verdade. Ela sabia que estavam no décimo primeiro mês do ano, mas acreditava que o ano em que estavam era 1800, não 1901. "Ela fica sentada na cama com uma expressão de impotência", escreveu Alzheimer em seu prontuário. "Na hora do almoço, ela come couve-flor e carne de porco. Quando lhe perguntam o que está comendo, ela responde *espinafre*."

Depois que ela faleceu, o médico descobriu a razão. Seu cérebro estava em um estado lastimável. Sob o microscópio, ele conseguiu ver que o espaço entre suas células cerebrais estava cheio de plaquetas pegajosas feitas de alguma substância misteriosa. Os próprios neurônios também estavam desordenados, emaranhados como fios de lã retorcidos. A imagem era tão chocante que ele desenhou alguns deles:

Crédito: Bernard Becker Medical Library, Washington University School of Medicine.

Alzheimer estava convicto de que esses emaranhados e plaquetas haviam distorcido o pensamento de Auguste D. Alguns anos depois, a síndrome recebeu o nome de doença de Alzheimer em um influente livro técnico. Mas demorou até o início da década de 1970 para que ela fosse reconhecida como a principal causa do que até então era simplesmente chamado de senilidade. Atualmente, a doença de Alzheimer já é citada no CDC como a sexta maior causa de mortes, mas até mesmo esse número é incorreto, porque muitos pacientes acabam morrendo devido a outros problemas, tais como infecções ou falência cardíaca. Um número próximo de 40 por cento de americanos com mais de 84 anos são afetados pelo Alzheimer. Em 2050, de acordo com a Associação do Alzheimer, o número de americanos vivendo com essa doença pode até mesmo triplicar, chegando a 16 milhões, e os custos para cuidar deles passarão de 1 *trilhão* de dólares.

A estranha substância no cérebro de Auguste D. foi chamada de beta-amiloide, também conhecida como A-beta, uma proteína cuja origem e função exata são relativamente misteriosas. Seja lá qual for sua função, nós produzimos quantidades cada vez maiores dela com a idade, e quando ela se acumula em plaquetas, também se torna tóxica para os neurônios e bastante pró-inflamatória – e associada fortemente com o mal de Alzheimer. No decorrer da última década, mais ou menos, várias grandes empresas farmacêuticas desenvolveram drogas que conseguiram remover A-beta com sucesso de células cerebrais, em placas de laboratório e em camundongos. Só houve um problema: em testes clínicos com pacientes de verdade, essas drogas não funcionaram. Uma ou duas delas fizeram até mesmo com que os resultados dos pacientes *piorassem* em testes de memórias similares aos que eu fui submetido no Estouro ("lula, coentro, serrote...").

Dois candidatos preparados pela empresa farmacêutica Eli Lilly fracassaram nos testes da Fase III – um contratempo para a empresa, mas talvez um passo a frente para a ciência, já que o fiasco vai obrigá-los a olhar de uma maneira nova para essa doença de cem anos. Mais cientistas estão questionando a teoria que diz que a amiloide causa Alzheimer; a revista *Businessweek* chamou o caso de "um cemitério de drogas". Entre mais de duzentos medicamentos potenciais para o Alzheimer que chegaram a ser testados clinicamente desde 2002, somente *um* conseguiu chegar ao mercado, e esse mesmo medicamento, chamado Aricept, é ao mesmo tempo extremamente caro e não tão eficaz. Alguns pesquisadores acreditam que outra proteína tóxica chamada tau, também encontrada nos cérebros de pacientes de Alzheimer, pode ser a verdadeira responsável pela doença. Outros acreditam que a doença começa em algum outro lugar, totalmente diferente – e que exige um método de tratamento diferente. Ou, melhor dizendo, de prevenção.

∞

O que separa as Augustes – as pessoas que ficam dementes logo após os 50 anos, sem qualquer motivo óbvio – dos Irving Kahns do mundo, que continuam a escolher as empresas que se destacarão no mercado de ações após um século de vida? Até que ponto é possível prevenir a degeneração cognitiva?

Uma resposta surpreendente surgiu de um estudo feito com 678 freiras idosas. Pesquisadores da Universidade do Kentucky examinaram os arquivos de um convento e encontraram autobiografias que 180 das freiras haviam escrito quando eram jovens e haviam acabado de entrar para a ordem. Eles analisaram o estilo de redação das mulheres e descobriram que, quanto mais complexas e cheias de nuances fosse a escrita delas, e quanto mais rico fosse seu vocabulário, menor era a propensão que elas tinham de desenvolver o mal de Alzheimer ou outros tipos de demência. As escritoras mais sofisticadas também viviam em média 7 anos a mais do que aquelas que os pesquisadores apelidaram de Listadoras, porque suas histórias de vida se resumiam a pouco mais de listas de nomes, datas e locais. Em autópsias, descobriu-se que os cérebros das melhores escritoras também tinham quantidades menores de amiloide do que os das Listadoras.

Outra observação interessante e relacionada veio do Estouro. Autópsias dos indivíduos que faziam parte do Estouro, por exemplo, descobriram que os cérebros de muitos dos pacientes cognitivamente "intactos", na verdade, estavam carregados com placas e emaranhados de amiloide; tinham uma aparência pior do que a dos cérebros de algumas pessoas que haviam sido diagnosticadas clinicamente com demência. Um estudo britânico encontrou resultados intrigantes similares: um terço dos indivíduos "não dementes" tinha quantidades enormes de refugo em seus cérebros. Por dentro, os cérebros tinham todos os sinais clássicos do Alzheimer clássico. Mesmo assim, eles não haviam desenvolvido nenhum sinal externo da doença. Por quê?

Uma teoria é que as pessoas com mais educação e cérebros mais sofisticados e bem treinados parecem desenvolver o que se chama de reserva cognitiva, assim como atletas de carreira desenvolveram sistemas cardiovasculares mais fortes e mais resistentes ao estresse. A educação e o aprendizado desenvolvem mais rotas neuronais e conexões sinápticas; assim, essas pessoas, com efeito, têm uma zona de reserva que as protege conforme a degeneração se inicia. E também lhes dá mais ferramentas com as quais podem mascarar suas deficiências cognitivas, conscientemente ou não. O envelhecimento está escondido no cérebro dessas pessoas, assim como está escondido em nossos corpos. Mas ele não pode permanecer escondido para sempre. Quando esses pacientes espertalhões fatalmente desenvolvem a doença, ou seja lá o que for, eles tendem a degenerar mais rapidamente.

É uma situação similar à do velho pastor inglês que conhecemos há alguns capítulos, que manteve os músculos das pernas fortes até depois dos 70 anos porque ele as usava todos os dias. O princípio de *Use o que tem ou perca* também se aplica aos nossos cérebros. Um estudo de quase 2 mil pessoas idosas publicado em junho de 2014 no *JAMA Neurology* descobriu que aqueles que haviam usado seus cérebros mais intensamente a partir dos 40 anos conseguiram retardar o início da perda de memória em mais de 10 anos.

Outras pesquisas mostraram que pacientes resistentes ao Alzheimer frequentemente também resistiam à depressão, a qual frequentemente está associada ao envelhecimento do cérebro. Aqueles com um perfil de personalidade mais "resiliente" parecem ter uma capacidade melhor de retardar o declínio cognitivo, independentemente de apresentarem ou não o acúmulo de plaquetas pegajosas no cérebro. Da mesma forma, as freiras otimistas também viviam mais tempo, cerca de 7 anos a mais. Em contraste, as pessimistas geralmente tinham um fim não tão agradável – ou, pelo menos, era o que acontecia com seus cérebros. A depressão vai carcomendo nossas conexões sinápticas, truncando o tamanho da rede neural e corroendo a nossa reserva cognitiva. Da mesma forma, períodos insuficientes de sono fazem praticamente a mesma coisa. Os pesquisadores estão percebendo agora que o sono é algo absolutamente crucial para a saúde do cérebro, especialmente em adultos mais velhos; isso dá às células cerebrais uma oportunidade de eliminar metabólitos tóxicos ou nocivos, que de outra maneira iriam se acumular e desarranjar ainda mais a rede.

Não é surpresa o fato de nos sentirmos meio idiotas pela manhã após termos passado a noite inteira em claro trabalhando ou estudando. Até mesmo o *jet lag* causa uma perturbação forte: em um estudo conduzido na Universidade da Virgínia, cientistas selecionaram um grupo de ratos idosos e avançaram seu ciclo de luz e escuridão em seis horas durante uma semana, e depois em mais seis horas. Em quatro semanas: metade dos ratos estava morta. (E aqui vai um fato chocante: o *jet lag* envelhece as pessoas).

Não sei se essa é uma notícia boa ou ruim, mas há mais coisas que você pode fazer para prevenir a doença de Alzheimer do que medicamentos para tratá-la. Um grande estudo da UCSF publicado em 2011 demonstrou que há sete fatores básicos de risco observados, incluindo diabetes, obesidade na meia-idade (definida como a circunferência de cintura igual ou maior a 99 cm para homens e 91,5 cm para mulheres), hipertensão na meia-idade, tabagismo, depressão, baixo nível educacional e inatividade física; sem essses, metade de todos os casos de Alzheimer poderia ser evitada. E outro estudo recente de longa duração descobriu que pessoas que apresentavam melhor forma física aos 25 anos de idade permaneceram mais cognitivamente "intactas" aos 50.

Mark Mattson, do NIH, acha que há uma boa razão evolutiva para isso: o exercício aguça a memória de modo que possamos nos lembrar melhor que deixamos de lado coisas importantes como fontes de comida, água e materiais de construção enquanto estávamos caçando. Se você esbarrasse com um ponto favorável para caçadas, ou por uma árvore caída, ou por uma nova fonte de água, era importante poder encontrar esse lugar outra vez. Assim, talvez haja uma conexão entre a obsessão ensandecida do meu pai pelo ciclismo – ele pedalou 4 mil quilômetros entre maio e novembro de 2013, mais do que eu consegui pedalar durante o ano inteiro – e o fato de que ele ainda está mentalmente lúcido.

Exercícios menos intensos também parecem causar bons efeitos: um estudo executado cuidadosamente descobriu que uma simples caminhada diária de 20 minutos era o bastante para refrear ou reverter o declínio na cognição de pacientes que já haviam sido diagnosticados com o mal de Alzheimer – uma proeza que poucos medicamentos conseguiram igualar. Há até mesmo um estudo financiado pelo NIH em andamento para determinar se a dança de salão tem algum efeito benéfico na função cerebral de pessoas idosas. Provavelmente é algo seguro para se tentar, sem precisar esperar pela publicação dos resultados dessa pesquisa financiada com o dinheiro dos contribuintes.

Tudo isso sugere que, em parte, a origem da doença possa estar no metabolismo. E também, como Villeda destaca, o exercício modifica o "coquetel" – ou seja, a composição química do nosso sangue – de maneiras que parecem ser favoráveis à saúde dos nossos neurônios. Quando eu me sentia "travado" durante a elaboração deste livro, por exemplo, eu parava de trabalhar e saía para pedalar por uma hora; invariavelmente, ao final da sessão de exercícios, o problema havia sido resolvido. E não somente os neurônios: as "miocinas" produzidas ao exercitar os músculos também viajam pela corrente sanguínea até muitas outras partes do corpo.

O único problema é que esse efeito é temporário. Ainda assim, há uma quantidade enorme de dados que sugerem que o próprio cérebro é muito mais maleável do que imaginávamos – e que até mesmo o seu envelhecimento pode acabar se mostrando reversível. Assim, talvez eu ainda consiga encontrar aquele controle remoto perdido.

∞

Saul Villeda nem sempre acreditou que células cerebrais envelhecidas poderiam ser revividas. No laboratório com Tony Wyss-Coray, ele viu que o sangue de pacientes de Alzheimer era nitidamente diferente do sangue de idosos saudáveis. Assim, a próxima questão era se essas alterações químicas no sangue estariam causando ou promovendo o envelhecimento cognitivo. "O que estamos realmente perguntando em termos de cognição é: 1) existe uma barreira entre o cérebro e o sangue; dessa forma, o sangue chega a ter alguma influência sobre o cérebro? e 2) o sangue envelhecido tem algum efeito sobre um cérebro envelhecido?"

Essa pergunta só poderia ser resolvida através da parabiose. Eles uniram vários pares de camundongos, da mesma forma que Frederick Ludwig fez: velhos com velhos, jovens com jovens, velhos com jovens. Depois que os bichinhos houvessem se acostumado com a presença um do outro e estivessem trocando sangue há algum tempo, eles procurariam por qualquer mudança que houvesse ocorrido nos cérebros dos ratos mais jovens. Vários meses depois, eles encontraram sua resposta, resumida no título do artigo publicado na revista *Nature*: "O meio sistêmico envelhecido regula negativamente a neurogênese e a função cognitiva". Em português simples, eles descobriram que cérebros jovens que foram irrigados com sangue envelhecido (o "meio sistêmico envelhecido") apresentaram um funcionamento ruim, com menos proteção e renovação de neurônios do que deviam ter demonstrado. E isso é deprimente. Sangue velho faz o seu cérebro se despedaçar. Mas em seguida Villeda começou a se perguntar: e o que acontece na outra extremidade? Que efeito o sangue jovem causa em cérebros velhos?

O problema é que é um pouco difícil saber o que acontece no cérebro de um camundongo. Para começo de conversa, não é possível fazer testes cognitivos em um camundongo que está costurado em outro. Assim, Villeda tentou outra estratégia: ele simplesmente retiraria o plasma sanguíneo de camundongos jovens e os injetaria em camundongos velhos; depois, faria os animais velhos passarem por uma bateria de testes mentais. Também não é possível fazer com que camundongos prestem o vestibular. Por isso, ele os colocou em um labirinto de corredores radiais que havia sido preenchido com água leitosa. Logo abaixo da superfície do líquido opaco, havia uma pequena plataforma na qual eles podiam subir para sair da água. "Esses animais *odeiam* se molhar", explicou ele. "São capazes de fazer qualquer coisa para evitar isso."

Antes de qualquer injeção de plasma, os camundongos passaram por um período de treinamento onde aprenderam a encontrar a plataforma de segurança. Em seguida, depois de mais ou menos uma semana, foram jogados de volta no labirinto. Animais jovens foram capazes de encontrar a plataforma quase imediatamente, enquanto os mais velhos andavam de um lado para outro, totalmente desorientados, cometendo até trinta erros de percurso antes de conseguirem encontrar a plataforma seca. "Chegava a ser triste", disse Villeda.

Em seguida, Villeda descobriu algo maravilhoso: depois que os ratos mais velhos foram injetados com o sangue jovem por algumas semanas, eles subitamente foram capazes de encontrar a plataforma novamente, na primeira ou na segunda tentativa. "Alguma coisa nociva está acontecendo com o sangue velho", disse ele. "Existe algo no sangue jovem que estamos perdendo."

Depois que os ratos foram "sacrificados", ele examinou os cérebros dos animais, especialmente os neurônios do hipocampo, a região onde as memórias são formadas. Sob um microscópio eletrônico, neurônios mais jovens aparecem "embaçados", porque têm mais espinhas dendríticas, pequenas ramificações que saem das células e que as ajudam a formar conexões com outros neurônios. Em animais velhos, os dendritos tinham uma quantidade muito menor dessas espinhas, como se elas houvessem sido podadas por um jardineiro bastante zeloso. Isso tornava os neurônios menos conectivos, menos capazes de conectar memórias com pensamentos e ações. Mas nos velhos camundongos que foram injetados com plasma jovem, os neurônios haviam ficado embaçados novamente – o que, obviamente, os ajudou a lembrar e solucionar o labirinto inundado. O sangue jovem havia restaurado seus cérebros envelhecidos.

"Percebemos uma reversão real do declínio causado pela idade", disse-me Villeda, demonstrando ainda estar maravilhado com a descoberta. "Sempre pensei que o envelhecimento era algo como um golpe final – quando você chega a esse ponto, não há como voltar. Não tenho mais tanta certeza de que esse é o caso."

Agora a grande pergunta era a seguinte: *o que* havia no sangue jovem que é capaz de produzir esse efeito?

Os efeitos não apareceram somente no cérebro. Outros estudos descobriram que o sangue de animais mais jovem também parecia rejuvenescer a musculatura e os ossos de animais mais velhos. E Villeda não era o único que estava procurando pela resposta. Do outro lado do país, em Harvard, outra cientista formada em Stanford estava procurando pelo fator preciso que era responsável por esse impressionante efeito rejuvenescedor.

"Não é como se estivéssemos procurando uma agulha num palheiro", disse Amy Wagers, quando nos encontramos em seu escritório, em Boston. "É como procurar por *palha* em um palheiro. Há tantos metabólitos possíveis, ou proteínas, ou fatores, e qualquer um deles poderia ser o que estamos buscando."

Sua procura durou dez anos, desde que ela participou da equipe que ajudou a reviver a técnica da parabiose na primeira década dos anos 2000. Quando estava no pós-doutorado, Wagers trabalhou com Irving Weissman, o renomado biólogo de Stanford que foi o primeiro a isolar células-tronco humanas a partir do sangue; Weissman colaborou com Rando para verificar como o sangue envelhecido afetava a regeneração muscular. Em um artigo revolucionário publicado na *Nature* em 2005, eles relataram que o sangue jovem parecia melhorar a capacidade dos camundongos velhos em curar seus músculos lesionados. Não somente isso, mas seus fígados também haviam se curado milagrosamente. Alguma coisa no sangue mais jovem estava dizendo aos camundongos velhos, em nível celular, para agirem como se fossem "jovens", também, e para regenerarem e se curarem do mesmo modo que acontecia antigamente.

Isso significava que células mais velhas ainda tinham o potencial de florescer e se regenerar, mas a velhice do sangue daqueles animais impedia que isso acontecesse. As implicações eram enormes: significava que éramos capazes de reter a capacidade de regenerar vários tecidos corporais mesmo em idade avançada. O problema era descobrir como ativar esse potencial – encontrando o fator, ou fatores, que podem ser responsáveis. A procura demoraria uma década inteira e ainda não terminou.

Wagers decidiu procurar um possível fator rejuvenescedor: qualquer coisa que exista no sangue jovem que pareça inverter o relógio das células mais velhas. Um cardiologista e pesquisador veterano de células-tronco chamado Richard T. Lee, que já foi seu parceiro de ciclismo (e que conhecemos no capítulo 6), se juntou à equipe dela. Lee estava cansado de ver os corações dos seus pacientes basicamente se desgastarem com a idade conforme chegavam aos 80 anos e além. Ele conseguia tratar pacientes mais novos com estatinas e medicamentos para a pressão arterial, além da utilização de procedimentos como a implantação de *stents* e substituição de válvulas. Mas parecia não haver nada que ele pudesse fazer para resolver os problemas desses pacientes muito velhos. Uma quantidade cada vez maior deles parecia sofrer de algo chamado de falência cardíaca diastólica, na qual o músculo cardíaco ficou tão enrijecido que o ventrículo não consegue se encher adequadamente; até o momento, não existe tratamento conhecido.

"Depois de passar vinte anos observando o problema, cheguei num ponto em que dizia: 'Nah, não tem jeito'", disse ele.

Em seguida, Wagers sugeriu experimentarem a parabiose para ver se o sangue jovem poderia reviver corações idosos. Os resultados preliminares sugeriram que isso seria possível, então eles decidiram tentar encontrar o fator que poderia ser responsável por esse efeito particular. Trabalhando com uma empresa no estado do Colorado chamada SomaLogic, eles conseguiram limitar a busca a treze candidatos, e todos eram fatores relacionados ao crescimento de um tipo ou de outro. Depois de mais análises, um vencedor se destacou claramente dos outros: algo chamado de fator de diferenciação de crescimento 11, ou GDF11, que havia em quantidades abundantes no sangue de camundongos jovens, mas não no de camundongos velhos.

Ainda melhor era o fato de que empresas de biotecnologia já fabricavam o GDF11 para fins de pesquisa, de modo que eles podiam simplesmente comprá-lo e injetá-lo em seus camundongos, algo que realmente fizeram. E, pasme, pareceu ter o mesmo resultado da parabiose, sem que fosse necessário fazer aquela cirurgia bizarra: simplesmente adicionar o GDF11 por algumas semanas fez com que os corações envelhecidos e enrijecidos dos velhos camundongos voltassem ao seu estado normal e juvenil. O procedimento havia revertido o relógio, disseram eles em um artigo publicado em maio de 2013. Isso foi particularmente interessante, porque se pensava que o efeito do "sangue jovem" funcionava predominantemente em células-tronco. Mas o músculo cardíaco não tem muitas células-tronco ativas, então provavelmente havia outras coisas acontecendo. A seguir, eles observaram o efeito do GDF11 em músculos de ratos envelhecidos e descobriram que a substância melhorava a sua condição, também (adeus, sarcopenia!). O mais surpreendente era que ela também parecia melhorar a condição do cérebro dos camundongos velhos, melhorando as condições dos vasos sanguíneos ao redor das células-tronco neurais. Os ratos idosos haviam até mesmo recuperado seu olfato, eles descobriram.

Quando conseguiram seus primeiros resultados, Rich Lee, o velho amigo de Wagers, mandou-lhe um e-mail curto. "Isso pode ser grande."

Ela respondeu: "Eu sei."

Eles tinham razão: os dois estudos foram publicados em maio de 2014, na mesma edição da *Science*, e chegaram às manchetes. Juntamente com um terceiro colaborador, Lee Rubin, Wagers e Lee agora estão buscando possíveis drogas candidatas a ativar de alguma forma o GDF11; já entraram com o pedido de patentes e estão trabalhando com uma empresa de capital de risco para financiar a pesquisa. O objetivo é produzir uma molécula que emule a atividade do GDF11, ou que estimule a sua produção no organismo (O GDF11 em si é volumoso e difícil de injetar todos os dias). Até o momento eles não revelaram muita coisa, mas o potencial é gigantesco: um medicamento capaz de tratar a falência cardíaca, a perda de massa muscular *e também* o Alzheimer, potencialmente.

"Essa proteína conversa com vários tipos de células diferentes em muitos tecidos diferentes", diz Wagers. "Isso é fundamentalmente interessante porque nos diz por que razão pode haver sincronia nas respostas de diferentes tecidos ao envelhecimento."

Mas ela também reconhece que o GDF11 dificilmente seria o fim da história; é mais como o início de um novo capítulo. Dois outros importantes artigos relacionados à parabiose foram publicados na mesma semana em que os artigos de Wagers e Lee: No periódico *Nature Medicine*, Saul Villeda finalmente revelou seus resultados de que o plasma sanguíneo de camundongos jovens parecia restaurar a vivacidade em velhos neurônios. Do outro lado da Baía de São Francisco, em Berkeley, uma cientista russa chamada Irina Conboy, que também havia estudado no laboratório de Tom Rando, relatou um resultado ainda mais intrigante no mesmo dia (foi um dia excelente para a parabiose): músculos velhos pareciam rejuvenescer quando recebiam doses de ocitocina, o "hormônio da confiança" que é associado com o sexo, amor, proteção e parto – que é liberado até mesmo quando você abraça alguém. Além disso, é barato e fácil de conseguir. Não é necessária uma transfusão.

Nem todos estão esperando pela aprovação do FDA: conheço pelo menos um cientista privado que experimentou aplicar injeções de ocitocina em si mesmo, esperando conseguir alguma espécie de efeito rejuvenescedor. (Ainda não recebi nenhuma notícia sobre se a experiência funcionou). E Saul Villeda e seu mentor, Tony Wyss-Coray, de Stanford, estão planejando um pequeno teste clínico que vão executar por conta própria. Em vez de procurar pela "palha no palheiro", eles planejam simplesmente injetar o plasma doado por pessoas com menos de 30 anos em pacientes de Alzheimer em estado avançado, procurando por sinais do efeito rejuvenescedor que Villeda observou em seus camundongos.

Se o experimento tiver sucesso, é possível imaginar todo tipo de cenário assustador, como Donald Trump dando dinheiro a jovens pobres em troca de transfusões de sangue. Assim, é quase possível torcer para que a equipe de Wagers tenha sucesso com o seu comprimido que simule a parabiose.

Nesse meio-tempo, vou tentar conseguir mais abraços.

EPÍLOGO
A MORTE DA
MORTE

> *Milhões de pessoas que anseiam pela imortalidade não sabem o que fazer consigo mesmas em uma tarde chuvosa de domingo.*
>
> Susan Ertz

Esperei bastante tempo para lhe dar a notícia realmente ruim sobre o envelhecimento, mas receio que agora eu precise dizer que você provavelmente tem herpes. E não somente isso, mas há uma chance ainda maior de que a sua mãe também tenha (ou teve). E o seu pai também.

Não se sinta mal: a herpes da qual estou falando não é o tipo que contraímos durante as férias. Em vez disso, é uma porta de entrada para uma das formas mais ignoradas, embora potencialmente letais de envelhecimento: o envelhecimento do nosso sistema imune.

Sobre a doença em si: existem, é claro, muitos tipos diferentes de vírus de herpes, tais como a catapora e o zoster, além do tipo que se contrai por meio de beijos. Mas há outra versão muito mais comum que está presente em pelo menos metade de todos os americanos adultos, e ainda assim (normalmente) não provoca nenhum sintoma. A maioria das pessoas nem sabe que tem a doença.

Chama-se citomegalovírus, que parece ser algo tirado de algum filme de ficção científica. Entretanto, o CMV (como é conhecido) é um dos maiores e mais promíscuos vírus no corpo humano, com um genoma gigantesco que lhe permite atacar praticamente qualquer tipo de célula humana. Geralmente, é um vírus benigno, vivendo dentro de nós sem causar sintomas (às vezes causando uma doença parecida com a mononucleose, embora isso seja relativamente raro). Mas não é o mesmo que ser inofensivo. "Há evidências de que esse vírus pode fazer algumas coisas boas por nós quando somos mais novos, como colocar o sistema imune em um estado maior de alerta", diz Janko Nikolich-Zugich, uma das principais autoridades em envelhecimento imunológico da Universidade do Arizona. "Mas ele cobra o seu preço mais adiante."

O problema advém da maneira na qual o sistema imune humano normalmente funciona – e como ele envelhece. A função das nossas defesas imunes é proteger o corpo dos invasores, dos indesejáveis, dos agressores. Com cada nova infecção, geramos células-T especificamente ajustadas para combater aquela infecção em particular, que são enviadas como tropas de choque para enfrentar a contaminação mais recente. Todas essas células-T emanam do timo, um órgão esponjoso localizado mais ou menos no meio do peito. Se você já teve a oportunidade de comer em um bom restaurante francês, o timo provavelmente estava no menu: é chamado de molejas (ou *ris de veau*). Sempre que o seu corpo encontra alguma nova infecção, nossas molejas produzem células-T para combatê-las – mas, por volta dos 20 anos de idade, sim, você já adivinhou: o timo começa a se atrofiar e a morrer. É uma das primeiras coisas que perdemos, e ele se perde quase completamente. O que é bizarro para um órgão aparentemente tão importante, mas o envelhecimento é assim mesmo: as coisas mais importantes também são as mais vulneráveis.

Claro, essa "involução" do timo é irreversível e, após algum tempo, ele para de responder a novas infecções (embora nosso organismo retenha grupos de células-T que se lembram das infecções que já sofremos). Assim, embora nosso jovem sistema imune seja capaz de lidar com a maioria dos invasores estranhos que encontramos, esses mesmos invasores podem nos matar quando somos mais velhos, se já não os enfrentamos antes. Para exemplificar: meu avô, mesmo sendo bastante robusto, sucumbiu ao que começou como uma infecção simples no trato urinário. O envelhecimento imune é a razão pela qual as pessoas mais velhas devem tomar vacinas contra a gripe; infecções respiratórias não são realmente consideradas doenças do envelhecimento, mas elas matam mais pessoas do que o mal de Alzheimer e afetam os idosos de maneira muito desproporcional.

A razão pela qual o CMV é um problema, de acordo com Janko, é porque há uma quantidade enorme desses vírus, e eles utilizam uma boa quantidade da "largura de banda" do sistema imune, como naquelas ocasiões em que o seu filho adolescente está jogando videogame e utilizando toda a capacidade da conexão à internet, impedindo que você consiga assistir seus filmes pelo Netflix. "Um único vírus pode ocupar metade do seu sistema imune", diz ele. Pessoas infectadas com esse vírus vivem entre 3 e 4 anos a menos, em média. Mesmo assim, os humanos coexistem com o CMV há centenas de milhares de anos. "A coevolução desse vírus conosco é acachapante", diz ele.

Como um bom parceiro evolutivo, o CMV não tinha intenção de nos matar até começarmos a viver mais tempo. No decorrer do tempo, como agora sabemos, o "citomegalomonstro" começa a nos enfraquecer e a nos tornar vulneráveis – não somente a infecções, mas também a outras doenças relacionadas com o envelhecimento. Como um exército invasor hostil, sua presença pode ajudar a ampliar os níveis de inflamação encontrados em adultos mais velhos, o que nos torna suscetíveis a doenças. O CMV, em particular, é fortemente associado com doenças cardiovasculares pré-clínicas, porque ataca as células endoteliais que revestem os vasos sanguíneos, causando inflamações que levam à formação de plaquetas arteriais – nas quais o vírus é encontrado frequentemente, à espreita.

Em outras palavras, é como uma guerrilha, um assunto sobre o qual Nikolich-Zugich conhece algumas coisas, já que cresceu no que antigamente era a Iugoslávia dominada pelo comunismo. Após a queda da União Soviética, ele assistiu o país se fragmentar e percebeu que teria que se dedicar à sua carreira científica em outro lugar. Fugiu para os Estados Unidos para estudar em Tufts e, em Boston, morou com uma família judaica que o seu próprio pai havia ajudado a escapar dos nazistas durante a 2ª Guerra Mundial. Ele acabou chegando na Universidade do Arizona e começou a estudar o sistema imune. Quando o conheci, ele estava coordenando uma discussão sobre possíveis maneiras com as quais poderemos, algum dia, eliminar o envelhecimento do sistema imune, e consequentemente o emprego que ele tem, com uma tacada só.

A ocasião era o sexto congresso bienal do SENS em Cambridge, na Inglaterra, uma conferência promovida a cada dois anos por Aubrey de Grey, o profeta da imortalidade barbudo e bebedor de cerveja, desde 2003. O foco da reunião eram pesquisas que podem ajudar a colocar a complicada estratégia antienvelhecimento de Grey em prática. SENS, lembre, significa "Estratégias a Engenharia da Senescência Desprezível", e nasceu em um momento de epifania para Grey quando ele percebeu que a única maneira de alcançar a verdadeira extensão da longevidade seria alterar a biologia humana fundamental, de modo a ficarmos mais parecidos – em nível celular – com criaturas como o mexilhão de 500 anos, ou as baleias de 200 anos, ou os ratos-toupeira-pelados de 30 anos que praticamente não envelhecem. O simples fato de fazer ajustes no metabolismo – que era e ainda é a metodologia dominante no campo das pesquisas – só vai conseguir nos dar alguns anos a mais, na melhor das hipóteses (e anos nos quais passaremos fome, também).

Em seus primeiros anos, as conferências do SENS eram frequentadas majoritariamente por personagens alternativos, mas pouco a pouco se tornaram mais respeitadas, atraindo cientistas renomados como Nikolich-Zugich. Em sua sessão, ouvimos falar não somente de um, mas de dois pesquisadores bem conhecidos que estavam trabalhando em maneiras concorrentes de estimular o crescimento de novas glândulas do timo em corpos mais velhos. Nenhum dos métodos havia funcionado muito bem até o momento, mas era um começo.

O próprio de Grey já havia evoluído desde sua notória aparição no programa *60 Minutos*: não era mais somente o barbudo do *pub* dizendo coisas malucas a Morley Safer sobre viver por mil anos. Além disso, ele não estava mais afiliado com Cambridge; a universidade o dispensou por ter criado a impressão, intencionalmente ou não, de que ele fazia parte do grupo de professores da instituição. Isso acabou libertando-o, de certa forma, mas uma coisa ainda mais transformadora foi o fato de que agora ele tinha dinheiro para financiar pesquisas de verdade. Isso aconteceu graças à sua mãe, que teve a prudência de comprar dois prédios em Chelsea, uma das áreas de Londres, no início da década de 1960. Quando ela faleceu, em 2011, os imóveis valiam mais de 16 milhões de dólares, e todo o dinheiro ficou para o seu único filho. Aubrey usou uma parte do dinheiro para comprar uma casa para si mesmo nos bosques de Los Gatos, onde agora mora durante parte do tempo com uma das duas namoradas com quem mantém relacionamentos, embora continue casado com sua esposa Adelaide. ("O fato de eu ser poliamoroso é algo bastante conhecido", ele me disse).

Ele injetou o resto dos recursos na Fundação SENS, o que significava que poderia testar suas ideias em laboratório. Por si só, isso já foi um grande passo. Um dos argumentos usados contra ele por muito tempo foi que Grey nunca havia "colocado a mão na massa" de acordo com os procedimentos convencionais da ciência. Agora, tinha recursos para financiar experimentos durante cinco anos. O projeto para a criação de um novo timo era apenas um dos curiosos projetos que os investimentos imobiliários da mãe de Grey haviam ajudado a custear e promover. Havia também uma apresentação interessante sobre como uma salamandra das cavernas mexicana, chamada de axolote, é capaz de regenerar membros decepados, inclusive com o número certo de dedos. Se conseguíssemos ao menos utilizar uma parte desse tipo de poder regenerativo, então não apenas não haveria mais mortes, mas também não precisaríamos mais nos preocupar com dedos cortados nos jantares do Dia de Ação de Graças. Curiosidade: não é de surpreender o fato de que as salamandras das cavernas estão abarrotadas de telomerase. Há relatos também de que elas estão quase extintas em ambientes selvagens, também. Pelo visto, a longevidade não lhes serviu para muita coisa.

Todas as ciências precisam dos seus malucos, dos pesquisadores marginais, daqueles que parecem ter um parafuso a menos; só o tempo vai dizer se Aubrey de Grey é aquele que sempre esteve certo. Já existem sinais de que isso nem tudo é completamente sem sentido. Um desses sinais é o fato de que ele mudou sutilmente um pouco de sua ênfase, de modo que não está mais somente promovendo as estratégias celulares que definiu pela primeira vez em seus manifestos; agora, estava abraçando todo tipo de biotecnologia regenerativa, e existem algumas coisas que são bastante possíveis de se tornar realidade. Exemplo: o projeto do timo, que pode não ser tão absurdo quanto parece.

Em abril de 2014, cientistas europeus conseguiram cultivar glândulas do timo novas e funcionais em camundongos velhos quando restauraram um mecanismo genético geralmente desativado com a idade. O experimento recebeu 9 milhões de dólares em verbas de uma iniciativa gigantesca de pesquisa com financiamento da União Europeia chamada ThymiStem, cujo objetivo era descobrir maneiras de regenerar a glândula do timo em pacientes com sistemas imunes deteriorados. Seus fundadores tinham pacientes de câncer e sobreviventes de quimioterapia em mente, mas esse tratamento teria uma aplicação óbvia em todos os adultos idosos. E conseguiu superar um grande obstáculo rapidamente. Assim, a ideia de que poderemos vir a regenerar ou substituir os nossos órgãos velhos e desgastados de algum modo – durante as vidas das pessoas que estão lendo este livro – não é completamente louca.

No *pub*, à noite, a cerveja e a conversa fluíam livremente. Poucos dos participantes pareciam duvidar que o envelhecimento e a morte algum dia seriam derrotados, e que a tecnologia também resolveria todos os nossos problemas. Quem apresentasse argumentos contrários corria o risco de ser rotulado como "mortista". Houve até mesmo um pequeno protesto contra a escassez de verbas para pesquisas sobre a longevidade, que ocorreu em um *pub* nas proximidades (é claro).

Já vivemos em um mundo onde a biotecnologia é capaz de trazer de volta os nossos animais de estimação queridos e perdidos de alguma forma: certa noite, durante uma refeição no salão de jantar com o teto abobadado do Queen's College, o especialista em finanças que estava ao meu lado me mostrou fotos do seu cachorro clonado. Senti inveja. Diante de nós, havia dois rapazes que ainda não haviam completado 30 anos. Os dois dividiam um apartamento em Londres enquanto trabalhavam no desenvolvimento de um aplicativo para celulares, o que no século 21 equivale a escrever um grande romance.

"Por que vocês estão aqui?", eu perguntei. "Parecem meio jovens para se preocupar com o envelhecimento."

Eles olharam para mim como se eu fosse maluco. "Porque queremos continuar assim!", disse um deles, finalmente. "Você não gostaria?"

Mas a maioria das apresentações da conferência, por outro lado, deixou claro que ainda vai demorar um bom tempo até que a morte se renda. Que diabos, ainda não conseguimos nem mesmo cultivar um timo ainda – um órgão pequeno e simples, com apenas três ou quatro tipos diferentes de células. (Nenhum dos timos regenerados criados até hoje funcionam muito bem). Até que isso aconteça, vou fazer tudo o que puder para prevenir que o meu corpo e a minha saúde se desintegrem – embora não esteja disposto a aderir à preservação criogênica. Não tenho certeza de que quero voltar à vida na condição em que me encontrava no exato momento em que morri.

Mas a verdade é que não existe nada que possa ser definido como uma "cura" para o envelhecimento, muito menos um "segredo" (como tive que explicar a praticamente todos os meus amigos enquanto estava elaborando este livro). A ciência do envelhecimento já conseguiu montar as bordas do quebra-cabeça, mas, parafraseando Philip Roth, ainda não sabemos se a imagem no centro mostra uma batalha ou um massacre. O segredo do envelhecimento? *Use o que tem, ou perca* parece ser a melhor solução até o momento.

Na manhã seguinte ao término da conferência, com a cabeça ainda um pouco embotada após a noite no *pub*, eu abri caminho por entre a multidão que abarrotava o trem e consegui pegar o último assento livre, que por acaso tinha como vizinho um dos meus companheiros de conferência e de noites no *pub*, Sundeep Dhillon, um homem de figura impressionante. Ainda na casa dos 20 anos, havia se tornado a pessoa mais jovem a escalar os Sete Cumes, o circuito dos picos mais altos em cada continente, incluindo o Monte Everest. Em 1996, o ano desastroso registrado no livro *No ar rarefeito* de Jon Krakauer, ele deu meia-volta quando estava a 400 metros do topo do Everest, e enterrou um companheiro de escalada no caminho de volta. Mais recentemente, ele serviu o exército britânico como médico de combate no Iraque e no Afeganistão. Para se divertir, correu na Maratona des Sables, atravessando 225 quilômetros do deserto do Saara. Em Londres, trabalhou como médico especializado em urgência e emergência e também com uma *start-up* especializada em tecnologia de saúde.

Em outras palavras, Dhillon havia passado um bom tempo na fronteira entre a vida e a morte. Perguntei o que ele achou da conferência e ele imediatamente mencionou a última palestra, que tratou dos efeitos das pesquisas sobre o envelhecimento no crescimento populacional. O SENS havia concedido verbas a um demógrafo do Colorado chamado Randall Kuhn para delinear vários cenários de longevidade e seus efeitos prováveis na população mundial – uma das principais objeções daqueles que se opõem às pesquisas sobre a longevidade. Primeiro, vamos às boas notícias: se estivermos falando somente sobre fazer com que as pessoas vivam por mais algum tempo – digamos, até os 100, ou 120, ou mesmo 150 anos –, a população mundial não vai crescer tanto. E isso faz sentido, já que, independentemente do quanto forem saudáveis, pessoas com 100 anos de idade provavelmente não vão mais ter filhos.

Mas o objetivo do SENS não é simplesmente viver um pouco mais, ou ter um pouco mais de saúde; o objetivo é viver por um tempo muito longo, com a saúde em condições perfeitas e juvenis. Na melhor das hipóteses, isso significa que as mulheres não passariam pela menopausa até muito, muito mais tarde – digamos, por volta dos 100 anos – se é que isso chegaria a acontecer. Assim, uma mulher típica poderia ter quatro ou cinco filhos, espalhados por uma vida muito mais longa, em vez da média global de dois pontos e alguma coisa. E isso aumenta enormemente a curva de crescimento populacional.

De acordo com Kuhn, a população mundial já mostra tendência de se estabilizar num patamar de dez bilhões de indivíduos. Atrasar o envelhecimento por algum tempo, como dez ou vinte anos, acrescenta mais um ou dois bilhões. E se a estratégia de senescência desprezível da SENS tiver um sucesso moderado, de acordo com as previsões de Kuhn, a população mundial vai inflar para 17 bilhões em 2080. Mas se acrescentarmos a fertilidade na equação e as pessoas forem capazes de viver o dobro do que vivem atualmente *e continuarem tendo filhos*, então a população mundial chegará aos 100 bilhões de indivíduos no ano 2170. Era algo a se pensar.

Em seguida, havia também os aspectos econômicos. Será que essas novas pessoas idosas iriam sugar todos os recursos do mundo até não restar mais nada? De acordo com Kuhn, a megalongevidade seria um benefício econômico, desde que o limite mínimo para a aposentadoria também fosse estendido – digamos, até os 110 anos, por exemplo. As pessoas seriam muito mais produtivas, per capita. Infelizmente, devido ao aumento da demanda, os preços dos alimentos e da energia chegariam a níveis estratosféricos, com o petróleo chegando a custar 1000 dólares por barril.

"E como será possível alimentar todas essas pessoas?", perguntou alguém. Resposta: se dominarmos a tecnologia para estender o tempo de vida, provavelmente também seremos capazes de cultivar ou criar comida em quantidades suficientes. Talvez cheguemos a viver no deserto?

Eu não tinha tanta certeza, e Sundeep também não. Ele havia visto guerras e não tinha tanta convicção de que queria viver com mais 10 ou 20 bilhões de outras pessoas e uma quantidade finita de terra arável (sem mencionar as reservas de combustíveis fósseis). O que aconteceria com os oceanos? Com o clima? Nenhum de nós compartilhava a crença de que a tecnologia seria capaz de resolver esse problema particular de uma maneira aceitável. Comecei a pensar que, por mais temeroso que seja o envelhecimento, talvez a imortalidade também não seja uma ideia tão atraente.

E havia um aspecto irônico ainda maior, também. A conferência havia celebrado os rebeldes da ciência, os pesquisadores obscuros que lutam para chegar a descobertas revolucionárias, capazes de mudar o mundo (a longevidade extrema certamente se encaixaria nessa descrição). Mas, em seguida, eu pensei na observação ácida, mas sincera, do físico Max Planck: "A ciência avança, um funeral de cada vez".

Isso significa que é somente quando os velhos cientistas e seus dogmas saem de cena é que o progresso realmente ocorre. Se descobrirmos uma maneira de eliminar o envelhecimento, então vamos eliminar os funerais dos cientistas também – na verdade, isso provavelmente será a primeira coisa que vai acontecer. Portanto, como a ciência vai progredir? E se Alexis Carrel houvesse continuado por aí por mais 50 anos? Será que ele ainda estaria celebrando seu dogma comprovadamente fajuto? Será que Len Hayflick ainda estaria trabalhando no porão do Instituto Wistar, resmungando porque suas colônias celulares continuavam morrendo?

Mais especificamente: e se o seu chefe nunca, nunca mesmo, precisasse se aposentar? O que você acha de ficar com a carreira travada no mesmo cargo até os 99 anos de idade?

Quando chegamos a Londres, Sundeep me guiou pela estação lotada de St. Pancras até a linha certa do metrô, e nós nos despedimos. Sábado é o Dia do Futebol na Inglaterra e os metrôs e trens ficam apinhados de fãs de futebol trajados a caráter em toda sua glória, e bem lubrificados com a cerveja, a bebida que melhora e estende a vida. A morte era algo que estava bem longe das suas mentes, como deveria estar longe das nossas cabeças, pelo menos na maior parte do tempo. Mais importante era saber se o Chelsea iria ganhar do Arsenal. Ou se o meu velho amigo John acabaria comigo no campo de golfe (como de costume).

E eu pensei em um trecho que li do filósofo Ernest Becker: "A ideia da morte, o medo que sentimos dela, assombra o animal humano como nenhuma outra coisa; é a mola-mestra da atividade humana – atividade criada principalmente para evitar a fatalidade da morte, para sobrepujá-la, de alguma forma negando que isso é o destino final do homem".

Em outras palavras, quase tudo que fazemos é, em algum nível, motivado pelo conhecimento de que devemos morrer algum dia. É por isso que escrevemos livros, vamos à igreja, temos filhos, praticamos salto com vara aos 60 anos e tentamos nos encontrar na marcha da Trilha da Crista do Pacífico. Ou qualquer outra coisa que inventemos. "A morte", como disse Steve Jobs de maneira precisa e famosa, "é o agente de mudança da vida".

∞

Fiquei surpreso após passar um final de semana com Aubrey de Grey e me senti ligeiramente dividido sobre a extensão da vida. Em meus encontros anteriores com eles, eu me sentia – se não totalmente convencido, pelo menos um tomado por uma curiosidade otimista. Desta vez, eu estava mais hesitante a respeito. Minha conversa com Sundeep continuava a ocupar a minha cabeça. Que tipo de mundo iríamos criar?

Claro, eu gostaria de continuar saudável por bastante tempo e desfrutar da minha vida do mesmo jeito que fazia quando era mais jovem. Isso seria ótimo. Mas eu queria muito mais para a cadela que ainda vivia comigo, Lizzy. Sempre esperei que ela morresse muito antes de Theo. Ela era um bicho selvagem, quase impossível de ser treinado, sempre disparando rumo à floresta atrás de cervos e outras criaturas. Eu imaginei que, mais cedo ou mais tarde, ela seria atropelada por um carro, um destino comum para cães de caça. Não era um problema: eu a havia resgatado literalmente das portas da morte. O dono dela a trouxe até o consultório do meu veterinário para que ela fosse sacrificada pelo crime hediondo de morder um *yorkshire*.

Eu disse que ficaria com ela por um mês, e isso foi há doze anos. Considerei todo o tempo que ela viveu desde então como um bônus.

Todos nós estamos vivendo nessa espécie de bônus de tempo, na verdade. Pense em nossos avós e bisavós que morreram quando chegaram à quarta ou quinta década de vida. Depois do que houve com Theo, entretanto, eu esperava o pior – há muitas pesquisas que mostram que quando um cônjuge morre, o outro o segue pouco tempo depois, e eles já eram praticamente um casal idoso, de qualquer maneira. Assim, eu relaxei as minhas regras, deixando que Lizzy comesse na mesa e ensinando-a a pedir pedaços de borda de pizza. Pelo menos ela está comendo, eu disse a mim mesmo. *De qualquer maneira, ela logo vai partir.*

Na verdade, ela adora comer pedaços de borda de pizza. E sabe pedi-los de maneira muito eficaz e persistente. E continuou vivendo. E vivendo. E vivendo.

Para o seu décimo terceiro aniversário, fui ao mercado e comprei dois pedaços de filé mignon e os grelhei – um para ela e outro para mim. Não muito tempo depois, eu a levei para uma consulta com o dr. Sane, o veterinário, para um *check-up*. "Treze!", exclamou ele, falando diretamente com Lizzy. "Isso é uma proeza, Lizzy. Parabéns, garota!"

Ela estava bem, e o exame de sangue estava totalmente normal. Ela parecia haver incorporado a observação de Tom Kirkwood de que os machos caem mortos enquanto as fêmeas continuam a viver. Imaginei se eu deveria mandar Nir Barzilai começar um estudo com cães centenários e procurar pelos genes de longevidade de Lizzy, porque ela certamente trazia consigo algo que a protegia do câncer que mata a maioria dos cães que chegam a essa idade.

Para usar uma frase de efeito, ela não era nenhuma novinha. Seu rosto havia ficado quase que totalmente branco, deixando-a parecida com um cão-fantasma. As pessoas começaram a nos interpelar na rua outra vez, como costumavam fazer quando ela e Theo eram mais novos. "Quantos anos ela tem?" Pessoas totalmente estranhas se aproximavam e lhe faziam carinhos no focinho esbranquiçado, e às vezes até se curvavam para beijá-la na cabeça, sem dizer uma palavra a mim, e depois iam embora com os olhos úmidos. Eu a amava mais do que nunca.

Num nível mais prático, a vida que levávamos juntos ficou consideravelmente mais lenta. Levamos mais tempo para vencer as escadas que nos levam até o nosso apartamento no quinto andar de um prédio em Nova York, mas ela ainda consegue subir. Em algumas manhãs, ela ainda trotava e saltitava em nosso passeio no início do dia; em outros, ela simplesmente vacilava um pouco e fazia suas necessidades antes de voltar para casa. (Ela sempre ditava a rota). Houve um episódio assustador pouco depois que ela completou treze anos, quando basicamente perdeu o seu senso de equilíbrio e cambaleou como um bêbado (um problema neurológico de causa desconhecida). Eu observei aquilo, sentindo-me impotente, até que o problema acabou se resolvendo sozinho.

Durante todo esse tempo ela recebeu muitos pedaços de borda de pizza, particularmente durante os últimos estágios deste projeto. Eu a teria clonado se tivesse condições financeiras para isso. Mas como meu amigo do cão clonado disse naquela noite no Vale do Silício, o cachorro clonado não seria o mesmo animal. Se pudéssemos descobrir uma maneira de fazer com que os cães vivessem para sempre, eu a inscreveria no projeto imediatamente.

Em relação a mim, eu precisei de um pouco de ajuda também. E isso me levou de volta ao consultório de Nate Lebowitz, quase um ano depois da primeira vez em que entrei lá. O grupo de pessoas na sala de espera era o mesmo: uma mistura enorme de imigrantes e nativos da região de Nova York. Meus índices de colesterol não haviam mudado muito, também – alguns pontos a menos na maioria das medições, e com uma boa dose a mais de HDL, o colesterol bom. Nada mal. Mas Lebowitz tinha um sorriso enorme no rosto. "Que maravilha!", disse ele. No meu prontuário, ele escreveu: IMPRESSIONANTE!

Por que ele estava tão feliz?

Uma olhada mais atenta revelou que eu tinha uma quantidade muito menor de lambretas que transportavam as bombas de LDL circulando pelas minhas artérias (os marcadores ApoB). Enquanto isso, no lado do HDL, eu havia de algum modo adquirido "limpadores" arteriais mais eficientes, que removiam o colesterol e outros refugos das paredes arteriais e os levavam de volta para o fígado para serem reciclados.

Lebowitz quis saber o que eu havia feito para conseguir uma melhora tão notável. Havia tomado Welchol, como ele recomendou? Não. Óleo de peixe? Algumas vezes. Também havia sido mais fiel aos meus percursos de bicicleta, em sua maioria quando tentava acompanhar o meu pai. Havia encontrado um grupo de pessoas com quem podia pedalar regularmente, o que ajudava muito, embora seria bem melhor se as nossas rotas não terminassem com um barril de cerveja. Ainda assim, consegui parar de comer hambúrgueres e batatas fritas, dois dos meus pratos favoritos. (Bem, quase completamente).

Seja lá o que eu tivesse feito, havia funcionado: havia perdido 3,5 quilos também, o que significava muita coisa para mim. "Às vezes, o simples fato de prestar atenção faz a diferença", disse ele. E é verdade.

> Epílogo: A morte da morte?

Agora, enquanto escrevo isso, Lizzy ainda está por aqui. Estamos no final do outono de 2014, uma tarde chuvosa de dezembro, e ela está deitada em sua cama no chão, olhando os pedaços de borda de pizza que sobraram no meu prato. É claro que vou dá-los a ela. Nós recentemente marcamos seu décimo quarto aniversário, o que a qualifica como uma centenária canina – nada mal para uma cadela de mais de 30 quilos. Ela ainda consegue subir as escadas do apartamento e até mesmo pular na minha cama. Às 2 horas da manhã.

Como será que ela conseguiu chegar até aqui? Talvez Lizzy tenha a versão canina dos genes centenários de Irving Kahn, que a protegeram (até agora) do câncer que atingiu seu irmão. Talvez tenha sido a minha decisão, conforme fui aprendendo sobre nutrição e envelhecimento, de gradualmente alimentá-la com porções menores de comida – mas sempre comida boa, saudável – e de nunca alimentá-la em excesso, como foi feito com os macacos em restrição calórica no NIH. Ou, ainda, talvez tenha sido o fato de eu ter levado Lizzy, durante quase todos os dias de sua vida, para uma corrida, uma escalada ou mesmo uma boa longa caminhada. Ela *usou o que tinha, e não o perdeu.*

É possível também que nenhuma dessas hipóteses explique a longevidade de Lizzy. Pode ser que tudo tenha sido pura sorte. Eu seria capaz de pagar qualquer preço por uma pílula que a mantivesse viva por mais três ou quatro anos. Mesmo que essa pílula apareça um dia, será tarde demais.

Olho para Lizzy, imaginando o que está se passando no interior daquele velho corpo, tentando saber como ela está se sentindo. Em anos caninos, tenho a metade da idade dela. Às vezes, ela fica agitada igual um filhote, jogando seus brinquedos pela sala; em outras, ela fica tão enrijecida que mal consegue andar. Ela dorme a maior parte do tempo, e de vez em quando eu me apanho examinando-a para ter certeza de que ela ainda está respirando.

Pela manhã ela acorda lentamente, bocejando e se espreguiçando – mas, em um determinado momento, geralmente quando estou tomando o meu café, ela se aproxima silenciosamente, agitando o rabo tranquilamente, seus olhos me dizendo que chegou a hora do nosso passeio. Eu paro com tudo que estiver fazendo, seja o que for, pego a guia, e saímos para passear, indo na direção do rio, ou em sua rota favorita, inspirando os aromas do mundo que desperta e sabendo que cada dia é um presente.

APÊNDICE
COISAS QUE PODEM FUNCIONAR

Existe uma bala de prata contra o envelhecimento? Ainda não. Mas os seguintes suplementos e medicações vêm sendo indicados como "intervenções" que podem ajudar a melhorar alguns aspectos do processo de envelhecimento. Alguns deles podem até mesmo funcionar. Assim, para satisfazer a sua curiosidade (e também a minha), dei uma olhada nos dados que existem sobre algumas das possibilidades mais interessantes.

Resveratrol

Quando o estudo de David Sinclair sobre o resveratrol em camundongos gordos foi publicado na primeira página do *New York Times* em 2006, a procura por suplementos a base dessa substância bateu no teto. O único problema: quase não havia suplementos a base de resveratrol no mercado. Uma das poucas marcas existentes, chamada de Longevinex, viu seus pedidos se multiplicarem por 2400. Embora o modismo tenha passado, o resveratrol continua a ser um dos suplementos "antienvelhecimento" mais vendidos do mercado.

O resveratrol certamente acumulou uma quantidade impressionante de resultados em laboratório, remontando até mesmo a uma época anterior àquela em que as pessoas ouviram falar de David Sinclair. Quando ele "descobriu" a substância, ela já era bem conhecida por sua capacidade de arrebatar certos tipos de células cancerosas em experimentos. Subsequentemente, demonstrou-se que o resveratrol também era capaz de melhorar a função hepática, o metabolismo, reduzir inflamações, prevenir o desenvolvimento de resistência à insulina e combater alguns dos outros efeitos da obesidade. Ele também parece melhorar a função cardiovascular, tal como em macacos que foram alimentados com uma dieta a base de linguiça e frituras. Mesmo assim, apesar da imensa cobertura da mídia que o resveratrol atraiu durante quase uma década, poucos testes clínicos foram feitos sobre seus efeitos em humanos – contra mais de 5 mil artigos publicados sobre testes feitos em camundongos, vermes, moscas, macacos e leveduras. A maioria dos estudos com humanos foi pequena, com apenas uma ou duas dúzias de indivíduos pesquisados, porque ninguém achou que valeria a pena financiar um estudo clínico amplo e bem documentado com um suplemento não patenteado.

O pior de tudo é que, nesses testes de menor escala, poucos demonstraram efeitos positivos significativos. Nir Barzilai descobriu que o resveratrol aumenta ligeiramente a tolerância à glicose em idosos pré-diabéticos. Dois outros estudos pequenos mostraram ligeiros efeitos benéficos na função cardíaca. Parece que a substância funciona melhor em animais e em humanos obesos ou que têm o metabolismo comprometido; nesses, o resveratrol chega perto de imitar os efeitos da restrição calórica, sem que seja preciso restringir calorias. Mas outros estudos não registraram nenhum efeito na sensibilidade à insulina, na cognição ou em múltiplos parâmetros (pressão arterial etc.), mesmo em pacientes obesos.

A razão para esses resultados decepcionantes pode ter a ver com a maneira pela qual os humanos metabolizam o composto. Mesmo em doses muito altas, uma quantidade muito baixa de resveratrol chega até a nossa corrente sanguínea, porque o organismo o encara como um veneno, e ele acaba sendo aniquilado no fígado. Nos camundongos, o efeito é diferente, mas no corpo humano o resveratrol não dura muito tempo; sua meia-vida é de cerca de duas horas e meia, menos do que o tempo de uma partida de beisebol. Outro problema: nem todos os suplementos vendidos como sendo a base de resveratrol contêm uma quantidade muito grande da substância. Barzilai testou vários deles antes de encontrar um que fosse adequado ao seu estudo: uma análise de 14 suplementos a base de resveratrol em 2012 descobriu que cinco deles continham metade ou menos da quantidade indicada no rótulo, e dois não continham nada.

Isso não será uma boa notícia para as pessoas (além do meu pai) que compram os estoques de suplementos a base de resveratrol vendidos nos Estados Unidos, um mercado avaliado em 75 milhões de dólares anuais. Mas também não é surpresa ao se considerar que todo o mercado de suplementos é uma área sobre a qual o governo federal não exerce praticamente nenhuma regulamentação, graças à lei orwellianamente denominada Lei sobre a Saúde e Educação dos Suplementos Dietéticos de 1994 – que não educa nem promove uma consciência científica sobre a saúde. De acordo com a lei, o FDA não testa nem aprova suplementos dietéticos, o que significa que, como consumidor, você os toma por sua conta e risco. Assim, talvez você prefira começar pelo próximo tópico desta lista.

Álcool

Eis aqui um paradoxo: se beber demais é ruim para você, então por que não beber nada não faz bem? Esse parece ser o caso: uma avalanche de estudos descobriu que, de maneira geral, pessoas que bebem moderadamente estão em condições muito melhor que os abstêmios, particularmente em termos de saúde cardiovascular. Várias razões foram sugeridas para esse fato, mas, conforme analisamos os dados, descobrimos que *o que* uma pessoa bebe importa quase tanto quanto o volume. Ah, e, em alguns casos, quanto mais se bebe, melhor (até um certo ponto, de qualquer maneira). E a melhor coisa para se beber, com uma certa vantagem sobre as outras bebidas, é o vinho tinto.

Todos sabem que o vinho tinto faz bem. Considera-se que esse seja o núcleo do Paradoxo Francês: os franceses comem o equivalente a torresmo e mortadela gorda, mas mesmo assim não engordam nem perdem a saúde como os americanos. Certamente deve haver alguma coisa no vinho tinto que faz bem. Talvez várias coisas.

Mas o resveratrol provavelmente não é uma dessas coisas. A quantidade de resveratrol em uma taça de vinho tinto é minúscula, e, conforme um amplo estudo em pessoas italianas que consomem vinho mostrou, não há muito – e, por vezes, não há nada – resveratrol no sangue, mesmo com um consumo diário de vinho tinto. Descobriu-se que o vinho tinto tem efeitos benéficos sobre o HDL, o colesterol bom, e sobre a pressão arterial; em um estudo extremamente francês, embora realizado no estado de Wisconsin, cientistas injetaram doses de Chateauneuf-du-Pape (safra de 1987) diretamente nas veias de cães e descobriram que isso reduzia a formação de coágulos e melhorava a elasticidade dos seus sistemas circulatórios. Mais curioso ainda, e também de maneira anti-intuitiva, o vinho tinto parece proteger contra a doença de Alzheimer. Em um estudo feito em Bordeaux (onde mais?), descobriu-se que o Alzheimer afeta menos da metade das pessoas que bebem vinho tinto quando comparados a outros que não o bebem. E o estudo da cidade de Copenhague descobriu que os indivíduos que tiveram os melhores resultados no estudo, aqueles que tem metade da probabilidade de morrer quando comparados aos indivíduos do grupo de controle, foram aqueles que relataram beber entre três e cinco taças da bebida. *Por dia*.

Café

Outro paradoxo: há até bem pouco tempo, pensava-se que o café fazia mal. Indubitavelmente, isso se devia ao fato de que o café faz com que as pessoas se sintam bem. E também havia alguma coisa sobre o câncer. Mesmo assim, sem o café, nenhuma tarefa seria concluída por ninguém, em lugar nenhum. Estou tomando a minha terceira xícara hoje, e são 9 horas da noite. O que fazer?

Por sorte, pesquisas recentes estão mostrando que, como sempre, todas as pessoas do passado estavam completamente enganadas. O que acontece é que muitas pessoas bebem café e fumam ao mesmo tempo, ou pelo menos costumavam agir assim; daí o câncer. Quando os cientistas removeram os efeitos do fumo, viram uma imagem muito diferente. Em 2012, um enorme estudo publicado no *New England Journal of Medicine* mostrou que bebedores de café mostravam um risco de mortalidade significativamente menor do que os abstêmios – mas o fato realmente curioso era que, quanto mais café as pessoas tomavam, menos elas morriam. A associação era linear até um determinado ponto, o que sugere que pode haver alguma causa escondida na correlação. (Em particular, parece diminuir o risco de diabetes tipo 2). Entre aqueles que bebiam quatro ou cinco xícaras por dia, o hábito reduzia a mortalidade geral em 12 por cento. O que significa que eu preciso ir preparar mais uma xícara.

Curcumina

O assunto já foi coberto anteriormente neste livro (veja a página 77), mas a curcumina, um ingrediente no tempero conhecido como açafrão-da-terra, ainda é um dos compostos mais cientificamente interessantes que existem – e também um dos mais frustrantes. Em laboratório, ela é capaz de eliminar vários tipos de células cancerosas, e alguns estudos em pequena escala mostraram indícios de efeitos benéficos, tais como no caso de câncer colorretal, por exemplo. Mas a curcumina enfrenta os mesmos problemas de "biodisponibilidade" que o resveratrol, embora de forma mais pronunciada; atualmente, considera-se que a curcumina ingerida com extrato de pimenta-do-reino (digamos, como a que se encontra num belo *curry* indiano) pode funcionar melhor.

Mesmo assim, é preciso ingerir doses enormes. Uma empresa farmacêutica tentou transformá-la em um medicamento que o corpo pode absorver, mas, conforme um profissional da área de farmácia explicou, se alterarmos a molécula para torná-la mais fácil de ser absorvida, a curcumina se torna tóxica.

"Life Extension Mix"

Vendido pela Life Extension Foundation, que publica a revista *Life Extension* e vende uma ampla gama de suplementos, o "Life Extension Mix" é o Cadillac dos suplementos, descrito como "um enorme conjunto de extratos de frutas e legumes, assim como vitaminas solúveis em água e gordura, minerais, aminoácidos e mais". Contém muitos dos compostos "saudáveis" encontrados em legumes como brócolis e batata-doce, sem o inconveniente de precisar cozinhar e comer esses legumes. A lista de ingredientes inclui mais de vinte compostos milagrosos diferentes, incluindo o licopeno dos tomates, o extrato de azeitonas e, é claro, o extrato de mirtilos.

E praticamente todos os outros compostos químicos saudáveis sobre os quais você ouviu falar no jornal. Mas, quando foi analisado pelo cientista Stephen Spindler da Universidade da Califórnia-Riverside, especializado em estudos sobre o tempo de vida de camundongos – basicamente, ele dá vários alimentos diferentes a quantidades enormes de camundongos para ver se eles vivem mais tempo –, o Life Extension Mix fracassou feio. Os resultados de Spindler mostram que esse e vários outros suplementos complexos "diminuíram significativamente o tempo de vida dos camundongos". Que pena.

Metformina

Se você conhece alguém que tem diabetes, ou se você mesmo tem a doença, existe uma probabilidade muito grande de que essa pessoa (ou você) esteja tomando um medicamento chamado metformina, que é vendido com nomes comerciais de Glucophage (e também Glifage, Dimefor, Glucoformin, entre vários outros). É o medicamento mais comumente prescrito para o diabetes, e cada comprimido não custa mais do que alguns centavos. O que provavelmente nem você e nem o seu médico saibam é que a metformina é uma das drogas antienvelhecimento mais promissoras que existem – e também uma das mais misteriosas.

Embora tenha sido descoberta na década de 1920 como um derivado das flores lilases francesas e suas propriedades redutoras de açúcar tenham sido estudadas na década de 1940, a maneira pela qual ela funcionava exatamente foi desconhecida até a década de 1980, quando um jovem estudante israelense que cursava um PhD em Yale chamado Nir Barzilai escreveu sua tese sobre o provável mecanismo de ação da metformina. "Desde então, de tempos em tempos, sempre surge alguém com um novo mecanismo de ação para a metmorfina", brinca ele. "Então, não sabemos ao certo. Mas o que aconteceu com a metformina e que é maravilhoso é o fato de haver muitos estudos que mostram que pessoas que tomam metformina apresentam menos doenças cardiovasculares e cânceres, e alguns cientistas dizem que essas pessoas apresentam até mesmo uma função cognitiva melhor e coisas do tipo."

Em geral, a metformina parece reduzir a produção de glicose no fígado, que é mais ou menos como a Estação Central de todo o metabolismo, sendo assim importante para o processo de envelhecimento. E, no decorrer dos últimos anos, a metformina acumulou um conjunto de resultados impressionantes em estudos, sendo que muitos deles não estavam relacionados ao diabetes. Por exemplo: ela se mostrou capaz de matar células cancerosas (em uma placa de vidro, embora isso não tire o seu mérito), além de reduzir a resposta inflamatória a elas. Mais significativamente, um grande estudo britânico sobre o diabetes descobriu que pessoas que tomavam metformina pareciam ter um risco muito menor de doenças cardiovasculares do que aqueles com outros medicamentos antidiabéticos. Outro artigo relatou que os diabéticos que tomavam metformina também pareciam ter um risco de câncer 30 por cento menor. E este é um dos poucos compostos químicos que comprovadamente estendeu o tempo de vida de camundongos, um animal que é notoriamente difícil de se *longevitizar*. (Essa palavra existe?)

Uma das coisas que se sabe é que a metformina ativa o nosso poderoso amigo AMPK, exatamente como a restrição calórica (e o resveratrol, já que tocamos nesse assunto). Mas, diferente do resveratrol, a metformina também parece aumentar o tempo de vida de camundongos saudáveis. Em um estudo publicado em 2013, Rafa de Cabo descobriu que camundongos alimentados com metmorfina tiveram um aumento de 6 por cento em seu tempo de vida. Um estudo mais amplo sobre o tempo de vida promovido pelo NIA, dentro do mesmo programa que "descobriu" a rapamicina, foi publicado em 2015. Barzilai está trabalhando em um teste clínico com a metformina em pessoas, e não está observando o tempo geral de vida, mas sim os biomarcadores e outros aspectos de interesse: a metformina melhora a função cardiovascular e coisas do tipo? Mas ele já tem dados suficientes que o convenceram.

"Se alguém vier até mim e disser: quero usar um medicamento agora, o que você recomendaria?", diz ele. "Eu recomendaria a metmorfina. Sei como usá-la, conheço sua segurança e conheço os estudos."

Vitamina D

Outro enigma. Já se demonstrou que baixos níveis de vitamina D estão fortemente associados com má saúde e doenças. Antigamente, as crianças eram obrigadas a tomar óleo de fígado de bacalhau para combater o raquitismo, uma doença óssea causada pela falta de vitamina D (que nos ajuda a metabolizar o cálcio). Hoje em dia, a criançada ingere a vitamina D através do leite – embora, aparentemente, não em quantidade suficiente. Problemas de saúde relacionados à falta de vitamina D persistem, especialmente no norte da Europa, nos Estados Unidos e no Canadá, especialmente entre os idosos. Um estudo descobriu que 70 por cento das pessoas brancas nos Estados Unidos tinham níveis insuficientes de vitamina D; o mesmo acontecia com 97 por cento das pessoas negras. O problema é que a vitamina D não é encontrada em muitos alimentos; por isso o hábito de se tomar óleo de fígado de bacalhau.

A vitamina D é importante para a saúde dos ossos, e também para o bom desempenho físico, de maneira geral. Dados do estudo do Women's Health Initiative – o mesmo povo que jogou por terra as terapias de reposição de estrógeno – mostraram que a suplementação com vitamina D e cálcio (já que as duas substâncias têm uma relação simbiótica) ajudaram a reduzir substancialmente o risco de fraturas. A vitamina também melhora a força muscular, e novos dados estão sugerindo que ela pode ajudar a refrear no tipo de proliferação celular que leva ao câncer. A falta de vitamina D também é associada às doenças de Parkinson e Alzheimer. Gordon Lithgow, do Instituto Buck, que está testando centenas de compostos em busca de efeitos antienvelhecimento, acha que os efeitos da vitamina D podem ter um alcance bem mais extenso – em seu laboratório, de acordo com ele, a vitamina já foi capaz de atenuar o envelhecimento (em vermes, mas já é um começo).

Mas outros estudos descobriram que a suplementação isolada não funciona; uma metanálise bem abrangente disse que a vitamina realmente reduz a mortalidade geral, enquanto outra foi inconclusiva. (Em outras palavras, não muito diferente do que aparecem nas notícias de saúde, com argumentos conflitantes). Isso é porque a vitamina D tem que ser ativada no organismo, de acordo com o cientista Michael Holick da Universidade de Boston, que passou 35 anos da sua vida profissional pesquisando a vitamina D. E essa tarefa só pode ser feita pelo sol. Além da suplementação com vitamina D_3 (pelo menos 800 UIs por dia, mais o cálcio), Holick recomenda um pouco de exposição ao sol, algumas vezes por semana – sem o uso de protetor solar.

Aspirina & Ibuprofeno

Já sabemos há décadas que um pouco de aspirina ajuda muito a prevenir ataques cardíacos. O que não sabemos ainda é por que isso acontece. Conforme os cientistas reconhecem cada vez mais a importância da inflamação no envelhecimento e nas doenças, os anti-inflamatórios estão adquirindo uma reputação cada vez melhor (a aspirina e o ibuprofeno – mas não o acetaminofeno, também conhecido como Tylenol, que tem riscos muito maiores para a saúde). Esses medicamentos parecem ajudar com a saúde cardiovascular, o que faz sentido, já que a inflamação é uma condição necessária para formar plaquetas ateroscleróticas. Em um estudo do NIH, a aspirina também aumentou o tempo de vida de camundongos. E também parece estar associada a um risco 44 por cento menor de desenvolvimento do mal de Alzheimer.

Couve

Por que não? Experimente com bacon.

AGRADECIMENTOS

Este livro não seria possível sem os meus pais, William Gifford Jr. e Beverly Baker, que cultivaram o meu amor pela leitura, me estimularam a seguir o que meu coração dizia e também ajudaram a instilar alguns hábitos relativamente saudáveis em mim. Estão perdoados por não me deixarem beber Coca-Cola quando eu era criança. Meus pais também estão com uma saúde excelente, já na sétima década da vida, estabelecendo um precedente bastante interessante para as outras pessoas. Assim, de certa forma, eles foram a inspiração para este livro.

Também não teria sido possível escrever esse livro sem a generosidade de Nir Barzilai, da Faculdade de Medicina Albert Einstein do Bronx, que, com sua colaboradora Ana Maria Cuervo, me convidaram para assistir às aulas do seu curso de pós-graduação sobre a Biologia do Envelhecimento no outono de 2011. Isso fez com que eu, uma pessoa graduada em Letras, pudesse ter um alicerce firme na ciência que eu precisava. Mesmo depois que o curso terminou, Nir mostrou ser um indispensável Virgílio no mundo do envelhecimento, apresentando-me às pessoas que eu precisava conhecer e me dando orientações bastante úteis.

Sou grato a outros cientistas ocupados que me concederam seu tempo e me deixaram infernizar sua paciência, incluindo Rafael de Cabo, Mark Mattson, Luigi Ferrucci e Felipe Sierra do Instituto Nacional do Envelhecimento; David Sinclair, Amy Wagers e Rich Lee de Harvard; Brian Kennedy, Judith Campisi, Gordon Lithgow, Simon Melov e Pankaj Kapahi do Instituto Buck para Pesquisas sobre o Envelhecimento em Marin County; Steven Austad, Veronica Galvan, Randy Strong,

> Jovem para sempre (ou morra tentando)

Jim Nelson e Rochelle Buffenstein (a moça dos ratos-toupeira-pelados) do Centro Barshop para Pesquisas sobre o Envelhecimento em San Antonio; Valter Longo, Tuck Finch e Pinchas Cohen da USC; James Kirkland e Nathan LeBrasseur da Mayo Clinic; Saul Villeda da UCSF; Donald Ingram da LSU; e Jay Olshansky da Universidade de Illinois-Chicago. E também a Leonard Hayflick, um excelente cientista e ser humano inigualável que tive o prazer de conhecer. E não posso esquecer de citar Aubrey de Grey, que também é *sui generis*.

Como qualquer jornalista sabe, algumas das pessoas mais atenciosas que você conhece quando está escrevendo uma história são os amadores apaixonados por um assunto, os observadores hiperinformados que ficam sentados à margem do campo, aqueles que sabem o que você precisa saber. Para mim, essa função foi desempenhada pelo incansável Bill Vaughan e o onipresente John Furber, entre outros. Eleanor Simonsick do NIA também ajudou a orientar a minha pesquisa e o meu pensamento, e embora não quisesse ser citada, ela não disse que eu não poderia agradecê-la. Michael Rae também ajudou bastante. O dr. Nate Lebowitz me ajudou a navegar pelo mundo assombroso da cardiologia prática, e Charles Ducker me ajudou a compreender bioquímica, o que não foi tarefa fácil. Finalmente, eu tiro o meu chapéu em admiração para Ron Gray, Howard Booth e Jeanne Daprano, atletas extraordinários em qualquer idade.

Meus agentes, Larry Weissman e Sascha Alper, me deram estímulos, algumas broncas ocasionais para me fazer voltar ao trabalho e um título fenomenal. Na editora Grand Central, Ben Greenberg assumiu a responsabilidade de não tornar este livro em mais uma obra triste e entediante sobre o envelhecimento, e Maddie Caldwell, Yasmin Mathew, Liz Connor e toda a esforçada equipe da editora que colocou tudo em movimento. Agradeço também ao talentoso Oliver Munday por uma capa fantástica e ilustrações divertidas.

Compartilhei o original com amigos fieis, incluindo Jack Shafer, Weston Kosova, Alex Heard, Chris McDougall, David Howard, Jennifer Veser Bessee e Christine Hanna, que também me ofereceu seu quarto de hóspedes na área da Baía de São Francisco. Obrigado também a meus anfitriões Steve Rodrick e Jerry Hawke. Comiserações amistosas me foram oferecidas em vários momentos por Jason Fagone, Carl Hoffman, Gabe Sherman, Brendan Koerner, Ben Wallace, Josh Dean e Max Potter. Obrigado também aos editores que apoiaram o projeto com pautas focadas no envelhecimento, incluindo Glenda Bailey do *Harper's Bazaar*, Chris Keyes e Alex Heard do *Outside*, Laura Helmuth da *Slate* e Michael Shaffer do *The New Republic*.

Finalmente, isso seria um livro muito pior, com um autor muito menos feliz sem a minha namorada maravilhosa, companheira e muito inteligente, Elizabeth Hummer, que aguentou minhas ausências frequentes e minhas mudanças de humor que eram ainda mais frequentes.

E, é claro, obrigado também a Lizzy, a cadela, que continua comigo.

NOTAS E FONTES

Prólogo: O Elixir

p. 11 – *"de longe o mais pitoresco"*: William H. Taylor, "Old days at the old college", in *The old dominion journal of medicine & surgery*, vol. 17, no. 2, agosto de 1913. Taylor pode ou não ter sido o aluno que descobriu Brown-Séquard após o professor se pintar com verniz.

p. 13 – *"talvez sofresse de transtorno bipolar"*: muitos detalhes da vida de Brown-Séquard vieram do incrível trabalho do biógrafo Michael Aminoff, autor de *Brown-Séquard, an improbable genius who transformed medicine*. Nova York: Oxford University Press, 2010.

p.13 – *"em primeiro de junho de 1889"*: Charles Edouard Brown-Séquard, "The effects produced on man by subcutaneous injections of a liquid obtained from the testicles of animals", *The Lancet*, 20 de julho de 1889.

p. 15 – *"do jovem Elvis Presley"*: a história de Brinkley é recontada com uma verve incrível na excelente obra de Pope Brock, *Charlatan: America's most dangerous huckster, the man who pursued him, and the age of Flim-Flam*. Nova York: Crown, 2008.

Capítulo 1: Irmãos

p. 20 – *"os ingredientes verdadeiros do creme custam cerca de 100 dólares"*: Buchanan foi contratado para fazer a análise pelo jornal *Daily Mail*, do Reino Unido. O artigo resultante surgiu na edição de 4 de fevereiro de 2010.

p. 20 – *"10 mil membros da geração dos Baby boomers estarão celebrando seu sexagésimo quinto aniversário"*: este número foi usado pela Administração de Seguridade Social dos Estados Unidos em seu Plano Anual de Desempenho para o Ano Fiscal de 2012.

p. 22 – *"do que a morte devido à velhice"*: Michel de Montaigne, "Estudar filosofia é aprender a morrer". *Ensaios*. Tradução de Charles Cotton, 1877.

Capítulo 2: A era do envelhecimento

p. 26 – *"a principal causa de morte entre os americanos"*: Centro para o Controle de Doenças, "Leading Causes of Death, 1900-1998".

p. 27 – *"uma expectativa de vida de aproximadamente 77 anos"*: outras agências, tais como a CIA e as Nações Unidas, chegaram a números ligeiramente diferentes, mas eles tendem a oscilar entre 76 e 78 anos para homens e 80 a 82 para mulheres. De maneira geral, o líder isolado é o Japão, onde as mulheres podem esperar viver até o final da casa dos 80 anos, estatisticamente.

p. 27 – *"seu 105º aniversário"*: James Vaupel, em comunicação pessoal.

p. 28 – *"dúvidas começaram a surgir"*: a história do Velho Parr foi contada em muitos lugares, mas a primeira vez que li a seu respeito foi no excelente livro do biólogo evolutivo Stephen Austad, *Why we age: what science is discovering about the body's journey through life*. Nova York: J. Wiley & Sons, 1997.

p. 28 – *"uma francesa sem nenhuma outra característica notável"*: Craig R. Whitney, "Jeanne Calment, World's Elder, dies at 122", *The New York Times*, 5 de agosto de 1997.

p. 30 – *"remontando até o século 18, na Suécia"*: essa, de fato, é a origem das "estatísticas", termo que significa "números a serviço do estado". O rei sueco exigia registros exatos da população para saber quantos soldados em potencial ele tinha à sua disposição, caso desejasse ensinar uma lição àqueles noruegueses de uma vez por todas.

p. 30 – *"num ritmo constante de cerca de 2,4 anos por década"*: Jim Oeppen e James W. Vaupel, "Broken limits to life expectancy", *Science*, 296 (5570), 1029-1031.

p. 32 – *"os 90 de hoje também podem ser os 80 de ontem"*: Kaare Christensen et al. "Physical and cognitive functioning of people older than 90 years: a comparison of two Danish cohorts born 10 years apart," *The Lancet*, 11 de julho de 2013. http://dx.doi.org/10.1016/ S0140-6736(13)60777-1.

p. 33 – *"que comece a declinar em alguns países"*: S. Jay Olshansky, et al., "A potential decline in life expectancy in the United States in the 21st century," *New England Journal of Medicine*, 352;11, 17 de março de 2005. 1138-45. Posteriormente, Olshansky revisou suas previsões em 2010, destacando que em várias regiões dos Estados Unidos as expectativas de vida já começaram a declinar.

p. 34 – *"Olshansky declarou com bastante convicção"*: S. J. Olshansky, et al. (1990). "In search of Methuselah: estimating the upper limits to human longevity." *Science*, 250(4981): 634-640.

p. 35 – *"menor do que a da Guatemala"*: David A. Kindig and Erika R. Cheng, "Even as mortality fell in most US Counties, female mortality nonetheless rose in 42.8 percent of counties from 1992 to 2006," *Health Affairs*, 32, no.3 (2013): 451-458.

p. 35 – *"os 40 de hoje são os 60 de ontem"*: Uri Ladabaum, et al., "Obesity, abdominal obesity, physical activity, and caloric intake in US adults: 1988 to 2010." *American Journal of Medicine,* 127(8):717-727, agosto de 2014. Dados similares foram publicados em diversos outros estudos, particularmente os que tratam da geração do *baby boom*.

p. 35 – *"devido ao seu grande número de pessoas centenárias"*: As "zonas azuis" identificadas pelos demógrafos incluem não somente Okinawa, mas também a Sardenha, uma parte da Costa Rica e Loma Linda, na Califórnia, lar de um grande contingente de adventistas do Sétimo Dia. Dan Buettner, *The blue zones: 9 lessons for living longer from the people who've lived the longest*. Washington, D.C., National Geographic, 2012.

p. 37 – *"vidas que durariam 5 mil anos ou mais"*: Grey fez uma gama bastante ampla de previsões sobre tempos de vida e as publicou: a cifra de 5 mil anos é citada em "Extrapolaholics Anonymous: why demographers rejections of a huge rise in life expectancy in this century are overconfident," *Annals of the New York Academy of Sciences*, 1067: 83–93 (2006).

p. 38 – *"seu programa, que ele chamou de SENS"*: Grey descreveu sua ideia diante de um grupo de cientistas que estudavam o envelhecimento pela primeira vez em 2000; após algum tempo a palestra foi publicada como Grey et al. "Time to talk SENS: critiquing the immutability of human aging," *Annals of the New York Academy of Sciences*, 959:452-62 (2006). Ele explora e descreve suas teorias em *Ending aging: the rejuvenation breakthroughs that could reverse human aging in our lifetime* (Nova York, St. Martin's Press, 2007), que é ao mesmo tempo bastante detalhada e relativamente acessível.

p. 38 – *"ideia de um cientista de Cambridge que diz que pode nos ajudar a viver para sempre"*: Huber Warner et al., "Science fact and the SENS agenda," em *EMBO Reports*, (2005) 6, 1006-1008. Tentativas subsequentes de derrubar as teorias de Grey apareceram na edição de fevereiro de 2005 do *MIT Technology Review*, incluindo um editorial que o chamava de um "troll" que opinava: "mesmo se fosse possível 'perturbar' a biologia humana da maneira que Grey deseja, não deveríamos fazer isso". Para se ter uma ideia do estilo do homem, procure por "Aubrey de Grey debates" no YouTube e você logo vai descobrir por que ele enlouquece seus críticos.

p. 40 – *"trinta World Trade Centers todos os dias"*: Aubrey de Grey, *Ending aging*. As ideias de Grey e sua visão singular sobre o mundo são explorados no excelente livro de Jonathan Weiner, *Long for this world: the strange science of immortality* (Nova York, Ecco Press, 2010), uma leitura muito interessante para aqueles que se interessam pela biologia celular profunda do envelhecimento.

p. 40 – *"desde mais ou menos 1952"*: isso foi dito pelo excelentíssimo Leonard Hayflick em um ensaio fabuloso. Hayflick, L., et al. *Has anyone ever died of old age*? Nova York: International Longevity Center-USA, 2003.

p. 40 – *"dobra aproximadamente a cada oito anos"*: Benjamin Gompertz, "On the nature of the function expressive of the law of human mortality, and on a new mode of determining the value of life contingencies", *Philosophical Transactions of the Royal Society*, Londres, 1 de janeiro de 1825.

p. 42 – *"duração média de vida"*: Pew Research Center, "Living to 120 and beyond: americans' views on aging, medical advances, and radical life extension," Washington, D.C., 2013. http://www.pewforum.org/2013/08/06/living-to-120-and-beyond-americans-views-on-aging-medical-advances-and-radical-life-extension/.

Capítulo 3: A fonte da juventude

p. 44 – *"sou meu próprio experimento"*: você pode acompanhar o começo da fascinante palestra de Somers na A4M neste link: www.youtube.com/watch?v=hqst6op9wuI.

p. 45 – *"Klatz e Goldman reagiram a isso processando"*: o processo foi amplamente coberto pela mídia quando os reclamantes entraram na justiça, por publicações como o *Chicago Tribune*, *Inside Higher Ed* etc.

p. 47 – *"o próprio Adolf Hitler"*: a droga, juntamente com outras, foi administrada pelo médico pessoal de Hitler, o dr. Theodor Morell, e descrita em seus diários. Seu uso de esteroides é descrito em *Steroids: a new look at performance-enhancing drugs*, de Rob Beamish (Praeger, 2011).

p. 47 – *"oncologistas renegados"*: tanto Stanislaw Burzynski quanto Richard Gonzalez têm históricos longos e controversos que precisariam de um capítulo inteiro para serem destrinchados. Em resumo, os tratamentos de Burzynski, que tem sua clínica em Houston, envolvem a administração das chamadas "neoplastonas", substâncias isoladas da urina humana que, segundo ele afirma, são capazes de curar muitos cânceres incuráveis. Como as antineoplastonas não foram aprovadas pelo FDA (ou validadas por pesquisadores independentes), Burzynski recrutou seus pacientes em testes clínicos, o que permitiu que eles recebessem as neoplastonas, mas os inspetores do FDA descobriram vários problemas com a condução dos testes e enviaram múltiplas cartas de advertências: poucos resultados, se é que houve algum, chegaram a ser publicados, de acordo com o jornal *USA Today*, que fez reportagens extensas sobre suas atividades (por exemplo, "Médico acusado de vender falsa esperança a pacientes de câncer", por Liz Szabo, 8 de julho de 2014). Gonzalez, com sua clínica em Nova York, por outro lado, trata seus pacientes com um regime complicado que inclui uma dieta personalizada, lavagens intestinais a base de café (para "detoxificação") e até 150 suplementos por dia. (Parece familiar?) Um teste clínico patrocinado pelo NIH em pacientes com câncer pancreático inoperável demonstrou que pacientes tratados no programa de Gonzalez viviam em média por 4,3 meses, contra 14 meses para aqueles que se submetiam à quimioterapia tradicional; além disso, os pacientes da quimioterapia relatavam melhor qualidade de vida. Gonzalez foi o assunto de uma matéria feita por Michael Specter no *The New Yorker*, "The outlaw doctor", publicado em 5 de fevereiro de 2001.

p. 47 – *"Conversa de maluco"*: "Why health Advice on 'Oprah' could make you sick," Weston Kosova e Pat Wingert, *Newsweek*, 29 de maio de 2009. Vale a pena ler.

p. 48 – *"um enorme estudo promovido pela Women's Health Initiative"*: para conhecer o artigo original, procure "Risks and benefits of estrogen plus progestin in healthy postmenopausal women: principal results from the Women's Health Initiative Randomized Controlled Trial". *JAMA*, 2002;288(3):321-333 (disponível online gratuitamente em http://jama.jamanetwork.com/article.aspx?articleid=195120). O estudo foi criticado com base em vários argumentos, um dos quais era o de que o experimento foi focado em mulheres com idade muito superior a 50 anos quando começaram a usar a reposição hormonal, e, portanto, eram velhas demais para incorrer no risco aumentado (os benefícios observados da substituição hormonal, no estudo do WHI, incluíam riscos reduzidos de câncer colorretal e fraturas de quadril). Mesmo assim, outros estudos abrangentes sobre a reposição de estrógeno, na Suécia e no Reino Unido, revelaram um risco muito maior de câncer de mama entre as mulheres que tomam estrógeno e progestina, a combinação mais comum de hormônios.

p. 48 – *"outro dado que caiu por terra"*: P.M. Ravdin et al., "The decline in breast cancer incidence in 2003 in the United States", *New England Journal of Medicine*, 19 de abril de 2007, 356(16):1670-4. Nancy Krieger, da Escola de Saúde Pública de Harvard, imagina se a forte promoção de terapias de reposição hormonal pela indústria farmacêutica contribuiu para o grande aumento dos casos de câncer de mama durante a década de 1980: "Hormone therapy and the rise and perhaps fall of US breast cancer incidence rates: critical reflections." (*Int J Epidemiol*, junho de 2008; 37(3):627-37). Além disso, a incidência de câncer de mama caiu mais acentuadamente entre mulheres brancas com maior nível educacional de classe média e média-alta, que eram mais propensas a buscar o tratamento (e, após a publicação do estudo, a abandoná-lo). Krieger N. et al., "Decline in US breast cancer rates after the Women's Health Initiative: socioeconomic and racial/ethnic differentials." (*Am J. Pub Health*, 1 de abril de 2010;100 Suppl 1:S132-9.)

p. 49 – *"Isso não é bem verdade"*: para análises bem embasadas (e céticas) sobre terapias de hormônios bioidênticos, consulte A.L. Huntley, "Compounded or confused? Bioidentical hormones and menopausal health", *Menopause International,* março de 2011; 17(1):16-8.; e Cirigliano M., "Bioidentical hormone therapy: a review of the evidence", *Journal of Women's Health*, junho de 2007; 16(5):600-31. Para um excelente sumário em linguagem para leigos sobre os problemas que existem nos tratamentos a base de hormônios bioidênticos, escrito por duas médicas da Cleveland Clinic, completo com tabelas que descrevem opções bioidênticas aprovadas pelo FDA, consulte Lynn Pattimakiel & Holly Thacker, "Bioidentical hormone therapy: clarifying the misconceptions," in *Cleveland Clinic Journal of Medicine*, dezembro de 2011, pp. 829-836. O indiciamento do farmacêutico é descrito pela jornalista Sabrina Tavernise em "First arrest made in 2012 steroid medication deaths," *The New York Times,* 4 de setembro de 2014.

p. 49 – *"as dosagens reais dos componentes podem variar enormemente"*: exemplos em N. A. Yannuzzi et al. (2014). "Evaluation of compounded bevacizumab prepared for intravitreal injection." *JAMA Ophthalmology,* publicado online em 18 de setembro de 2014.

p. 50 – *"um negócio que vale 2 bilhões de dólares"*: David J. Handelsman, "Global trends in testosterone prescribing, 2000-2011: expanding the spectrum of prescription drug misuse." *Medical Journal of Australia*, 2013; 199 (8): 548-551.

p. 50 – *"menos propensos a mentir"*: uma história verídica. Mathias Wibral et al., "Testosterone administration reduces lying in men." *PLoS One*, 2012; 7(10): e46774, publicado online em 10 de outubro de 2012. O caso de câncer de próstata de 1941 foi descoberto pelo dr. Abraham Morgenthaler, um dos principais proponentes da terapia a base de testosterona e autor de livros como *Testosterone for life* (Nova York, McGraw-Hill, 2009). O estudo de 2010, que teve que ser interrompido, foi o de S. Basaria et al., "Adverse events associated with testosterone administration," *New England Journal of Medicine*, 2010; 363:109-122, 8 de julho de 2010 (disponível online gratuitamente em nejm.org). Para se ter uma boa noção dos problemas, veja esta resenha feita pelos pesquisadores do Harvard's Brigham and Women's Hospital, que concluíram que "não se justifica uma recomendação geral de reposição de testosterona em todos os homens idosos com declínio de testosterona relacionados à idade". M. Spitzer et al., "Risks and benefits of testosterone therapy in older men", em *Nature Reviews Endocrinology*, 16 de abril de 2013. Mais informações sobre o teste clínico do NIH podem ser encontrados em ttrial.org.

p. 52 – *"adoro transar"*: Ned Zeman, "Hollywood's vial bodies", *Vanity Fair*, março de 2012. Para saber mais sobre a investigação da *Associated Press*, veja David B. Caruso e Jeff Donn, "Big pharma cashes in on HGH abuse", *Associated Press*, 21 de dezembro de 2012. Vale também a leitura da perspicaz análise de Brian Alexander sobre a cultura do HGH em "A drug's promise (or not) of youth", *Los Angeles Times*, 9 de julho de 2006.

p. 53 – *"frequentado por Rodriguez"*: Tim Elfrink, "A Miami clinic supplies drugs to sports' biggest names", *Miami New Times*, 31 de janeiro de 2013.

p. 55 – *"houve uma ocasião em que Mintz correu a maratona de Nova York"*: Christopher McDougall, "What if steroids were good for you?", *Best Life*, outubro de 2006. Um artigo fascinante dos drs. Life e Mintz, publicado alguns meses antes da morte de Mintz.

p. 55 – *"um único e pequeno estudo"*: Daniel Rudman et al., "Effects of human growth hormone in men over 60 years old", *New England Journal of Medicine*, 1990; 323:1-6, 5 de julho de 1990. Treze anos depois, o jornal revisitou o estudo em um editorial de Mary Lee Vance, "Can growth hormone prevent aging?", *NEJM*, 2003; 348:779-780, que destacou que outros estudos haviam demonstrado que treinos de força, sozinhos, concediam os mesmos benefícios que Rudman havia observado com o HGH: "Ir à academia é benéfico e certamente mais barato do que o hormônio de crescimento".

p. 56 – *"uma longa lista de efeitos colaterais"*: vide, por exemplo, Blackman et al., "Growth hormone and sex steroid administration in healthy aged women and men: a randomized controlled trial", *JAMA*, 13 de novembro de 2002; 288(18):2282-92.

p. 57 – *"camundongos sem receptores de hormônio de crescimento"*: a estranha longevidade de animais que não apresentam receptores de hormônio de crescimento foi observada pela primeira vez por Andrzej Bartke em uma linhagem de camundongos-anões, que surgiram naturalmente, chamados de Anões de Ames. Bartke e outros criaram posteriormente uma versão criada por meio de engenharia genética de Ames que se tornou o assunto de uma ampla gama de artigos na literatura científica, que fica bem amarrada com essa análise: Andrzej Bartke, "Growth hormone and aging: a challenging controversy", *Clinical interventions in aging*, Dove Press, dezembro de 2008; 3(4): 659-665.

p. 58 – *"cães maiores produzem mais IGF-1"*: Nathan B. Sutter et al., "A single IGF1 allele is a major determinant of small size in dogs", *Science*, 6 de abril de 2007; 316(5821): 112-115.

p. 59 – *"isso faz com que eu me sinta bem"*: "Aging baby boomers turn to hormone; some doctors concerned about 'off-label' use of drug", por Sabin Russell, *San Francisco Chronicle*, 17 de novembro de 2003. Três meses depois que o artigo foi publicado, ela morreu. "Cancer took life of noted user of growth hormone", por Sabin Russell, *San Francisco Chronicle*, 8 de junho de 2006.

p. 60 – *"chegar a viver 700 anos"*: Alex Comfort, *The biology of senescence*, 3. ed. Nova York: Elsevier, 1964, p. 1. Essa é uma das minhas citações favoritas sobre o envelhecimento, e suas implicações ainda precisam ser completamente exploradas. Alguns outros dentre os primeiros gerontologistas haviam tentado executar estudos sobre parabiose, incluindo Clive McCay, que também descobriu o efeito que a restrição calórica (vulgo "fome") tem na extensão da vida, mas o estudo de Ludwig foi de longe o maior e mais sistemático dentre os primeiros experimentos. Frederic Ludwig, "Mortality in syngeneic rat parabionts of different age", *Transactions of the New York Academy of Sciences*, 3 de novembro de 1972;34(7):582-7.

Capítulo 4: Atenciosamente, morrendo de velho

p. 64 – *"gerontologista pioneiro chamado Nathan Shock"*: para saber mais sobre o BLSA, vide Nathan W. Shock, et al., "Normal human aging: the Baltimore longitudinal study of aging", U.S. Government Printing Office, 1984. Notícias sobre o estudo chegavam aos jornais de vez em quando, também: Susan Levine, "A new look at an old question: Baltimore research transforms fundamental understanding of aging," *Washington Post*, 10 de fevereiro de 1997; e Nancy Szokan, "Study on aging reaches half-century mark," *Washington Post*, 9 de dezembro de 2008.

p. 65 – *"a melhor e mais completa avaliação médica que o dinheiro dos contribuintes poderia financiar"*: oficialmente, não se pretende que o BLSA substitua os *check-ups* regulares com o médico, e muitos dos testes não são considerados "diagnósticos" em suas qualidades, mas os participantes recebem os resultados básicos dos seus testes de sangue e urina, juntamente com alguns outros; se os profissionais que trabalham no experimento detectarem algum problema em potencial, tais como evidência de um câncer, eles notificam os participantes.

p. 70 – *"quanto mais devagar você caminha"*: há muitas pesquisas sobre o assunto da "velocidade de marcha" no envelhecimento, e muitos estudos associam o ritmo de caminhada com os índices de mortalidade e com deficiências, internações em casas de repouso e outras coisas bem ruins. Aqui está um deles: Studenski S. et al., "Gait speed and survival in older adults", *JAMA*, 2011;305:50-58. Luigi Ferrucci, Eleanor Simonsick e seus colegas amarram as evidências em Schrack et al., "The energetic pathway to mobility loss: an emerging new framework for longitudinal studies on aging", *Journal of the American Geriatric Society*, outubro de 2010; 58(Suppl 2): S329–S336.

p. 69 – *"a simples força da pegada na meia-idade"*: Taina Rantanen, Jack Guralnick et al., "Midlife hand grip strength as a predictor of old age disability", *JAMA*, 1999; 281(6):558-560.

p. 72 – *"uma curva em forma de U"*: o *The Economist* fez um ótimo resumo desse estudo em uma matéria de capa em 2010: "The U-Bend of life: why, beyond middle age, people get happier as they get older", 16 de dezembro de 2010. "A vida começa aos 46", proclamava a capa.

p. 74 – *"milhares de homens nipo-americanos no Havaí"*: Bradley J. Willcox et al., "Midlife risk factors and healthy survival in men", *JAMA*, 2006; 296:2343-2350.

Capítulo 5: Como viver até os 108 anos sem muito esforço

p. 77 – *"em tempos recentes, pesquisas sobre a curcumina"*: há um número cada vez maior de estudos sobre a curcumina, mas a grande maioria se resume a experimentos *in vitro* (ou seja, nas placas de laboratório), ou em camundongos e em ratos, o que nem sempre é equivalente a resultados com seres humanos. Os estudos humanos que foram feitos tendem a ter escala pequena, com cerca de 25 indivíduos ou menos. Para ter uma boa ideia dos testes clínicos até hoje, vide Gupta et al., "Therapeutic roles of curcumin: lessons learned from clinical trials." *AAPS J*, janeiro de 2013; 15(1):195-218.

p. 77 – *"oito gramas de curcumina todos os dias"*: uma das maiores questões relativas à curcumina tem a ver com a sua "biodisponibilidade", o quanto dela realmente chega à corrente sanguínea. Pesquisas mostram que a maior parte acaba sendo engolida pelo fígado, razão pela qual meu pai ingere uma quantidade tão grande. Estudos mostram que é necessário tomar cerca de cinco gramas para que ela apareça no sangue e nos tecidos. Hani et al., "Solubility enhancement and delivery systems of curcumin, an herbal medicine: a review", *Current Drug Delivery*, 25 de agosto de 2014. [disponível em formato epub antes da publicação impressa]. É preciso fazer urgentemente mais estudos sobre os mecanismos de ação da curcumina e sua eficácia em seres humanos.

p. 79 – *"eles provavelmente vão comer knish"*: Rajpathak et al., "Lifestyle factors of people with exceptional longevity", *Journal of the American Geriatrics Society*, 59:8; 1509-12, publicado online em agosto de 2011.

p. 80 – *"mas os homens ainda morriam mais cedo"*: Collerton, J. et al., "Health and disease in 85 year olds: baseline findings from the Newcastle 85+ cohort study", *British Medical Journal*, 2009; 339: b4904.

p. 83 – *"estudos com gêmeos dinamarqueses"*: Herskind, A. M. et al., "The heritability of human longevity: a population-based study of 2872 Danish twin pairs born 1870-1900", *Human Genetics*, 1996; 97(3): 319-323.

p. 84 – *"44 centenários"*: Barzilai et al., não publicado; comunicação pessoal.

p. 84 – *"quanto menos CETP você tem, melhor"*: Sanders A.E., Wang C., Katz M. et al. "Association of a functional polymorphism in the cholesteryl ester transfer protein (CETP) gene with memory decline and incidence of dementia", *JAMA*, 2010; 303(2):150-158.

p. 84 – *"esses medicamentos não chegaram ao mercado"*: o blogueiro especializado em assuntos farmacêuticos Derek Lowe acha que inibidores de CETP são uma aposta fracassada: http://pipeline.corante.com/archives/2013/01/25/cetp_alzheimers_monty_hall_and_roulette_and_goats.php.

p. 85 – *"um outro gene que possivelmente guarda segredos da longevidade está relacionado com o IGF-1"*: Milman, S. et al., "Low insulin-like growth factor-1 level predicts survival in humans with exceptional longevity.", *Aging Cell*, 2014; 13(4): 769-771.

Capítulo 6: O coração do problema

p. 90 – *"600 mil americanos"*: de acordo com o Centro para o Controle de Doenças, 596.577 morreram devido a doenças cardíacas em 2011, contra 576.691 devido ao câncer. O câncer está avançando rapidamente, como acreditam alguns especialistas, simplesmente porque as pessoas estão conseguindo sobreviver às doenças cardíacas e vivendo por mais tempo. http://www.cdc.gov/nchs/fastats/leading-causes-of-death.htm

p. 91 – *"arteriosclerose coronária"*: Enos, W. F. et al., "Coronary disease among United States soldiers killed in action in Korea; preliminary report", *JAMA*, 1953; 152(12): 1090-1093.

p. 91 – *"um único dos principais fatores de risco"*: Lloyd-Jones, D. M. et al. "Prediction of lifetime risk for cardiovascular disease by risk factor burden at 50 years of age", *Circulation*, 2006; 113(6): 791-798.

p. 92 – *"um estudo grande com 136 mil pacientes"*: Sachdeva A. Cannon C. et al. "Lipid levels in patients hospitalized with coronary artery disease: an analysis of 136,905 hospitalizations", em Get With The Guidelines. *American Heart Journal*, janeiro de 2009, p. 111-117. A doença de Russert está descrita em "From a prominent death, some painful truths", por Denise Grady, *The New York Times*, 24 de junho de 2008.

p. 92 – *"certos sinais explícitos de envelhecimento"*: Christoffersen M. et al., "Visible age-related signs and risk of ischemic heart disease in the general population: a prospective cohort study", *Circulation*, 2014; 129(9): 990-998. Para o tempo de reação, vide Hagger-Johnson, G. et al., "Reaction time and mortality from the major causes of death: the NHANES-III study", *PLoS One*, 2014; 9(1): e82959; E, é claro, não deixe de ler Banks, E. et al. 2013. "Erectile dysfunction severity as a risk marker for cardiovascular disease hospitalisation and all-cause mortality: a prospective cohort study." *PLoS Medicine* 10(1): e1001372.

p. 94 – *"ApoB é um preditor de risco muito melhor"*: vide Walldius, G. et al., "High apolipoprotein B, low apolipoprotein A-I, and improvement in the prediction of fatal myocardial infarction (AMORIS study): a prospective study." *The Lancet*, 2001; 358(9298): 2026-2033; e também McQueen, M. J. et al., "Lipids, lipoproteins, and apolipoproteins as risk markers of myocardial infarction in 52 countries (the INTERHEART study): a case-control study", *The Lancet*, 372(9634): 224-233. Ambos são estudos grandes e bastante convincentes que mostram que a APoB é um preditor muito melhor do que os tradicionais índices de colesterol HDL-LDL.

p. 95 – *"sabe-se,* há um bom tempo*, que a carne vermelha"*: isso é um pouco controverso, mas há estudos abrangentes que ligam o consumo de carne vermelha não somente a doenças cardíacas, mas também ao diabetes e ao câncer. Vide o *The China Study* de Colin Campbell (Dallas, BenBella Books, 2005). O estudo sobre TMAO é pequeno, mas muito interessante, e foi seguido por outros estudos sobre carne e o microbioma. Koeth, R. A. et al. "Intestinal microbiota metabolism of L-carnitine, a nutrient in red meat, promotes atherosclerosis", *Nature Medicine*, 2013; 19(5): 576-585. A questão entre carnes processadas e não processadas é respondida com clareza em Kaluza, J. et al. "Processed and unprocessed red meat consumption and risk of heart failure: prospective study of men", *Circulation Heart Failure*, 2014; 7(4): 552-557, que descobriu que carnes vermelhas não processadas não estavam ligadas a falência cardíaca (Ufa!).

p. 96 – *"mal predominantemente moderno"*: vide Thompson, R. C., et al. "Atherosclerosis across 4000 years of human history: the Horus study of four ancient populations.", 2013, *Lancet*, 381(9873): 1211-1222. O relato sobre a obra de Ruffer vem de A.T. Sandison, "Sir Marc Armand Ruffer (1859-1917), pioneer of paleopathology", *Medical History*, abril de 1967; 11(2): 150-156.

p. 98 – *"danos do envelhecimento intrínseco"*: a questão do envelhecimento arterial foi abordada, de maneira completa e primorosa, por Ed Lakatta do Instituto Nacional do Envelhecimento e seus colaboradores em uma série de três artigos, começando com Lakatta, E. G. and D. Levy, "Arterial and cardiac aging: major shareholders in cardiovascular disease enterprises: part I: aging arteries: a "set up" for vascular disease", *Circulation,* 2003, 107(1): 139-146.

Capítulo 7: A calvície como metáfora

p. 103 – *"a perda de cabelos [...] afeta as mulheres também"*: Desmond C. Gan e Rodney D. Sinclair, "Prevalence of male and female pattern hair loss in Maryborough", *Journal of Investigative Dermatology Symposium Proceedings,* 2005, 10, 184-189. Vide também Birch, M.P. et al., "Hair density, hair diameter, and the prevalence of female pattern hair loss," *British Journal of Dermatology,* fevereiro de 2001; 144(2): 297-304. Eu leio essas coisas para que você não precise fazer o mesmo.

p. 104 – *"identificou o principal culpado da perda de cabelo"*: Garza, L. A. et al., "Prostaglandin D2 inhibits hair growth and is elevated in bald scalp of men with androgenetic alopecia", *Science Translational Medicine,* 2012; 4(126): 126ra134.

p. 104 – *"uma série de pequenas agulhadas"*: Ito, M. et al., "Wnt-dependent de novo hair follicle regeneration in adult mouse skin after wounding." *Nature,* 2007, 447(7142): 316-320.

p. 105 – *"abrir espaço para a geração seguinte"*: a evolução do envelhecimento é discutida em vários artigos e livros, mas um dos melhores resumos (especialmente da teoria de Weissmann) é de Michael R. Rose et al., "Evolution of ageing since Darwin", *Journal of Genetics,* 2008; 87, 363-371. O mesmo assunto é abordado em Fabian, D., Flatt, T., "The evolution of aging", *Nature Education Knowledge,* 2011; 3(10):9.

p. 105 – *"a ideia de seleção natural baseada no grupo"*: alguns teóricos reviveram a ideia de que o nosso envelhecimento pode servir a algum propósito evolutivo – em particular, o controle populacional. Um fato que foi amplamente observado é que a abundância de alimentos, na realidade, faz com que a maioria dos animais morra mais precocemente. Isso vale para praticamente toda a árvore da vida, desde os organismos unicelulares até as pessoas que você vê no Walmart. Seria possível que o mesmo tipo de mecanismo impede que nós, ou espécies como os gafanhotos, de dominar a Terra pela superpopulação e comer tudo que estiver pela frente? Talvez, embora, durante 99 por cento da história humana, isso não chegou a ser um problema.

p. 106 – *"o que chamou a atenção de Haldane"*: J.B.S. Haldane, "The relative importance of principal and modifying genes in determining some human diseases", *New Paths in Genetics,* 1941. London, G. Allen & Unwin ltd.

p. 107 – *"ao fato de que pessoas brancas ficam bronzeadas"*: Zeron-Medina et al. "A Polymorphic p53 response element in KIT ligand influences cancer risk and has undergone natural selection", *Cell,* 155(2): 410-422.

p. 107 – *"um gene chamado DAF-2"*: Kenyon C. Chang J. Gensch E. Rudner A. Tabtiang R. "A C. elegans mutant that lives twice as long as wild type", *Nature,* 1993; 366 (6454): 461-464. Posteriormente, Kenyon descreveu o processo da descoberta em Kenyon, C. "The first long-lived mutants: discovery of the insulin/IGF-1 pathway for ageing", *Philosophical Transactions of the Royal Society B: Biological Sciences,* 2011; 366(1561): 9-16.

p. 108 – *"os vermes longevos estavam praticamente extintos"*: Nicole L. Jenkins, et al., "Fitness cost of increased lifespan in C. elegans," *Proceedings of the Royal Society London B*(2004) 271, 2523-2526.

p. 108 – *"antes do surgimento dos anticoncepcionais"*: Tabatabaie, V. et al. "Exceptional longevity is associated with decreased reproduction." *Aging*, 2011. (Albany NY) 3(12): 1202-1205.

p. 111 – *"era hora de procurar outro tipo de emprego"*: Austad relatou suas desventuras com Orville (e os gambás) em "Taming lions, unleashing a career", *Science Aging Knowledge Environment*, 27 de março de 2002, vol. 2, 12. ed., p. vp3.

p. 111 – *"a teoria da 'soma descartável'"*: Kirkwood explica sua teoria e muitas outras coisas sobre a idade em seu excelente livro *Time of our lives: the science of human aging* (Nova York: Oxford University Press, 1999). O artigo original sobre a "soma descartável" é de Kirkwood, TB, "Evolution of ageing", 1977, *Nature*, 170(5320) 201-4. Em anos mais recentes, a teoria começou a ser atacada por causa de várias imperfeições, mas poucos cientistas discordam da sua conclusão geral de que o tempo de vida e a reprodução existem em um equilíbrio delicado.

p. 113 – *"O marisco, que recebeu o apelido de Ming"*: a descoberta de Ming foi relatada em um artigo muito conciso sobre oceanografia (de autoria de Paul Butler e outros) intitulado "Variability of marine climate on the North Icelandic Shelf in a 1357-year proxy archive based on growth increments in the bivalve *Arctica islandica*", *Palaeogeography, Palaeoclimatology, Palaeoecology*, 1 de março de 2013, vol. 373, p. 141-151. Sua morte foi coberta amplamente, como, por exemplo, em "New record: world's oldest animal was 507 years old", por Lise Brix, *ScienceNordic.com*, 6 de novembro de 2013.

p. 113 – *"que ele chama de Zoológico dos Matusaléns"*: S.N. Austad, "Methuselah's Zoo: How nature provides us with clues for extending human healthspan," *Journal of Comparative Pathology*, janeiro de 2010. 142(Suppl 1): S10-S21.

p. 114 – *"as células dos morcegos resistiram ao estresse muito melhor"*: Salmon, A. B., et al. (2009). "The long lifespan of two bat species is correlated with resistance to protein oxidation and enhanced protein homeostasis", *Journal of the Federation of American Societies of Experimental Biology*, 23(7): 2317-2326.

Capítulo 8: As vidas de uma célula

p. 116 – *"ninguém se atrevia a questionar o seu trabalho"*: J.A. Witkowski, "Alexis Carrel and the mysticism of tissue culture", *Medical History*, 1979, 23: 279-296. Historiadores mais recentes não estão condenando Carrel tão veementemente, já que ele teve boas ideias além das ruins.

p. 118 – *"longe de serem imortais"*: L. Hayflick, "The limited in vitro lifetime of human diploid cell strains", *Experimental Cell Research*, 1965. 67: 614-36.

p. 118 – *"WI-38 mostrou-se a linhagem celular mais durável e útil"*: a história de Hayflick e da WI-38 e seu papel na ciência da cultura de tecidos é contada muito bem pela jornalista Meredith Wadman in "Medical Research: Cell Division," *Nature*, 27 de junho de 2013. 498, 422-426. O acordo de Hayflick com o governo foi descrito por Philip Boffey: "The fall and rise of Leonard Hayflick, biologist whose fight with U.S. seems over," *The New York Times*, 19 de janeiro de 1982.

p. 119 – *"no centro da controvérsia sobre o aborto"*: as objeções do Vaticano foram enumeradas aqui: http://www.immunize.org/concerns/vaticandocument.htm. Muitos cristãos fundamentalistas ainda se recusam a tomar certas vacinas com base nesse argumento.

p. 120 – *"seus assistentes as substituíam"*: L. Hayflick, em entrevista, 1 de março de 2013; para mais informações sobre a influência de Carrel no estudo do envelhecimento, vide Park, H. W. (2011). "'Senility and death of tissues are not a necessary phenomenon': Alexis Carrel and the origins of gerontology", *Uisahak*, 20(1): 181-208.

| Notas e fontes |

p. 121 – *"esses telômeros, como eram chamados"*: a história dos telômeros e da telomerase foi coberta por Carol Greider em "Telomeres and senescence: the history, the experiment, the future", *Current Biology*, 26 de fevereiro de 1998, vol. 8, 5. ed., p. R178-R181.

p. 122 – *"o comprimento dos telômeros e a mortalidade geral"*: Fitzpatrick, A.L.; Kronmal, R.A.; Kimura, M.; Gardner, J.P.; Psaty, B.M. et al. (2011) "Leukocyte telomere length and mortal ity in the Cardiovascular Health Study", *Journals of Gerontology A: Biological Sciences/Medical Science*, 66: 421-429; vide também Epel, E. S., et al. (2004). "Accelerated telomere shortening in response to life stress", *Proceedings of the National Academy of Sciences*, 101(49): 17312-17315.

p. 122 – *"se você controlar comportamentos advindos de maus hábitos"*: Weischer, M., et al. (2014). "Telomere shortening unrelated to smoking, body weight, physical activity, and alcohol intake: 4,576 general population individuals with repeat measurements 10 years apart", *PLoS Genetics,* 10(3): e1004191.

p. 122 – *"em um estudo amplamente divulgado"*: Mariela Jaskelioff et al., "Telomerase reactivation reverses tissue degeneration in aged telomerase deficient mice", *Nature,* 6 de janeiro de 2011. 469(7328): 102-106.

p. 123 – *"mais tumores no fígado do que os animais do grupo de controle"*: Bruno Bernardes de Jesus et al. "The telomerase activator TA-65 elongates short telomeres and increases health span of adult/old mice without increasing cancer incidence", *Aging Cell* (2011) 10, 604-621. Apesar do título, os camundongos tratados com TA-65 tinham uma probabilidade 30 por cento maior de desenvolver linfoma e câncer no fígado (p. 615), mas, como o estudo envolveu apenas 36 animais no total, o achado não foi considerado estatisticamente significativo pelos autores.

p. 124 – *"o estudo de 25 anos de Rancho Bernardo"*: Lee, J.K. et al. (2012). "Association between serum interleukin-6 concentrations and mortality in older adults: the Rancho Bernardo study", *PLoS One.* 7(4): e34218.

p. 125 – *"aninhado junto a uma colina de Marin County"*: saindo de São Francisco e rumando para o norte, na rodovia US 101, olhe para a esquerda logo depois da saída para Novato e você verá o Instituto Buck no alto da colina. De longe, é o instituto de pesquisas mais espetacular que já vi, mas em 2013 a entidade quase foi a falência devido a processos movidos por credores do banco de investimentos Lehman Brothers (Versão longa da história: "Lehman Reaches from beyond Grave Seeking Millions from Nonprofits," por Martin Z. Braun, *Bloomberg.com*, 24 de maio de 2013.)

p. 126 – *"fenótipo secretório associado à senescência"*: esse é um dos conceitos mais importantes no envelhecimento celular, e descobriu-se que ele tem enormes implicações para a fisiologia e a saúde. O artigo original de Campisi sobre o SASP é: Coppe, J. P., et al. (2008). "Senescence-associated secretory phenotypes reveal cell-nonautonomous functions of oncogenic RAS and the p53 tumor suppressor", *PLoS Biology*, 6(12): 2853-2868. Para uma leitura menos espinhosa, experimente Campisi, J. et al. (2011). "Cellular senescence: a link between cancer and age-related degenerative disease?", *Semin Cancer Biol*, 21(6): 354-359. Ou, melhor ainda, procure no YouTube com as palavras-chave "Senescent cells Campisi" – ela é uma excelente oradora.

p. 126 – *"pacientes que foram tratados para o HIV"*: o envelhecimento rápido observado na população tratada para o HIV tem suas próprias questões, em particular o relacionamento do sistema imune com o envelhecimento em geral. Kirk, J. B. e M. B. Goetz (2009). "Human immunodeficiency virus in an aging population, a complication of success", *Journal of the American Geriatrics Society*, 57(11): 2129-2138.

p. 127 – *"outra droga especial para eliminar as células senescentes"*: o artigo original está disponível gratuitamente no website da *Nature*: Baker, D. J. et al. (2011). "Clearance of p16Ink4a-positive senescent cells delays ageing-associated disorders", *Nature,* 479(7372): 232-236. Para um relato mais simples, vide "Cell-Aging Hack Opens Longevity Research Frontier", por Brandon Keim, *Wired.com,* 2 de novembro de 2011.

Capítulo 9: Phil contra a gordura

p. 130 – *"A circunferência da cintura também aumenta"*: a circunferência da cintura, também conhecida como tamanho da cintura, é um dos "biomarcadores" mais importantes que existem, bem mais importante que o IMC. Vários estudos ligam uma circunferência da cintura de mais de 1 metro (em homens) a todos os tipos de condições ruins de saúde (para as mulheres, o limite é algo próximo de 91 cm). Como regra geral, sua cintura deve ser menor que a metade da sua altura: Ashwell, M. et al. (2014). "Waist-to-height ratio is more predictive of years of life lost than body mass index", *PLoS One,* 9(9): e103483.

p. 130-131 – *"perto do limite superior do que era considerado 'norma'"*: os limites percentuais de gordura corporal são os recomendados pelo American Council on Exercise: http://www.acefitness.org/acefit/healthy-living-article/60/112/what-are-the-guidelines-for-percentage-of/. Note que essas são apenas as médias; alguns cientistas especializados em esporte indicam índices ainda menores tanto para homens quanto mulheres, dependendo do tipo de esporte ao qual se dedicam. http://www.humankinetics.com/excerpts/excerpts/normal-ranges-of-body-weight-and-body-fat.

p. 133 – *"14 por cento das mortes relacionadas ao câncer em homens"*: Calle, E.E.; Rodriguez, C.; Walker-Thurmond, K.; Thun, M.J. "Overweight, obesity, and mortality from cancer in a prospectively studied cohort of U.S. adults", *New England Journal of Medicine,* 24 de abril de 2003. 348(17):1625-38. Estudos subsequentes deixaram a questão um pouco mais obscura, com alguns estudos concluindo que o peso ideal, considerando-se a mortalidade, é algo em torno do IMC = de 25, no limite do sobrepeso; mas, embora seja melhor estar com um pouco de sobrepeso do que ser subnutrido, há mais estudos que mostram que a obesidade em si está sempre associada com um risco maior de doenças e morte.

p. 133 – *"ingerir apenas dez calorias a mais"*: o artigo na *Lancet* também explicou por que fica tão difícil perder peso, porque uma dieta de sucesso requer a diminuição de 250 calorias por dia, ou mais. (Adeus, barra de chocolate da tarde.) Kevin D. Hall et al., "Quantification of the effect of energy imbalance on bodyweight", *The Lancet,* 27 de agosto de 2011, vol. 378, 9793. ed., p. 826-837.

p. 134 – *"a gordura é o problema"*: um gigantesco estudo descobriu que mesmo para pessoas de peso normal, o excesso de gordura visceral aumentava seu risco de morte. Para outras leituras tão animadoras quanto essa, vide: Pischon, T. et al. (2008). "General and abdominal adiposity and risk of death in Europe", *New England Journal of Medicine,* 359(20): 2105-2120.

p. 135 – *"nem toda gordura é apenas gordura"*: esse é um dos meus estudos favoritos: pesquisadores extraíram a gordura visceral dos animais e eles viveram por um tempo muito mais longo. Muzumdar, R., et al. (2008). "Visceral adipose tissue modulates mammalian longevity", *Aging Cell,* 7(3): 438-440.

p. 136 – *"somente cerca de metade dos pacientes diabéticos"*: para ser justo, mais pacientes estão sendo instruídos a se exercitar por seus médicos. As porcentagens aumentaram de 2000 a 2010 em todas as categorias e grupos etários. Mas metade ainda não é igual a todo mundo, e a prática de exercícios mostrou ser a mais poderosa intervenção contra o diabetes. Patricia Barnes, *National Center for Health Statistics Data Brief,* no. 86, fevereiro de 2012.

p. 138 – *"A. B. era um escocês anônimo"*: W.K. Stewart e Laura W. Fleming, "Features of a successful therapeutic fast of 382 Days' Duration", *Postgraduate Medical Journal*, março de 1973. 49(569): 203-209.' Talvez esse estudo esteja em segundo lugar na lista dos meus favoritos. Mais recentemente, o biólogo evolutivo John Speakman usou um modelo de fome total para questionar a "hipótese do gene poupador", que diz que todos os seres humanos são predispostos à obesidade; por que, perguntou ele, não somos todos gordos então? Speakman, J. R. and K. R. Westerterp (2013). "A mathematical model of weight loss under total starvation: evidence against the thrifty-gene hypothesis", *Disease Models & Mechanisms*, 6(1): 236-251.

Capítulo 10: Um salto com vara rumo à eternidade

p. 146 – *"para descobrir exatamente o que é isso"*: John Jerome, *Staying with it*. (Nova York: Viking, 1984) p. 219. Jerome morreu em 2002, aos 70 anos, em decorrência de um câncer de pulmão.

p. 147 – *"haviam rejuvenescido milagrosamente"*: o experimento de Langer nunca chegou a ser publicado, exceto na forma de um capítulo em um livro obscuro. Os resultados foram muito discrepantes para 1981. Em 2010, o artigo foi a base para um especial da BBC sobre celebridades envelhecidas. Langer foi retratado em um artigo recente da *New York Times Magazine*, "The thought that counts," de Bruce Grierson, 26 de outubro de 2014.

p. 148 – *"o equivalente a uma caminhada rápida"*: Moore, S. C. et al. (2012). "Leisure time physical activity of moderate to vigorous intensity and mortality: a large pooled cohort analysis", *PLoS Medicine*, 9(11): e1001335. Há um debate acalorado sobre a quantidade de exercício considerada "excessiva", alimentado por vários estudos feitos por James O'Keefe, um cardiologista de Kansas City, que postula que exercícios de resistência feitos durante um prazo longo trazem proporcionalmente menos benefícios, e ao custo de possíveis mudanças danosas no coração. (por exemplo, vide O'Keefe, J. H. et al. (2012). "Potential adverse cardiovascular effects from excessive endurance exercise", *Mayo Clinic Proceedings*. 87(6): 587-595.) Para a maioria dos americanos, entretanto, o problema não é fazer exercícios demais, e sim de menos.

p. 148 – *"tão eficazes quanto os remédios"*: Huseyin Naci and John Ioannidis, "Comparative effectiveness of exercise ad drug interventions or mortality outcomes: metaepidemiological study", *BMJ*, 1 de outubro de 2013. 347:f5577.

p. 149 – *"os registros nacionais indicam o mesmo"*: Vide www.mastersrankings.com.

p. 150 – *"até mesmo o ato de se aposentar do trabalho"*: Dhaval Dave, Inas Rashad e Jasmina Spasojevic, "The effects of retirement on physical and mental health outcomes", *NBER Working Paper*, no. 12123. Março de 2006, janeiro de 2008. *JEL*, no. I1,J0. http://www.nber.org/papers/w12123.

p. 152 – *"por causa de algo que circula no sangue velho"*: Irina M. Conboy et al., "Rejuvenation of aged progenitor cells by exposure to a young systemic environment", *Nature*, 433, 17 de fevereiro de 2005, p. 760-764. Falaremos muito mais sobre a fascinante ciência da parabiose mais adiante neste livro.

p. 154 – *"um macho chamado Charlie"*: Charlie conquistou algo chamado de "Prêmio Reverso", concedido pela Methuselah Foundation pela maior extensão do tempo de vida conseguida com um camundongo. Sua tratadora, Sandy Keith, recebeu o prêmio em 2004. O cientista do NIA Mark Mattson questionou se as condições-padrão de cativeiro – onde os camundongos têm acesso ilimitado à comida, mas nenhuma chance de se exercitar ou socializar – distorceram os resultados do estudo, prejudicando a saúde dos camundongos: Martin, B.; S. Ji; S. Maudsley e M. P. Mattson. "'Control' laboratory rodents are metabolically morbid: why it matters." *Proceedings of the National Academy of Sciences U S A*, 107, 6 de abril de 2010, no. 14. 6127-33.

p. 154 – *"mais de 5,3 milhões de mortes prematuras a cada ano"*: Lee, I. M. et al. (2012). "Effect of physical inactivity on major non-communicable diseases worldwide: an analysis of burden of disease and life expectancy", *Lancet*, 380(9838): 219-229. Outros cientistas seguiram a mesma linha, descrevendo a própria inatividade como uma doença, ou, melhor dizendo, uma atividade perigosa no mesmo nível do tabagismo. Pedersen, B. K. (2009). "The diseasome of physical inactivity – and the role of myokines in muscle-fat cross talk", *The Journal of Physiology*, 587(23): 5559-5568.

p. 156 – *"o principal fator sinalizador que eles identificaram"*: Pedersen, B. K.; Febbraio, M. A. "Muscles, exercise and obesity: skeletal muscle as a secretory organ", *Nature Reviews Endocrinology*, advance online publication, 3 de abril de 2012.

p. 157 – *"e analisaram os padrões da 'expressão dos genes'"*: Simon Melov et al., "Resistance exercise reverses aging in human skeletal muscle", *PLoS ONE* 2(5): e465. O artigo subsequente de Tarnopolsky, que examinou mutações do DNA mitocontrial em camundongos e sua reversão através de exercícios está em Safdar, A. et al. (2011). "Endurance exercise rescues progeroid aging and induces systemic mitochondrial rejuvenation in mtDNA mutator mice", *Proceedings of the National Academy of Sciences*, 108(10): 4135-4140.

p. 161 – *"após oito gerações os pesquisadores encontraram diferenças distintas"*: Roberts, M. D et al. (2014). "Nucleus accumbens neuronal maturation differences in young rats bred for low versus high voluntary running behaviour", *Journal of Physiology*, 592(Pt 10): 2119-2135.

p. 162 – *"um pouco de caminhada manteve muitos deles longe das casas de repouso"*: Pahor, M.; Guralnik, J.M.; Ambrosius, W.T. et al. Effect of structured physical activity on prevention of major mobility disability in older adults: The LIFE Study Randomized Clinical Trial. *JAMA*, 2014. 311(23):2387-2396.

Capítulo 11: Famintos pela imortalidade

p. 165 – *"ele o intitulou de* Discorsi della vita sobria*"*: a minha edição, comprada online, tinha o título simples de "Como viver mais tempo" (Nova York: Health Culture, 1916).

p. 166 – *"o artigo que resultou desse experimento"*: McCay, C. M. e Crowell, Mary. (1935). "The effect of retarded growth upon the length of life span and upon the ultimate body size", *Nutrition*, 5(3): 155-171. Um clássico.

p. 167 – *"na própria receita de McCay para a comida dos ratos de laboratório"*: para mais detalhes sobre a vida interessantíssima de Clive McCay, vide a autobiografia da sua esposa Jeannette (McCay, J. B. *Clive McCay, nutrition pioneer: biographical memoirs by his wife*. Charlotte Harbor: Tabby House, 1994.). Outra fonte de pesquisa bastante útil foi a dissertação de doutorado de Hyung Wook Park (2010), "Longevity, aging, and caloric restriction: Clive Maine McCay and the construction of a multidisciplinary research program", *Historical Studies in the Natural Sciences*, 40(1): 79-124.

p. 168 – *"vai poder conquistar todo tipo de coisa no mundo"*: o trailer do documentário de Rowland sobre Walford, *Signposts of dr. Roy Walford*, pode ser acessado em www.youtube.com/watch?v=K-PzhyTlODc.

p. 168 – *"a restrição calórica poderia estar refreando o próprio processo de envelhecimento"*: seu artigo produtivo é Weindruch, R.; Walford, R. L. (1982). "Dietary restriction in mice beginning at 1 year of age: effect on life-span and spontaneous cancer incidence", *Science*, 215(4538): 1415-1418. Posteriormente, eles escreveram um livro inteiro sobre restrição calórica que você provavelmente não vai querer ler.

p. 169 – *"o que Finch ainda acha ser 'estatisticamente improvável'"*: Caleb Finch, o bom amigo de Walford, escreveu um memorial biográfico: "Dining With Roy" (*Experimental Gerontology*, 39 (2004) 893-894), de onde alguns desses detalhes foram extraídos. Outras características foram compartilhadas gentilmente tanto por Finch quanto por Rick Weindruch.

p. 169 – *"financiado por Ed Bass, um excêntrico herdeiro de uma família que fez fortuna com a indústria do petróleo"*: um bom artigo que faz uma retrospectiva sobre a Biosfera 2, escrito por Tiffany O'Callaghan, "Biosphere 2: saving the world within a world", *New Scientist*, 31 de julho de 2013.

p. 170 – *"o estoque de bananas, o item mais saboroso do cardápio"*: muitos detalhes sobre a vida dentro da Biosfera foram extraídos de Jane Poynter, *The Human Experiment: two years and twenty minutes inside Biosphere 2* (Nova York: Basic Books, 2009).

p. 171 – *"eles tinham o melhor sangue que ele já havia visto"*: Walford, R. L. et al. (1992). "The calorically restricted low-fat nutrient-dense diet in Biosphere 2 significantly lowers blood glucose, total leukocyte count, cholesterol, and blood pressure in humans." *Proceedings of the National Academy Sciences*, 89(23): 11533-11537. A Biosfera foi o experimento que chegou mais perto de confirmar a sugestão, feita por um ex-diretor do Instituto Nacional do Envelhecimento, de que a restrição calórica fosse estudada (forçosamente) em presidiários.

p. 172 – *"Walford entrou em depressão profunda"*: o horrendo período após a saída da Biosfera 2, pelo menos para Waldorf, é relatado clinicamente em um artigo escrito por alguns de seus colaboradores: Lassinger, B. K.; Kwak, C.; Walford, R. L.; Jankovic, J. (2004), "Atypical parkinsonism and motor neuron syndrome in a Biosphere 2 participant: a possible complication of chronic hypoxia and carbon monoxide toxicity?", *Movement Disorders*, 19: 465-469.

p. 173 – *"ele ainda apregoava os benefícios da restrição de calorias a Alan Alda"*: o homem não parecia estar nada bem: www.youtube.com/watch?v=9jvqNG1g62Y.

p. 174 – *"esses genes, denominados sirtuínas"*: a história da descoberta das sirtuínas é relatada pelo próprio Guarente no livro *Ageless quest: one scientist's search for genes that prolong youth* (Nova York: Cold Spring Harbor Laboratory Press, 2003).

p. 174 – *"tinham um condicionamento físico melhor, eram mais rápidos e tinham uma aparência muito melhor"*: Baur, J. A. et al. (2006). "Resveratrol improves health and survival of mice on a high-calorie diet", *Nature*, 444(7117): 337-342. O estudo chegou à primeira página do *Times* com a manchete: "Yes, red wine holds answer. Check dosage", por Nicholas Wade, 2 de novembro de 2006.

p. 175 – *"aqueles que consomem vinho tinto"*: a literatura existente sobre o vinho tinto é fascinante, e até mesmo inspiradora; vários grandes estudos europeus demonstraram imensos benefícios à saúde associados ao consumo de vinho tinto, e não somente em quantidades limitadas a uma ou duas taças por dia, conforme os médicos americanos recomendam, e sim a algo mais próximo de três. J.P. Broustet, "Red Wine and Health," *Heart*, 1999; 81:459-460.

p. 175 – *"ele não havia desistido"*: em 2014, Sinclair publicou resultados de um novo ativador químico de sirtuínas, que parecia funcionar melhor que o resveratrol. A parte ruim é que o composto químico, o mononucleotídeo de nicotina, custa atualmente cerca de mil dólares por grama. Prepare-se: Gomes, Ana P. et al. (2013). "Declining NAD+ induces a pseudohypoxic state disrupting nuclear-mitochondrial communication during aging", *Cell*, 155(7): 1624-1638.

p. 177 – *"algumas décadas mais jovens do que a sua idade cronológica"*: os resultados de Fontana com os "Cronies" (Restrição Calórica com Nutrição Ótima), incluindo Dowden, foram publicados e analisados em uma longa série de estudos, começando com Fontana L. et al., "Long-term calorie restriction is highly effective in reducing the risk for atherosclerosis in humans", *Proceedings of the National Academy of Sciences*, 7 de abril de 2004. 101(17):6659-63.

p. 178 – *"os macacos que comiam menos eram muito mais saudáveis"*: Colman, R. J. et al. (2009). "Caloric restriction delays disease onset and mortality in rhesus monkeys", *Science*, 325(5937): 201-204.

p. 179 – *"os macacos 'em dieta' não haviam vivido mais tempo"*: Mattison, J. A. et al. (2012). "Impact of caloric restriction on health and survival in rhesus monkeys from the NIA study", *Nature*, 489(7415):

318-321. Para um comentário mais palatável publicado ao mesmo tempo, vide Steven Austad, "Mixed Results for Dieting Monkeys," *Nature* (mesma edição).

p. 179 – *"perto de ser um desastre institucional"*: embora se aceitasse de maneira quase dogmática que a restrição calórica fosse capaz de estender o tempo de vida em todas as ocasiões, houve importantes resultados anômalos sobre a restrição calórica no passado. Steven Austad tentou experimentar o método em camundongos selvagens capturados em um celeiro em Idaho, ao invés de usar os camundongos de laboratório padronizados geneticamente. O experimento teve um efeito mínimo no tempo de vida dos animais. Em outro estudo, mais estruturado, Jim Nelson da Universidade do Texas experimentou o procedimento em 40 linhagens de ratos cruzadas entre si e descobriu que, em um terço dos animais, a dieta restritiva, na realidade, encurtava as vidas deles. Assim, claramente, o método não funciona para todo mundo em todas as ocasiões. Mesmo para macacos.

p. 179 – *"é melhor ter um pouco de sobrepeso"*: a relação entre o IMC e a longevidade (ou mortalidade) está no centro de outro debate espinhoso e acalorado. É o que se chama de "paradoxo da obesidade": a observação de que estar em uma condição entre ligeiro sobrepeso e obesidade está associada com o fato de viver por um tempo um pouco maior – não somente para a população como um todo, mas para pessoas que foram diagnosticadas com hipertensão e diabetes. Seriam necessárias várias páginas para destrinchar a questão, mas a artilharia mais recente parece desacreditar o "paradoxo", mostrando que ser obeso e diabético (características que os macacos de Wisconsin certamente tinham) não é bom: Tobias, D. K. et al. (2014). "Body-Mass Index and Mortality among Adults with Incident Type 2 Diabetes", *New England Journal of Medicine*, 370(3): 233-244.

p. 180 – *"não é surpresa que os dois grupos tiveram resultados diferentes"*: sem querer dar o braço a torcer, a equipe de Wisconsin rebateu com um artigo que explorava em detalhes as muitas diferenças sutis que podem ter levado aos resultados drasticamente diferentes nos dois estudos – não somente a dieta, mas também a composição genética dos macacos e sua idade quando os respectivos estudos foram iniciados, etc. Colman, R. J., et al. (2014). "Caloric restriction reduces age-related and all-cause mortality in rhesus monkeys", *Nature Communications*, 5: 3557. Se você ainda não acha que isso é o bastante, refestele-se com a exegese exaustiva de Michael Rae: "CR in nonhuman primates: a muddle for monkeys, men, and mimetics", postado em www.sens.org em 6 de maio de 2013. Pelo menos você vai descobrir até que ponto os macacos do Whole Foods (NIH) viraram a área de cabeça para baixo.

Capítulo 12: O que não mata...

p. 184 – *"seu artigo sobre banhos de água fria"*: http://gettingstronger.org/2010/03/coldshowers/ – Lembre-se, o primeiro minuto é o pior.

p. 186 – *"água fria pode ajudar a aumentar sua longevidade"*: para uma visão palatável sobre os vermes nematoides e o frio, vide Conti, B. and M. Hansen (2013). "A cool way to live long", *Cell*, 152(4): 671-672.

p. 186 – *"depois passar alguns meses nadando em águas gelladas"*: Lubkowska, A. et al. (2013). "Winter swimming as a building-up body resistance factor inducing adaptive changes in the oxidant/antioxidant status", *Scandinavian Journal of Clinical and Laboratory Investigations,* 20 de março de 2013 [epub disponibilizado antes da publicação impressa]. Pense nisso antes de fugir daquela ducha gelada. Os hábitos de natação de Katherine Hepburn, que nadava durante o ano inteiro, foram documentados por seu biógrafo Charles Higham em *Kate: The life of Katharine Hepburn* (Nova York: W. W. Norton, 2004) [Publicado pela primeira vez em 1974]. Crie coragem.

p. 186 – *"a exposição à água fria podia ativar a gordura marrom"*: Lee, P. et al. "Irisin and FGF21 are cold-induced endocrine activators of brown fat function in humans", *Cell Metabolism*, vol. 19, 2. ed., 4 de fevereiro de 2014, p. 302-309.

p. 189 – *"pequenas doses de calor também são benéficas"*: há uma gama extensa de artigos sobre proteínas do choque térmico, mas um dos primeiros a conectar a resposta ao choque térmico, e também o conceito de hormese à longevidade foi Suresh I. Rattan em uma resenha que foi bastante rechaçada, mas que atualmente é amplamente aceita: "Applying hormesis in aging research and therapy", *Hum Exp Toxicol,* junho de 2001. 20(6):281-5; discussão 293-4.

p. 190 – *"pessoas que se sentem solitárias"*: Cole, S. W. et al. (2007). "Social regulation of gene expression in human leukocytes", *Genome Biology*, 8(9): R189.

p. 191 – *"os radicais livres simplesmente surgiram na minha cabeça"*: "An Interview with dr. Denham Harman," *Life Extension*, fevereiro de 1998.

p. 192 – *"os antioxidantes não pareciam realmente estender o tempo de vida"*: para uma análise excelente do assunto, vide "The myth of antioxidants," por Melinda Wenner Moyer, *Scientific American*, 308, 62 – 67 (2013) publicado online: 14 de janeiro de 2013.

p. 192 – *"os suplementos antioxidantes tiveram resultados inconclusivos"*: Bjelakovic, G. et al. (2007). "Mortality in randomized trials of antioxidant supplements for primary and secondary prevention: systematic review and meta-analysis", *JAMA*, 297(8): 842-857.

p. 193 – *"chamar os suplementos antioxidantes de inúteis seria um elogio"*: o estudo de suplementos-em-exercícios é Ristow M, "Antioxidants prevent health-promoting effects of physical exercise in humans." *Proceedings of the National Academy of Sciences of the USA*, 106: 8665-8670, 2009. Ristow e outros analisam esse e outros estudos similares (com resultados discrepantes) em Mari Carmen Gomez-Cabrera et al., "Antioxidant supplements in exercise: worse than useless?" *American Journal of Physiology – Endocrinology and Metabolism*, 15 de fevereiro de 2012, vol. 302. n. E476-E477.

p. 194 – *"moléculas sinalizadoras essenciais"*: Ristow, M. e Schmeisser, S. (2011). "Extending life span by increasing oxidative stress", *Free Radical Biology in Medicine*, 51(2): 327-336. Vide também Ristow, M. (2014). "Unraveling the truth about antioxidants: mitohormesis explains ROS-induced health benefits", *Nature Medicine*, 20(7): 709-711.

p. 195 – *"e eles raramente veem a luz do sol, se é que algum dia chegam a vê-la"*: não perca o fantástico artigo de Eliot Weinberger sobre o rato-toupeira-pelado em *Karmic Traces*, 1993-1999 (Nova York: New Directions Publishing, 2000).

p. 197 – *"eles têm uma capacidade melhor para lidar com o estresse"*: Lewis, K. N. et al. (2012). "Stress resistance in the naked mole-rat: the bare essentials – a mini-review." *Gerontology*, 58(5): 453-462. Um ótimo lugar para se começar, e o melhor título de artigo científico com um trocadilho infame, na minha opinião. Vide também Edrey, Y. H. et al. (2011). "Successful aging and sustained good health in the naked mole rat: a long-lived mammalian model for biogerontology and biomedical research", *ILAR* J 52(1): 41-53.

p. 197 – *"uma espécie de salamandra que habita cavernas"*: o biólogo evolutivo John Speakman usa os proteus para ajudá-lo a desmantelar ainda mais a teoria do envelhecimento oxidativo por estresse em "The free-radical damage theory: accumulating evidence against a simple link of oxidative stress to ageing and lifespan", *Bioessays*, 33: 255–259 (2011).

p. 197 – *"para sequenciar o genoma do rato-toupeira-pelado"*: Kim, E. B. et al. (2011). "Genome sequencing reveals insights into physiology and longevity of the naked mole rat", *Nature*, 479(7372): 223-227.

Capítulo 13: Indo em frente

p. 201 – *"simplesmente alimentando seus animais de laboratório a cada dois dias"*: Carlson A. J.; Hoelzel, F., "Apparent prolongation of the lifespan of rats by intermittent fasting", *Journal of Nutrition*, março de 1946. 31:363-75; o estudo sobre as casas de repouso espanholas é descrito por Johnson et al., (2006), "The effect on health of alternate day calorie restriction: eating less and more than needed on alternate days prolongs life", *Medical Hypotheses*, 67(2): 209-211. A opinião de Longo: "A questão é: os 60 que foram alimentados em dias alternados desejaram poder morrer? Provavelmente sim".

p. 202 – *"os sintomas de asma também desapareceram"*: Johnson, J. B. et al. (2007). "Alternate day calorie restriction improves clinical findings and reduces markers of oxidative stress and inflammation in overweight adults with moderate asthma", *Free Radical Biology in Medicine*, 42(5): 665-674.

p. 202 – *"estudos feitos em muçulmanos durante o período do Ramadã"*: para uma boa revisão de estudos sobre jejuns por motivos religiosos e saúde, vide John F. Trepanowski et al., "Impact of caloric and dietary restriction regimens on markers of health and longevity in humans and animals: a summary of available findings," *Nutrition Journal*, 2011, 10:107 (http://www.nutritionj.com/content/10/1/107).

p. 203 – *"algo chamado de fator neurotrófico derivado do cérebro"*: Mark Mattson reuniu uma coleção de estudos fascinantes sobre dieta e jejum, mas os trabalhos sobre o cérebro são os mais interessantes. Nesse estudo, ele e sua equipe descobriram que jejuns intermitentes melhoraram o processamento de glicose e também protegeram neurônios, independentemente do total de calorias consumidas: Anson, R. M. et al. (2003). "Intermittent fasting dissociates beneficial effects of dietary restriction on glucose metabolism and neuronal resistance to injury from calorie intake", *Proceedings of the National Academy of Sciences* 100(10): 6216-6220.

p. 203 – *"não há uma 'maneira certa' de fazer o jejum intermitente"*: o estudo com a "janela" de oito horas de alimentação é Hatori, M. et al. (2012). "Time-restricted feeding without reducing caloric intake prevents metabolic diseases in mice fed a high-fat diet", *Cell Metab*, 15(6): 848-860. Nos últimos anos, o mercado foi inundado por livros focados em dietas a base de jejuns, desde a *Dieta das 8 Horas* (ligeiramente baseada na obra de Panda) até a *Dieta do Dia-Sim-Dia-Não: aquela que deixa você comer tudo o que quiser (um dia sim, no outro não)* e ainda mantém o peso, pela professora Krista Varady, da Universidade de Illinois de Chicago (Nova York: Hyperion, 2013). Há também o best-seller britânico *The fast diet*, por Michael Mosley (Nova York: Atria Books, 2013), que propõe jejuar dois dias a cada sete (e que, de acordo com Longo, não tem qualquer base em pesquisas). Jejuar, em outras palavras, está na moda.

p. 205 – *"bloquear a rota do TOR fazia com que suas leveduras vivessem três vezes mais"*: o artigo que colocou o grupo de Longo em evidência é de Paola Fabrizio et al., "Regulation of longevity and stress resistance by Sch9 in yeast", *Science,* 13 de abril de 2001: vol. 292, no. 5515, p. 288-290. Bem mais interessante do que o título faz parecer.

p. 207 – *"em alguns pacientes, a quimioterapia também parecia ser mais eficaz"*: os estudos que testaram os jejuns humanos e os dos camundongos mais a quimioterapia estão descritos em Safdie, F. M. et al. (2009). "Fasting and cancer treatment in humans: a case series report", *Aging* (Albany NY) 1(12): 988-1007. Testes clínicos ainda maiores estão em andamento, e espera-se que os resultados sejam divulgados em 2015.

p. 208 – *"e levou o precioso fungo do solo consigo"*: a descoberta e o desenvolvimento da rapamicina, pelo cientista canadense de origem indiana Suren Sehgal, é um dos grandes relatos fortuitos da biologia moderna. A história é relatada em "Rapamycin's resurrection: a new way to target the cell cycle", *Journal of the National Cancer Institute*, 17 de outubro de 2001.

p. 208-209 – *"a rapamicina havia estendido significativamente o tempo de vida de camundongos"*:

Harrison, D. E. et al. (2009), "Rapamycin fed late in life extends lifespan in genetically heterogeneous mice", *Nature*, 460(7253): 392-395. O *Times* afundou com a história e descreveu erroneamente a rapamicina como um "antibiótico".

p. 209 – *"a rapamicina conseguiu até mesmo reverter o envelhecimento cardíaco em camundongos idosos"*: Flynn, J. M. et al. (2013). "Late-life rapamycin treatment reverses age-related heart dysfunction", *Aging Cell*, 12(5): 851-862.

p. 210 – *"a rapamicina provavelmente estenderia o tempo de vida de mamíferos"*: Blagosklonny, M. V. (2006). "Aging and immortality: quasi-programmed senescence and its pharmacologic inhibition", *Cell Cycle*, 5(18): 2087-2102.

p. 211 – *"é mais parecido com um programa que começa a funcionar inadequadamente"*: o termo "hiperfunção" foi usado pela primeira vez pelo gerontologista David Gems, de Londres. Vide Gems, D. e Y. de la Guardia (2013). "Alternative Perspectives on Aging in Caenorhabditis elegans: reactive oxygen species or hyperfunction?" *Antioxidant Redox Signalling*, 19(3): 321-29.

p. 213 – *"chamados de Laron"*: Guevara-Aguirre, J. et al. (2011). "Growth hormone receptor deficiency is associated with a major reduction in pro-aging signaling, cancer, and diabetes in humans", *Science Translational Medicine*, 3(70): 70ra13.

p. 215 – *"pessoas de meia-idade que haviam ingerido uma dieta rica em laticínios e carne"*: Levine, M. E. et al. (2014). "Low protein intake is associated with a major reduction in IGF-1, cancer, and overall mortality in the 65 and younger but not older population", *Cell Metabolism*, 19(3): 407-417.

Capítulo 14: Quem mexeu nas minhas chaves?

p. 219 – *"um declínio cognitivo significativo já é evidente"*: Singh-Manoux, A.; Kivimaki, M.; Glymour, M. M.; Elbaz, A.; Berr, C.; Ebmeier K.P.; Ferrie J.E.; Dugravot, A. "Timing of onset of cognitive decline: results from whitehall II prospective cohort study", *BMJ*, vol. 344, 2012. Artigo de periódico. doi:10.1136/bmj.d7622. Pelas informações deprimentes sobre moscas das frutas, agradeça a Chiang, Hsueh-Cheng, Lei Wang, Zuolei Xie, Alice Yau e Yi Zhong. "Pi3 Kinase Signaling Is Involved in Aβ-Induced Memory Loss in Drosophila". *Proceedings of the National Academy of Sciences*, 107, no. 15 (13 de abril de 2010 2010): 7060-65.

p. 219 – *"seu nome era Auguste D."*: a história fascinante é contada integralmente aqui, juntamente com desenhos originais e fotografias. O interessante é que, atualmente, pensa-se que Auguste D. sofreu de arteriosclerose no cérebro, e não da doença de Alzheimer. Graeber, M. B., Kosel S., Egensperger R., Banati R. B.; Muller U.; Bise K.; Hoff P. et al. "Rediscovery of the case described by Alois Alzheimer in 1911: historical, histological and molecular genetic analysis", *Neurogenetics*, 1, maio de 1997, no. 1: 73-80.

p. 221 – *"em testes clínicos com pacientes de verdade, essas drogas não funcionaram"*: Cummings, J. L., Morstorf T.; Zhong K. "Alzheimer's disease drug-development pipeline: few candidates, frequent failures". *Alzheimer's Research and Therapeutics*, 6, no. 4 (2014): 37. Vide também "Alzheimer's theory that's been drug graveyard facing test", por Michelle Fay Cortez e Drew Armstrong, *Bloomberg News*, 12 de dezembro de 2013.

p. 222 – *"os cérebros das melhores escritoras também tinham quantidades menores de amiloide"*: Iacono, D.; Markesbery, W. R.; Gross, M.; Pletnikova, O.; Rudow G.; Zandi P.; Troncoso, J. C. "The nun study: clinically silent ad, neuronal hypertrophy, and linguistic skills in early life", *Neurology*, 73, no. 9 (Sep 1 2009): 665-73. O estudo das freiras gerou muitas publicações fascinantes (disponíveis em https://www.healthstudies.

umn.edu/nunstudy/publications.jsp), e também um livro: Snowdon, David. *Aging with grace: what the nun study teaches us about leading longer, healthier, and more meaningful lives*. Nova York: Bantam Books, 2001.

p. 222 – *"os cérebros tinham todos os sinais clássicos do Alzheimer"*: Driscoll, I.; Resnick S. M.; Troncoso, J. C.; An, Y.; O'Brien, R.; Zonderman, A. B. "Impact of Alzheimer's pathology on cognitive trajectories in nondemented elderly", *Annals of Neurology*, 60, no. 6, (dezembro de 2006): 688-95.

p. 222 – *"o que se chama de reserva cognitiva"*: um bom resumo sobre o assunto em Stern, Yaakov. "Cognitive Reserve", *Neuropsychologia* 47, no. 10 (8// 2009): 2015-28.

p. 223 – *"o jet lag envelhece as pessoas"*: Davidson, A. J., Sellix, M. T., Daniel, J., Yamazaki, S., Menaker, M.; Block, G. D. "Chronic jet-lag increases mortality in aged mice", *Curr Biol*, 16, no. 21 (7 de novembro de 2006): R914-6.

p. 223 – *"metade de todos os casos de Alzheimer poderia ser evitada"*: Barnes, D. E., Yaffe, K. "The projected effect of risk factor reduction on Alzheimer's disease prevalence", *Lancet Neurology*, 10, no. 9 (Setembro de 2011): 819-28.

p. 223 – *"uma simples caminhada diária de 20 minutos"*: Winchester, J., Dick M. B.; Gillen, D.; Reed, B.; Miller, B.; Tinklenberg, J.; Mungas, D. et al. "Walking stabilizes cognitive functioning in Alzheimer's disease (Ad) across one Year", *Archives of Gerontololgy and Geriatrics* 56, no. 1 (Janeiro-Fevereiro de 2013): 96-103.

p. 224 – *"sangue velho faz o seu cérebro se despedaçar"*: Villeda, S. A.; Luo J.; Mosher, K. I.; Zou, B.; Britschgi, M.; Bieri, G.; Stan, T. M. et al. "The ageing systemic milieu negatively regulates neurogenesis and cognitive function", *Nature*, 477, no. 7362 (01 de setembro de 2011): 90-4.

p. 225 – *"o sangue jovem havia restaurado seus cérebros envelhecidos"*: Villeda, S. A., Plambeck K. E.; Middeldorp, J.; Castellano, J. M.; Mosher, K. I.; Luo, J.; Smith, L. K. et al. "Young blood reverses age-related impairments in cognitive function and synaptic plasticity in mice", *Nature Medicine*, 20, no. 6 (Junho de 2014): 659-63.

p. 226 – *"curar seus músculos lesionados"*: Conboy, I. M., Conboy, M. J.; Wagers, A. J.; Girma, E. R.; Weissman, I. L.; Rando, T. A. "Rejuvenation of aged progenitor cells by exposure to a young systemic environment", *Nature*, 433, no. 7027 (17 de fevereiro de 2005): 760-4.

p. 227 – *"o procedimento havia revertido o relógio"*: Loffredo, F. S.; Steinhauser, M. L.; Jay, S. M.; Gannon, J.; Pancoast, J. R., Yalamanchi, P.; Sinha, M. et al. "Growth differentiation factor 11 is a circulating factor that reverses age-related cardiac hypertrophy", *Cell*, 153, no. 4 (9 de maio de 2013): 828-39. A história também foi contada em "Young Blood", *Science,* 12 de setembro de 2014, vol. 345 no. 6202 p. 1234-1237.

p. 227 – *"os ratos idosos haviam até mesmo recuperado seu olfato"*: Katsimpardi, L., Litterman, N. K.; Schein, P. A.; Miller, C. M.; Loffredo, F. S.; Wojtkiewicz, G. R.; Chen, J. W. et al. "Vascular and neurogenic rejuvenation of the aging mouse brain by young systemic factors", *Science*, 344, no. 6184 (9 de maio de 2014): 630-4. O artigo sobre a regeneração muscular é Sinha, M., Y. C. Jang, J. Oh, D. Khong, E. Y. Wu, R. Manohar, C. Miller et al. "Restoring systemic Gdf11 levels reverses age related dysfunction in mouse skeletal muscle", *Science*, 344, no. 6184 (9 de maio de 2014): 649-52.

p. 228 – *"músculos velhos pareciam rejuvenescer quando recebiam doses de ocitocina"*: Elabd, C., Cousin, W.; Upadhyayula, P.; Chen, R. Y.; Chooljian, M. S.; Li, J.; Kung S.; Jiang, K. P.; Conboy, I. M. "Oxytocin is an age-specific circulating hormone that is necessary for muscle maintenance and regeneration", *Nature Communications*, 5 (2014): 4082.

Epílogo: A morte da morte

p. 229 – *"chama-se citomegalovírus"*: Sansoni, P., Vescovini, R.; Fagnoni, F. F.; Akbar, A.; Arens, R.; Chiu, Y. L.; Cicin-Sain, L. et al. "New advances in CMV and Immunosenescence", *Experimental Gerontology*, 55 (Julho de 2014): 54-62. Cicin-Sain, L., J. D. Brien, J. L. Uhrlaub, A. Drabig, T. F. Marandu e J. Nikolich-Zugich. "Cytomegalovirus infection impairs immune responses and accentuates t-cell pool changes observed in mice with aging", *PLoS Pathogens*, 8, no. 8 (2012): e1002849.

p. 231 – *"o CMV, em particular, é fortemente associado com doenças cardiovasculares pré-clínicas"*: Olson, N. C.; Doyle, M. F.; Jenny, N. S.; Huber, S. A.; Psaty, B. M.; Kronmal, R. A.; Tracy, R. P, "Decreased naive and increased memory Cd4(+) t-cells are associated with subclinical atherosclerosis: the multi-ethnic study of atherosclerosis", *PLoSOne*, 8, no. 8 (2013): e71498.

p. 231 – *"em outras palavras, é como uma guerrilha"*: alguns cientistas, especialmente Luigi Ferrucci do NIA e do Estouro, acham que a função de manutenção e reparo celular também está no domínio do sistema imune. Assim, um vírus como o CMV obviamente aceleraria o nosso envelhecimento, embora a capacidade de restaurar a funcionalidade do timo poderia ter efeitos enormes sobre o processo do envelhecimento de maneira geral. (As pessoas que tomam HGH também relatam que suas glândulas do timo voltam a crescer, mas não parecem funcionar muito bem.)

p. 231 – *"e nasceu em um momento de epifania para Grey"*: a epifania foi descrita no início do livro que Grey escreveu, *Ending aging*.

p. 233 – *"o experimento recebeu 9 milhões de dólares em verbas de uma iniciativa gigantesca de pesquisa com financiamento da União Europeia chamada ThymiStem"*: O projeto tem um site na internet: http://www.thymistem.org; O artigo de 2014 pode ser encontrado em Bredenkamp, N., C. S. Nowell e C. C. Blackburn. "Regeneration of the aged thymus by a single transcription factor", *Development*, 141, no. 8 (Abril de 2014): 1627-37.

p. 235 – *"os preços dos alimentos e da energia chegariam a níveis estratosféricos"*: A palestra de Randall Kuhn's no SENS pode ser assistida na íntegra: www.youtube.com/watch?v=F2s-RdkAB_4.

p. 236 – *"a mola-mestra da atividade humana"*: Becker, Ernest. *The denial of death*. Nova York: Free Press, 1973.

Apêndice: Coisas que podem funcionar

Resveratrol

Morten Møller Poulsen et al. "Resveratrol in metabolic health: an overview of the current evidence and perspectives." In: *Annals of the New York Academy of Sciences*. 1290 (2013) 74-82.

Hector et al. "The effect of resveratrol on longevity across species: a meta-analysis." *Biology Letters* (2012) 8, 790–793. Publicado online em 20 de junho de 2012. Basicamente, refuta toda a noção de que o resveratrol estende o tempo de vida em qualquer animal.

Mattison, J. A.; Wang, M.; Bernier, M.; Zhang, J.; Park, S. S.; Maudsley, S.; An, S. S. et al. "Resveratrol prevents high fat/sucrose diet-induced central arterial wall inflammation and stiffening in nonhuman primates." *Cell Metabolism*, 20, no. 1 (1 de julho de 2014): 183-90.

Walle, T. "Bioavailability of Resveratrol". *Annals of the New York Academy of Sciences* 1215 (Janeiro de 2011): 9-15.

Rossi, D.; Guerrini, A.; Bruni, R.; Brognara, E.; Borgatti, M.; Gambari, R.; Maietti, S.; Sacchetti, G. "Trans-resveratrol in nutraceuticals: issues in retail quality and effectiveness. In: *Molecules,* 2012; 17(10):12393-12405. Aborda a falta de resveratrol em muitos suplementos vendidos como sendo à base de resveratrol.

"Resveratrol: the hard sell on anti-aging", por Arlene Weintraub. *Businessweek,* 29 de julho de 2009. Sobre o crescimento explosivo da indústria de suplementos à base de resveratrol.

Álcool/Vinho tinto

Muitas das pesquisas relevantes sobre vinho tinto estão condensadas elegantemente em J.P. Broustet, "Red wine and health", *Heart,* 1999;81:459-460 (supracitado).

Estes autores analisaram dez grandes estudos e descobriram que TODAS as bebidas alcoólicas conferiam algum grau de proteção contra doenças cardiovasculares: Rimm, E. B.; Klatsky, A.; Grobbee, D.; Meir, J. S. "Review of moderate alcohol consumption and reduced risk of coronary heart disease: is the effect due to beer, wine, or spirits?", *British Medical Journal,* 1996, vol. 312,731. 1996.

Este estudo é particularmente notável por ter sido feito em Bordeaux e porque encontrou um tremendo efeito protetor no vinho tinto contra o mal de Alzheimer. Os autores concluem: "Não existe uma razão médica para aconselhar que pessoas com mais de 65 anos deixem de beber vinho moderadamente, pois o hábito não tem nenhum risco específico e pode até trazer alguns benefícios à sua saúde". (Além disso, eles definem "moderadamente" como a ingestão de 3 a 4 cálices por dia). Orgogozo, J. M.; Dartigues, J. F.; Lafont, S.; Letenneur, L.; Commenges, D.; Salamon, R.; Renaud, S.; Breteler, M. B. "Wine consumption and dementia in the elderly: a prospective community study in the Bordeaux area", *Revue Neurologique* (Paris) 153, abril de 1997, no. 3: 185-92.

Pesquisas mais recentes também sugerem que comer gordura não faz necessariamente tão mal para as pessoas quanto se pensava quando o "paradoxo francês" foi divulgado em 1987 – portanto, o paradoxo pode não ser tão paradoxal assim. Muito desse assunto está resumido em Teicholz, Nina. *The big fat surprise: why butter, meat, and cheese belong in a healthy diet.* Nova York: Simon & Schuster, 2014.

Café

A grande análise: Freedman, N. D., Park, Y.; Abnet, C. C.; Hollenbeck, A. R.; Sinha, R. "Association of coffee drinking with total and cause-specific mortality", *New England Journal of Medicine,* 366, 17 de maio de 2012, no. 20: 1891-904.

Outro grande estudo europeu aqui: Floegel, A.; Pischon, T.; Bergmann, M. M.; Teucher, B.; Kaaks, R.; Heiner, B. "Coffee consumption and risk of chronic disease in the european prospective investigation into cancer and nutrition (epic) – Germany Study", *The American Journal of Clinical Nutrition,* 95, 1 de abril de 2012, no. 4: 901-08.

Um editorial bastante ponderado para acompanhar os textos acima: Lopez-Garcia, Esther. "Coffee consumption and risk of chronic diseases: changing our views", *The American Journal of Clinical Nutrition,* 95, 1 de abril de 2012, no. 4: 787-88.

Curcumina

Ver notas para as páginas 243.

Life Extension Mix

Spindler, S. R., Mote, P. L.; Flegal, J. M. "Lifespan effects of simple and complex nutraceutical combinations fed isocalorically to mice", *Age (Dordr)*, 36, abril de 2014, no. 2: 705-18.

Metmorfina

Martin-Montalvo, A., Mercken, E. M.; Mitchell, S. J.; Palacios, H. H.; Mote, P. L.; Scheibye-Knudsen, M.; Gomes, A. P. et al. "Metformin improves healthspan and lifespan in mice", *Nature Communications*, 4 (2013): 2192.

DeCensi, A.; Puntoni, M.; Goodwin, P.; Cazzaniga, M.; Gennari, A.; Bonanni, B.; Gandini, S., "Metformin and cancer risk in diabetic patients: a systematic review and meta-analysis", *Cancer Prevention Research*, 3, 1 de novembro de 2010, no. 11: 1451-61.

Kasznicki, J., Sliwinska, A.; Drzewoski, J. "Metformin in cancer prevention and therapy", *Annals of translational medicine 2*, no. 6 (Junho de 2014): 57.

Vitamina D

Brunner, R. L.; Cochrane, B.; Jackson, R. D.; Larson, J.; Lewis, C.; Limacher, M.; Rosal, M.; Shumaker, S.; Wallace, R., "Calcium, vitamin D supplementation, and physical function in the Women's Health Initiative.", *Journal of the American Diet Association*, 108, setembro de 2008, no. 9: 1472-9.

Bjelakovic, G.; Gluud, L. L.; Nikolova, D.; Whitfield, K.; Wetterslev, J.; Simonetti, R. G.; Bjelakovic, M.; Gluud, C., "Vitamin D supplementation for prevention of mortality in adults", *Cochrane Database Systematic Reviews*, 1 (2014): CD007470.

Holick, M. F. *The vitamin D solution: a 3-step strategy to cure our most common health problem.* Nova York: Hudson Street Press, 2010.

Gordon Lithgow fala sobre a Vitamin D aqui: http://vimeo.com/channels/thebuck/67168737.

Aspirina/Ibuprofeno

Há muitos, muitos estudos sobre a aspirina e anti-inflamatórios. O estudo da Womens' Health Initiative (o mesmo que derrubou a substituição hormonal) descobriu uma forte associação entre o uso da aspirina e a redução da mortalidade: Berger, J. S.; Brown, D. L.; Burke, G. L.; Oberman, A.; Kostis, J. B.; Langer, R. D.; Wong, N. D.; Wassertheil-Smoller, S., "Aspirin use, dose, and clinical outcomes in postmenopausal women with stable cardiovascular disease: the Women"s Health Initiative observational study", *Circulatory and Cardiovascular Quality and Outcomes*, 2, março de 2009, no. 2: 78-87.

Randy, S; Miller, R. A. et al. "Nordihydroguaiaretic acid and aspirin increase lifespan of genetically heterogeneous male mice", *Aging Cell*, 7, 2008, no. 5: 641-50. Descobriu que os medicamentos fazem com que os camundongos vivam por mais tempo. Mas apenas os machos.

Vlad, S. C.; Miller, D. R.; Kowall, N. W.; D. T. Felson. "Protective effects of NSAIDs on the development of Alzheimer disease", *Neurology*, 70, 6 de maio de 2008, no. 19: 1672-7.

Couve

Só se você gostar do sabor.

LEITURAS RECOMENDADAS

Agus, David. *A short guide to a long life*. Nova York: Simon & Schuster, 2014. [*Guia rápido para uma vida longa*. Rio de Janeiro: Intrínseca, 2014.]

Agus, David; Loberg, Kristin. *The end of illness*. 1. ed. Nova York: Free Press, 2012.

Alexander, Brian. *Rapture: how biotech became the new religion*. 1. ed. Nova York: Basic Books, 2003.

Aminoff, Michael J. *Brown-Séquard: an improbable genius who transformed medicine*. Oxford; Nova York: Oxford University Press, 2011.

Arrison, Sonia. *100 plus: how the coming age of longevity will change everything: from careers and relationships to family and faith*. Nova York: Basic Books, 2011.

Austad, Steven N. *Why we age: What science is discovering about the body's journey through life*. Nova York: J. Wiley & Sons, 1997.

Becker, Ernest. *The denial of death*. New York: Free Press, 1973. [*A negação da morte*. Rio de Janeiro: Record, 2007.]

Boyle, T. Coraghessan. *The road to Wellville*. 1. ed. Nova York: Viking, 1993.

Brock, Pope. *Charlatan: America's most dangerous huckster, the man who pursued him, and the age of Flimflam*. 1. ed. Nova York: Crown Publishers, 2008.

Buettner, Dan. *The blue zones: 9 lessons for living longer from the people who've lived the longest*. 2. ed. Washington, D.C.: National Geographic, 2012.

Campbell, T. Colin; Thomas M. Campbell. *The China Study: the most comprehensive study of nutrition ever conducted and the startling implications for diet, weight loss and long-term health*. 1. ed. Dallas: BenBella Books, 2005.

Comfort, Alex. *The process of ageing. Signet Science Library*. Nova York: New American Library, 1964.

_____. *Ageing: the biology of senescence*. Edição revista e rediagramada. Nova York: Holt, 1964.

Cornaro, Luigi; Addison, Joseph; Bacon, Francis; Temple, William. *The art of living long: a new and improved english version of the treatise*. Milwaukee: W.F. Butler, 1905.

Cowdry, Edmund Vincent; Allen, Edgar. *Problems of ageing; biological and medical aspects*. 2. ed. Baltimore: The Williams & Wilkins company, 1942.

Critser, Greg. *Eternity soup: inside the quest to end aging*. 1. ed. Nova York: Harmony Books, 2010.

Crowley, Chris; Lodge, Henry S. *Younger next year: a guide to living like 50 until you're 80 and beyond*. Nova York: Workman Publishing, 2004. [*Fique mais jovem a cada ano: chegue aos 80 anos com a saúde, o vigor e a forma física de um cinquentão*. Rio de Janeiro: Sextante, 2007.]

De Grey, Aubrey D. N. J.; Rae, Michael. *Ending aging: the rejuvenation breakthroughs that could reverse human aging in our lifetime*. 1. ed. Nova York: St. Martin's Press, 2007.

Finch, Caleb. *Longevity, senescence, and the genome*. The John D and Catherine T Macarthur Foundation Series on Mental Health and Development. Chicago: University of Chicago Press, 1990.

Finch, Caleb; Hayflick, Leonard. *Handbook of the biology of aging*. The handbooks of aging. Nova York: Van Nostrand Reinhold Co., 1977.

Gawande, Atul. *Being mortal: medicine and what matters in the end*. 1. ed. Nova York: Metropolitan Books: Henry Holt & Company, 2014. [*Ser mortal*: nós, a medicina, e o que realmente importa no final. São Paulo: Lua de Papel, 2015.]

Gruman, Gerald J. *A history of ideas about the prolongation of life. Classics in longevity and aging Series*. Nova York: Springer Pub. Co., 2003.

Guarente, Leonard. *Ageless quest: one scientist's search for genes that prolong youth*. Nova York: Cold Spring Harbor Laboratory Press, 2003.

Hadler, Nortin M. *The last well person: how to stay well despite the health-care system*. Montreal; Ithaca: McGill-Queen's University Press, 2004.

Haldane, J. B. S. *New paths in genetics*. Londres: G. Allen & Unwin ltd., 1941.

Hall, Stephen S. *Merchants of immortality: chasing the dream of human life extension*. Boston: Houghton Mifflin, 2003.

Hayflick, Leonard. *How and why we age*. 1. ed. Nova York: Ballantine Books, 1994. [*Como e por que envelhecemos*. São Paulo: Campus, 1997.]

Holick, M. F. *The Vitamin D solution: A 3-step strategy to cure our most common health problem*. Nova York: Hudson Street Press, 2010.

Jacobs, A. J. *Drop dead healthy: one man's humble auest for bodily perfection*. 1. ed. Nova York: Simon & Schuster, 2012.

Jerome, John. *Staying with It*. Nova York: Viking, 1984.

Kerasote, Ted. *Pukka's promise: the quest for longer-lived dogs*. Boston: Houghton Mifflin Harcourt, 2013.

Kurzweil, Ray; Grossman, Terry. *Transcend: nine steps to living well forever*. Emmaus: Rodale, 2009.

Lakatta, E. G. "Arterial and cardiac aging: major shareholders in cardiovascular disease enterprises: part III: cellular and molecular clues to heart and arterial aging", *Circulation*, 107, no. 3 (28 de janeiro de 2003): 490-7.

Lakatta, E. G.; Levy, D. "Arterial and cardiac aging: major shareholders in cardiovascular disease enterprises: part II: the aging heart in health: links to heart disease", *Circulation* 107, 21 de janeiro de 2003, no. 2: 346-54.

_____. "Arterial and cardiac aging: major shareholders in cardiovascular disease enterprises: part I: aging arteries: a "set up" for vascular disease", *Circulation* 107, 7 de janeiro de 2003, no. 1: 139-46.

Lieberman, Daniel. *The story of the human body: evolution, health, and disease*. 1. ed. Nova York: Pantheon Books, 2013. [*A história do corpo humano*. Rio de Janeiro: Zahar, 2015.]

Life, Jeffry S. *The life plan: how any man can achieve lasting health, great sex, and a stronger, leaner body*. 1. ed. Nova York: Atria Books, 2011.

Masoro, Edward J.; Austad, Steven N. *Handbook of the biology of aging*. the handbooks of aging. 6. ed. Amsterdam; Boston: Elsevier Academic Press, 2006.

McCay, Jeanette B. *Clive Mccay, nutrition pioneer: biographical memoirs by his wife*. Charlotte Harbor: Tabby House, 1994.

Mitchell, Stephen. *Gilgamesh: a new english version*. Nova York: Free Press, 2004.

Moalem, Sharon; Prince, Jonathan. *Survival of the sickest: a medical maverick discovers why we need disease*. 1. ed. Nova York: William Morrow, 2007. [*A sobrevivência dos mais doentes:* um estudo radical das doenças como fator de sobrevivência. São Paulo: Campus/Elsevier, 2007.]

Mosley, Michael; Spencer, Mimi. *The fast diet: lose weight, stay healthy, and live longer with the simple secret of intermittent fasting*. 1. ed. Nova York: Atria Books, 2013. [*A dieta dos 2 dias: fique mais magro e saudável com o método do jejum intermitente*. Rio de Janeiro: Sextante, 2013.]

Mukherjee, Siddhartha. *The emperor of all maladies: a biography of cancer*. 1. ed. Nova York: Scribner, 2010. [*O imperador de todos os males: uma biografia do câncer*. São Paulo: Companhia das Letras, 2012.]

Nuland, Sherwin B. *The art of aging: a doctor's prescription for well-being*. 1. ed. Nova York: Random House, 2007. [*A arte de envelhecer*. Rio de Janeiro: Objetiva, 2007.]

Oeppen, J.; Vaupel, J. W. "Demography. Broken limits to life expectancy", *Science* 296, 10 de maio de 2002, no. 5570: 1029-31.

Olshansky, Stuart Jay; Carnes, Bruce A. *The quest for immortality: science at the frontiers of aging*. Nova York: Norton, 2001.

Poynter, Jane. *The human experiment: two years and twenty minutes inside Biosphere 2*. Nova York: Thunder's Mouth Press/Publishers Group West, 2006.

Ridley, Matt. *Genome: the autobiography of a species in 23 chapters*. 1. ed. Nova York: HarperCollins, 1999.

Shock, Nathan W.; Gerontology Research Center (U.S.). *Normal human aging: the Baltimore longitudinal study of aging*. NIH Publication. Baltimore, Md. Washington, D.C.: U.S. Dept. of Health and Human Services, Public Health Service, National Institutes of Health, National Institute on Aging. À venda pela Supt. of Docs., U.S. G.P.O., 1984.

Shteyngart, Gary. *Super sad true love story: a novel*. 1. ed. Nova York: Random House, 2010. [*Uma história de amor real e supertriste*. Rio de Janeiro: Rocco, 2011.]

Snowdon, David. *Aging with grace: what the nun study teaches us about leading longer, healthier, and more meaningful lives*. Nova York: Bantam Books, 2001.

Stipp, David. *The youth pill: scientists at the brink of an anti-aging revolution*. Nova York: Current, 2010.

Taubes, Gary. *Good calories, bad calories: challenging the conventional wisdom on diet, weight control, and disease*. 1. ed. Nova York: Alfred A. Knopf, 2007.

_____. *Why we get fat and what to do about it*. 1. ed. Nova York: Alfred A. Knopf, 2011. [*Por que engordamos e o que fazer para evitar*. Porto Alegre: LP&M Editores, 2014.]

Teicholz, Nina. *The big fat surprise: why butter, meat, and cheese belong in a healthy diet*. 1. ed. Nova York: Simon & Schuster, 2014.

Varady, Krista. *The every-other-day diet: the diet that lets you eat all you want (half the time) and keep the weight off*. 1. ed. Nova York: Hyperion, 2013.

Weinberger, Eliot. *Karmic Traces, 1993-1999*. New Directions Paperbook. Nova York: New Directions Books, 2000.

Weiner, Jonathan. *Long for this world: the strange science of immortality*. 1. ed. Nova York: Ecco, 2010.

Weintraub, Arlene. *Selling the fountain of youth: how the anti-aging industry made a disease out of getting old, and made billions*. Nova York: Basic Books, 2010.

Whitehouse, Peter J; George, Daniel. *The myth of Alzheimer's: what you aren't being told about today's most dreaded diagnosis*. 1. ed. Nova York: St. Martin's Press, 2008.

ÍNDICE REMISSIVO

A
"A. B." (escocês), 138
A-beta (beta-amiloide), 221
Acromegalia, 58
Açúcar, 65, 67, 132, 140, 144, 151, 167, 180, 187, 214-215
Açúcar no sangue, envelhecimento acelerado por, 132
Adiponectina, 134
Administração de Seguridade Social, Calculadora de vida da, 29
Agassiz, Louis, 12
Ageless (Somers), 47 e 49
Álcool, 5, 89, 173, 242, 270
Allen, Woody, 182
Alzheimer, Alois, 219-220
Alzheimer, doença de (Veja também Saúde do Cérebro)
 Custos da, 41, 221
 Depressão e, 222
 Descoberta da, 219-220
 Do tio-avô do autor, 17-18
 Envelhecimento como principal fator de risco, 25, 40-42, 84, 230
 Fatores de risco da,
 Jejum previne, 203
 Metabolismo e, 187
 Morte devido à, 21, 220
 Mudanças no sangue com, 220
 Prevenibilidade da, 203, 223-224, 242, 246
 Procura por medicamentos para, 221, 228
American Heart Association, 90-91
Aminoff, Michael, 13
Anderson, Rozalyn, 73
André, o Gigante, 206
Andropausa, 50-51
Antígeno prostático específico (PSA), 64-65
Antioxidantes
 Expectativa de vida e, 186, 192, 194
 Radicais livres e, 190-192
 Suplementos, 190, 192-194
Aposentadoria, perigos para a saúde devido à, 235

Aricept, 221
Arroz fermentado vermelho, 276
Arte da Longevidade, A (Cornaro), 166
Artérias, envelhecimento das, 50, 98-99, 106, 187
Asquenazes, estudo com os judeus, 78-79, 108
Aspirina, 213, 246, 271
Associação Americana de Medicina Antienvelhecimento (A4M), 44-47, 51-53, 59
Aterosclerose/arteriosclerose (Veja também Doenças cardiovasculares)
  Em múmias, 96-97
  Em soldados jovens,
  Envelhecimento e o risco de, 98-99, 187
  Humanos são programados para ter, 84, 99
Atletas
  Capacidade de desempenho de atletas sênior, 143-146, 149, 160
  Envelhecimento em, 146-147, 149-151
  Idosos sedentários comparados a seniores, 149, 151, 153
  Jogos Nacionais de Sêniors de 2013, 143
  Melhoramento do desempenho após jejum, 184
Austad, Steven, 180, 209, 247
Autofagia, exercícios como auxílio a, 156

B

Baby boomers, 20-22, 52
Bach, Johann Sebastian, 164
Bacon, Roger, 62
Bacon, Sir Francis, 62
Baker, Darren, 127
Baleias, 113-114, 186, 199, 231
Banhos de água gelada, 131, 185, 188-189, 199
Bartke, Andrzej, 57
Barzilai, Nir
  Descobertas sobre o resveratrol por, 241
  Estudo dos judeus asquenazes por, 78-83, 108
  Gene inibidor de CETP identificado por, 84, 94
  Sobre doenças e duração da vida, 41, 134-135, 180, 237, 241, 244-245
  Sobre estatinas, 81, 92, 95
  Sobre Irving Kahn, 189
Bass, Ed, 169
Becker, Ernest, 236
Becker, Todd, 189, 194
Bert, Paul, 60

Beta-amiloide (A-beta), 221
Biosfera 2, 169-171, 199-200
Blackburn, Elizabeth, 121-122
Blagosklonny, Mikhail, 210-212
BLSA (Veja Estudo Longitudinal do Envelhecimento de Baltimore), 64-66, 99
Bogart, Humphrey, 32
Booth, Howard, 146-151, 153, 157, 248
Boyle, T. C., 115
Brinkley, John, 15
Brown-Borg, Holly, 57-58
Brown-Séquard, Charles Edouard
  Elixir antienvelhecimento de, 14
  Episódio do verniz de, 11-12
  Excentricidade de, 11-15
  Experimentos com transplantes de testículos por, 13-14, 50
  Morte de, 11-12, 14
  Realizações de, 12-13
  Sinais do envelhecimento percebidos por, 13, 69, 151
Bruno, Phil
  "O Plano de Dieta de Jesus Cristo", 136
  A1C (aos 48 anos), 141
  Centúria, percurso ciclístico beneficente feito por, 138
  Estatísticas vitais de (aos 47 anos), 131-132
  Hábitos alimentares de (aos 47 anos), 129-130
  Medicamentos não surtiam efeito em, 136
  Mudanças na dieta de, 138-139
  Perda de peso contínua por, 141
  Programa de exercícios de, 137-139, 141
Buchanan, Will, 57-58
Buffenstein, Shelley, 195-198
Burns, George, 75
Burzynski, Stanislaw, 47

C

Cabelos grisalhos, 146, 158
Café, 23, 47, 167, 184, 204, 242-243
Calment, Jeanne, 28-29, 31, 33, 81
Calor, envelhecimento acelerado pelo, 187-189
Calvície (Veja Perda de cabelo e calvície), 92, 102, 103, 105
Caminhada (Veja também Exercícios)
  Como medida de mobilidade, 70, 162

Melhoria do Alzheimer com, 223
Velocidade como preditor de mortalidade, 67, 70
Campisi, Judith, 125-126, 128
Câncer
    Aumento da expectativa de vida devido à cura do, 34, 38
    Células senescentes e, 125-126
    Dietas com alto teor de proteína e, 215
    Envelhecimento após a quimioterapia, 126
    HGH e risco de, 57-59
    Hiperfunção e, 211
    Jejum e quimioterapia, 207
    Mortes devido à obesidade, 133
    Laron imunes ao, 214
    Rapamicina como proteção do, 209
    Ratos-toupeira-pelados livres do, 197
    Telomerase ligada ao, 123
    Terapia hormonal e, 48-49
Canto (macaco), 177-179
Carnitina, 95
Carpenter, Adelaide, 37
Carrel, Alexis, 116-120, 236
Caruso, Salvatore, 216-216
Células senescentes
    Câncer e, 125-126
    Citocinas inflamatórias com, 125-126
    Desprezíveis em ratos-toupeira-pelados, 199
    Envelhecimento acelerado por, 125, 127-128, 135
    Exercícios reduzem, 155
    Experimento para a remoção das, 127
    Inflamações devido a, 126, 135
    Na gordura, 128, 134
    No tecido adiposo, 127
    Pesquisa de Campisi sobre, 125-126, 128
    Porcentagem em tecidos vivos, 127
    Rapamicina diminui a formação das, 209-210
Células-T, 230
Cenegenics, 53-55, 58
Centenários
    Açúcar é bem tolerado por, 241
    De Molochio, 215
    Expectativa de saúde dos, 81-82
    Genes indesejáveis em, 84-85
    Irving Kahn, 80-84
    Níveis do IGF-1 em, 85
    Ratos-toupeira-pelados comparados a, 198
    Ritmo mais lento de envelhecimento em, 79

Cérebros da mosca-das-frutas, 219
Ciência Cristã, 18, 22, 26, 31, 81, 95
Cirurgia de Steinach, 14
Citocinas inflamatórias
    Aumento com a idade, 126
    IL-6, 124, 156, 181
    Secretadas pela gordura visceral, 134
    Secretadas por células senescentes, 125-126
Citomegalovírus (CMV), 229-231
CMV (Citomegalovírus), 229-231
Colesterol
    Diretrizes para os níveis de, 90, 92, 94
    Eventos coronários com baixo LDL, 92
    Funções benéficas do HDL, 94
    Inadequação do teste regular para LDL,
    Moléculas transportadoras do, 93-94, 238
    Níveis dos membros da Biosfera 2, 171
    Produzido *versus* dietário, 95
    Teste de Vaughan no autor, 90
Colesterol HDL, 84, 90, 94-95, 238, 242
Comfort, Alex, 60
Conboy, Irina, 228
Consumo de carne, 76, 95-96, 164, 167, 170, 215
Coração
    Aumento de tamanho do, 23
    Cuidando do seu, 99
    Elasticidade no, 98
    Envelhecimento do, 97-100
    Ultrassom cardíaco do autor, 98-99
Cornaro, Alvise, 164-166, 169
Corpos, envelhecimento escondido nos, 68-69, 99, 222
Cotsarelis, George, 102-104
Couve, 246, 271
Cremes faciais, 20
Crescimento populacional, longevidade e, 234-235
Curcumina, 243, 270

D

Daf-2, gene em vermes, 107
Daprano, Jeanne, 160, 248
Days of Life, aplicativo, 29
De Cabo, Rafael, 179, 245, 247
De Grey, Aubrey, 231-232, 236, 248
Debilidade, estado de, 71
DePinho, Ronald, 122

Depressão, Alzheimer e a, 222
Dhillon, Sundeep, 234
Diabetes
   Aumento mundial do, 21, 35
   De Cornaro, 164
   Envelhecimento acelerado devido a, 132
   Evitando, 148, 243
   Excesso de peso e, 132
   Marcador A1C de Bruno, 132, 141
   Laron imunes ao, 214
   Sinais de alerta na meia-idade, 74, 164
Dieta dos 120 anos, a (Walford), 169, 176
Dietas com alto teor de proteína, 84, 114, 215
Dimefor, 244
Discorsi della vita sobria (Cornaro), 165
Disfunção erétil, 93
Doença de Huntington, 106
Doenças cardíacas (Veja também Doenças Cardiovasculares)
   Como uma das principais causas de morte, 21, 26, 90
   Em múmias da Antiguidade, 96
   Envelhecimento como o maior risco para, 40, 99, 231
   Estudo de Framingham, 91, 148
   Fatores de risco para, 40, 42, 91, 95, 99
   Melhora no GDF11, 227-228
   Queda na mortalidade devido a, 40-41
   Redução por rapamicina, 209-210
   Reposição de testosterona e, 51
   Sinais de alerta, 92
Doenças cardiovasculares (Veja também Aterosclerose/arteriosclerose; Doenças cardíacas)
   CMV e, 231
   Em múmias da Antiguidade, 96-97
   Evitando, 161
   Fatores de risco para, 124
   Redução das taxas de mortalidade devido a, 92
Doenças crônicas (Veja também tipos específicos)
   Envelhecimento e o risco de, 21, 40
   Modelo dos silos de pesquisa sobre, 41
   Período de morbidade, 21
Dowden, Don, 163-164, 169, 176-181
Drácula, 62
Dublin, Louis I, 29-31
Duração da vida (Veja também Expectativa de Vida; Longevidade)

Antioxidantes e, 186, 192, 194
Comparação com o ato de inflar um pneu, 34
De Old Parr, 28
Dos ratos-toupeira-pelados, 196-199
Expectativa de saúde e desejo de aumento, 18, 77, 82, 157
Expectativa de saúde *versus*, 18, 69, 157
Expectativa de vida *versus*, 29
Fatores de crescimento e, 31-32, 34
Intervenções genéticas aumentam, 42
Má saúde na meia-idade e, 40, 69, 74
Maior já documentada, 28
Olshansky sobre o limite máximo da, 33
Previsão da Prudential sobre, 33
Rapamicina estende, 208-210, 212
Razões para o aumento na, 31
Tecido adiposo reduz, 133, 135

E

Elasticidade, 87-88, 98-99, 151
Elixir da Vida de Séquard, 14
Emanuel, Ezekiel, 42-43
Encolhimento de folículos, 103
Ending Aging (de Grey), 38, 40
Épico de Gilgamesh, 20-21
Equilíbrio, envelhecimento e, 70, 106
EROs (Espécies reativas de oxigênio) (Veja também Radicais Livres), 191, 193-194
Ertz, Susan, 229
Espécies reativas de oxigênio (EROs), 191, 193-194
Espere aí! (Jerome), 146
Estatinas, medicamento, 81, 92, 95, 226
Estoicos, 183
Estratégias para a Engenharia da Senescência Desprezível (SENS), 38, 231, 234
Estresse (Veja também tipos específicos)
   Biológico, 122, 189-190
   Hormese, 183-184, 189, 197, 205
   Oxidativo, 190-191, 193-197, 206
   Psicológico, 189-190
   Síndrome de combater ou fugir, 134
Estrógeno, 44, 47-50, 56
Estrutura óssea, rapamicina melhora, 210
Estudo com macacos de Wisconsin, 178-181
Estudo de Framingham, 91, 148

Estudo do Coração da Cidade de Copenhague, 92
Estudo Longitudinal do Envelhecimento de Baltimore (BLSA)
　Descobertas benéficas pelo, 64-65, 99
　Escopo do, 64
　Estudo de $VO_{2máx}$ médio pelo, 64,
　Medições de desempenho físico no, 64-68
　Participação do autor no, 65-68
　Seleção dos participantes do, 65
　Testes feitos com os participantes, 64-68
Evolução
　Das mitocôndrias, 158-159
　Função do envelhecimento na, 69, 105
　Jejum e, 203-205
　Perda de cabelos e, 104
　Pleiotropia antagonística e, 107
　Seres que se reproduzem mais rápido favorecidos pela, 105, 108
Exame de absorciometria por raios X de energia dupla (DEXA), 131
Exame de DEXA (absorciometria por raios X de energia dupla), 131
Exercícios
　Americanos e a falta de, 162
　Autofagia auxiliada por, 156
　Células senescentes reduzidas por, 155
　Ciência do esporte, 150
　Como intervenção, 162
　Como medicamento, 148, 157-158
　Disposição herdada para, 161
　Efeitos sobre as mitocôndrias, 157-159
　Envelhecimento revertido pelos, 157-158, 162, 223
　Estigma dos, 159
　Estresse oxidativo com, 193
　IL-6, anti-inflamatório nos, 156
　Intensos, como hormese, 189
　Longevidade de camundongos e, 159-162
　Longevidade e, 162
　Manutenção da musculatura pelos, 156-159
　Medicamentos comparados a, 148, 157-158
　Prevenção do Alzheimer pelos, 223
　Programa de Bruno, 137-139, 157
　Proteínas do choque térmico nos, 189
　Resultados dos estudos de Framingham, 148
　Risco de hipertrofia cardíaca reduzido por, 99
Exercícios aeróbicos (Veja também Exercícios), 99

Expectativa de saúde
　Desejo de aumento do tempo de vida e, 18, 42, 77, 82, 157
　Dos *baby boomers*, 21, 35
　Dos centenários, 81-82
　Gênero e, 27, 51, 80
　Jejuns melhoram a, 201-203
　Má saúde na meia-idade e, 35, 69, 74
　Obesidade e, 35
　Restrição calórica aumenta a, 163, 167-169
　Resveratrol e, 174-176, 240-241
Expectativa de vida (Veja também Duração da vida; Longevidade)
　Aumento mundial da, 30-31
　Cura de doenças e, 34, 40-41
　De homens americanos em 1914-1915, 26
　De homens americanos hoje, 27
　De mulheres americanas hoje, 27, 29
　Declínio estimado nos EUA, 33, 35
　Diferenças globais na, 30
　Duração da vida *versus*, 29
　Fatores que promovem o crescimento da, 31
　Obesidade e redução na, 35
　Olshansky sobre o patamar máximo da, 33-34, 36
　Pico estimado da, 33-34, 36, 38
　Pobreza e redução na, 36
　Taxa de aumento por década, 32, 38
Experimento Humano, O (Poynter), 170

F

Farmácias de manipulação, 49
Fator de crescimento similar à insulina 1 (IGF-1)
　Ativada pelo açúcar, 214
　Longevidade dos cães e, 58
　Níveis em centenários, 85
Fator de Diferenciação de Crescimento 11 (GDF11), 227-228
Febbraio, Mark, 138, 156-157
Felicidade, envelhecimento e aumento da, 43, 72
Fenótipo secretório associado à senescência (SASP), 126
Ferrucci, Luigi
　Eficiência energética estudada por, 69-70
　Estouro dirigido por, 68-74
　Estudo de *fast-food* por, 181
　IL-6 estudado por, 124, 181

Sobre a falência cardíaca, 99
Sobre o aumento de gordura na meia-idade, 130
Sobre o envelhecimento escondido em nossos corpos, 68-69
Variabilidade do envelhecimento estudado por, 73-74
Fígado, invasão pela gordura,
Finch, Caleb "Tuck", 248
Fontana, Luigi, 176-177, 179, 203
Força de pegada, 67
Freud, Sigmund, 15

G

Galeno, 164
Galvin, Jim "Pud", 14
Gambás, envelhecimento dos, 209-214
Garfield, James, 27
GDF11 (Fator de Diferenciação de Crescimento 11), 227-228
Gene CETP-inibidor, 84, 94
Gene da Morte, 108
Gênero
  Estudos sobre o envelhecimento e, 45-52, 80-81
  Expectativa de saúde e, 27, 51, 80
  Longevidade e, 26-27, 29, 91
  Perda de cabelo e, 103-104
  Porcentagem de gordura corporal e, 131-134
Genes protetores, 84
Genética
  Disposição para se exercitar e, 161
  Dos centenários, 84-85
  Dos ratos-toupeira-pelados, 198-199
  Gene CETP-inibidor, 84, 94
  Gene da morte, 108
  Genes protetores, 84
  Genes similares ao SIR-2 (sirtuínas), 174
  Intervenções que aumentam o tempo de vida, 42
  Longevidade e, 84-85
  Pleiotropia antagonística, 107
  Raridade dos genes da longevidade, 79, 83
  Sombra da seleção evolutiva, 106-107
Gey, George, 117
Gifford, Bill
  Cães de estimação de, 22-24, 69-71, 97, 99, 152, 236-239

Nadando em águas geladas, 185-187
Participação no BLSA de, 65-68
Quadragésimo aniversário de, 19
Reunião da faculdade de, 101-102
Teste de colesterol de Vaughan em, 90
Vendo o próprio coração bater, 98-99
Gifford, Bill (pai), 75-77
Gilgamesh, 20-21
Glucophage ou Glucoformin, 132, 244
Goldman, Robert, 45
Gonzalez, Richard, 47
Gordura corporal
  Benefícios da subcutânea, 134
  Células senescentes em, 65-68
  Efeitos endócrinos da, 134
  Envelhecimento acelerado pela, 135
  Gênero e porcentagem de, 131-134
  Males devido ao excesso de, 133
  Máquina para medir, 131
  Marrom, ativada por água fria, 186-187
  Meia-idade e aumento da, 130
  Músculos e fígado invadidos por, 140
  Músculos substituídos por, 138, 151
  Tempo de vida reduzido por, 135
  Visceral, 130, 134
Gray, Ron, 38, 142, 144, 157, 161, 248
Greider, Carol, 121-12
Grow Young with HGH (Klatz), 52, 56
GU, 87-88
Guarente, Leonard, 173-175

H

Haldane, J. B. S. "Jack", 105-106
Harman, Denham, 191-192, 194
Harvey, William, 28
Hayflick, Leonard
  Aceitação final das suas ideias, 119
  Escândalo da cultura de células WI-38 e, 118-119
  Mecanismo de contagem de divisão celular postulado por, 121
  Percurso de carro até a casa de, 115-116
  Pesquisa sobre morte celular por, 117-118
  Pesquisas sobre envelhecimento afetadas por, 120, 211
  Rejeição do artigo de autoria de, 117
  Senescência replicativa descoberta por, 125

Hemocromatose, 107
Hepburn, Katharine, 186
Herpes, 229
HGH (Veja Hormônio de Crescimento Humano), 52-58, 127, 130, 146, 213-215
Hiperfunção, 211
Hipócrates, 147, 181
Hoelzel, Frederick, 201
Hof, Wim, 184
Holmes, Oliver Wendell, 142
Homens (Veja Gênero), 14-15, 26-29, 34-35, 45-48, 50-56, 64-65, 72-74, 80-81, 91, 93, 102-103, 131, 133-134, 149, 153, 170, 223
Hops, Hanneke, 58
Hormese
 Banhos de água fria, 184
 Jejuns de curto prazo, 183, 194
 Nadar em águas geladas, 184
 Restrição calórica como, 183, 194
 Sessões intensas de exercícios, 189
 Teoria da, 183
Hormônio de crescimento humano (HGH)
 Acromegalia e, 58
 Dietas com alto teor de proteína e, 215
 Efeitos ruins ligados a, 55-57
 Explosão de vendas, 52-53
 Governo fecha o cerco contra, 53
 Livro exaltando os poderes do, 52
 Pequeno estudo frequentemente citado sobre, 55-56
 Pessoas pequenas de Laron e, 213-214
 Preocupações de Longo sobre, 213
 Relação inversamente proporcional à longevidade, 57
 Risco de câncer e, 57-59
Hormônios bioidênticos, 48-49
Hurd, John, 145-146

I
Ibuprofeno, 65, 246
IGF-1 (Veja Fator de Crescimento Similar à Insulina fator 1), 58, 85, 107, 214, 216
Ikigai (propósito de vida), 82, 149, 151
IL-6 (interleucina-6), 124, 126, 134, 181
Imortalidade, encanto limitado da, 42
Inatividade, risco de mortalidade e, 154

Índice de massa corporal (IMC), 35, 74, 131, 170, 179, 180
Inflamação
 Aumento com a idade, 124, 135, 210, 221, 231, 246
 Células senescentes causam, 125-126
 Em pacientes de câncer e HIV, 126-127
 Risco de mortalidade, 124
Inibidores de CETP, 84, 94
Instituto Nacional do Envelhecimento (NIA)
 Biomarcadores procurados pelo, 181, 245
 BLSA executado pelo, 64
 Estudo em macacos financiados pelo, 179-180
Interleucina-6 (IL-6), 124, 126, 134, 181
Ioannidis, John, 148
Irisina, 157

J
Jamiroquai, 217
Japão, envelhecimento do, 21, 30
Jarvis, Jenny, 196
Jejum (Veja também Restrição Calórica [RC])
 A cada dois dias, 202
 Como hormese, 183, 194
 Complexo TOR, 204-206, 208-209, 211, 213-215
 Desempenho atlético melhorado por, 184
 Efetividade do, 216
 Expectativa de saúde auxiliada por, 201-203
 Múltiplos modos úteis de praticar, 203-204
 Na história evolutiva, 203-205
 Não tomar o café da manhã ou o jantar, 204
 Pelos centenários de Molochio, 215
 Por Longo, 201-216
 Prática religiosa do, 201
 Quimioterapia melhorada por, 207
 Restrição calórica *versus*, 207
 Saúde do cérebro melhorada por, 203
Jerome, John, 146
Jet Lag, envelhecimento devido ao, 223
Jobs, Steve, 236
Jogos Nacionais de Seniores de 2013, 143
Johnson, Alex, 145-146
Johnson, Jim, 202
Joy of Sex, The (Comfort), 60

K

Kahn, Andrew (neto), 82-83
Kahn, Happy (irmã), 81
Kahn, Irving, 17-18, 80-84, 94, 161, 189, 215, 221
Kahn, Tommy, 83
Keith, Sandy, 154
Kenyon, Cynthia, 107-108
Kerouac, Jack, 163
Kirkland, James, 127-128, 133-135, 248
Kirkwood, Thomas, 80, 111-112, 137, 154
Klatz, Ronald, 45, 52, 56
Kuhn, Randall, 134-135

L

Lacks, Henrietta, 117
Lagerfeld, Karl, 44
Lagostas, 113, 186
Langer, Ellen, 147
Laron, 213-214, 216
LDL, colesterol
    Arroz fermentado vermelho para diminuir, 89
    Baixo, eventos coronários com, 92
    Moléculas transportadoras de, 93-94
    Nivel do autor de, 90, 93
    Problemas devido a altos níveis de, 91-92
Lebowitz, Nathan, 90-91, 93-96, 99, 238, 248
LeBrasseur, Nathan
    Experimento sobre exercícios e senescência, 155
    Sobre exercícios como intervenção, 162
    Sobre exercícios e autofagia, 156
    Sobre o envelhecimento nos músculos, 151
    Sobre o estigma contra os exercícios, 159
    Sobre problemas com estudos sobre exercícios, 161
    Sobre sarcopenia, 152
Lee, Richard,
Leis, Don, 142, 144, 157, 161
Leptina, 134, 138
Leveduras, restrição calórica em, 173-174, 201
"Life Extension Mix", 77, 243, 244
Life Plan, The (Life), 53
Life, Jeffrey (Dr. Life)
    Caráter e aparência de, 53-54
    Como garoto-propaganda da Cenegenics, 55
    Fisiculturismo por, 54
    Programa de treinamento físico de, 55

Testes de comprimento de telômeros por, 123, 152
Uso de HGH por, 55-56, 108
Limite de Hayflick, 119, 120, 125, 211
Lindbergh, Charles, 116
Lipoaspiração, 136
Lithgow, Gordon, 108, 183, 187, 246
Lizzy (cadela), 22-23, 70-71, 152, 236-239
Longevidade (Veja também Expectativa de Vida; Duração da vida)
    Complexo TOR regula, 209, 215
    Crescimento populacional e, 234-235
    De criaturas excepcionais, 114-115
    De Grey sobre a velocidade de escape para, 38
    Exercícios e, 162
    Explosão na, 27
    Gênero e, 26-27, 29, 91
    Genética e, 79, 83-85
    Manutenção celular e, 114
    Relação inversamente proporcional do HGH com, 57
    Restrição calórica para, 154
    Tamanho dos animais e, 112
Longevinex, 174, 240
Longo, Valter
    Benefícios do jejum pesquisados por, 201-216
    Centenários de Molochio estudados por, 215
    Dieta de, 215
    Pesquisa sobre fatores de crescimentos por, 214-215
    Saída da Biosfera 2 presenciada por, 200
    Sobre a complexidade do envelhecimento, 210-212
    Sobre hiperfunção e envelhecimento, 211-212
    Sobre o consumo excessivo de proteínas, 215-216
    Sobre restrição calórica *versus* jejuns, 203-205
Ludwig, Frederick, 60-62, 201, 224

M

Maillard, reação de, 187, 190
Manutenção celular, longevidade e, 114
Mastering the Life Plan (Life), 53
Mattson, Mark, 202-203, 223, 247
McCay, Clive, 166-1669, 201
Medawar, Peter, 106-107

Medicamentos
  Antienvelhecimento, 119, 209, 240, 244
  Exercícios comparados com, 148, 157, 158
  Para sarcopenia, 152
  Antirretrovirais, 126
Meia-idade
  Aumento da gordura corporal na, 130
  Caminhos do envelhecimento determinados na, 22, 24, 40, 69, 71-72, 95, 130-132, 135, 211, 215, 223
  Como velhice na área de mídia, 19
  Perda muscular na, 48, 50, 151-152
  Preditores de saúde na velhice durante, 69, 73-74
  Sinais de alerta para diabetes na, 74, 164
Melov, Simon, 209-210, 247
Metabolismo, doença de Alzheimer e, 187
Metformina, 244-245, 271
Ming, a ostra, 113, 186
Mintz, Alan, 55, 59
Miocinas, 156-157, 224
Miostatina, 152
Mitocôndrias
  Efeitos do envelhecimento nas, 159
  Efeitos de exercícios nas, 157-159
  Evolução das, 158-159
  Radicais livres produzidos por, 159, 191
Mobilidade como elemento chave da sobrevivência, 70
Molochio, centenários de, 215
Montaigne, 22, 27
Morcegos, longevidade dos, 133, 199
Mortalidade (Veja também Morte)
  Devido a doenças cardíacas, queda na, 40-41
  IL-6 e risco de, 124
  Inatividade e risco de, 154
  Obesidade e risco de, 133
  Taxa metabólica e risco de, 69
  Velocidade de marcha como preditor de, 67, 70
Morte (Veja também Mortalidade)
  De animais de estimação, tristeza devido a, 24
  Devido à doença de Alzheimer, 21, 220
  Devido à exposição à água fria, 185
  Envelhecimento e causa de, 22, 27, 40
  Lipoaspiração e risco de, 136

Mulheres (Veja Gênero), 15, 27, 29, 30, 34-35, 46-51, 54, 72, 79-81, 91, 97, 102-103, 107, 122, 130-131, 133-134, 160, 211, 221-223, 234-235
Múmias Egípcias, 96-97
Múmias peruanas, 97
Múmias, aterosclerose em, 96-97
Músculos
  Definhamento (sarcopenia), 152-154, 227
  Exercícios mantêm, 19, 54
  GDF11 como antienvelhecimento, 227
  Invadidos por gordura, 140
  Ocitocina rejuvenesce, 228

N

Nadar em águas geladas, 183
Neurônios, envelhecimento e (Veja também Saúde do Cérebro), 50, 100, 219, 225, 228
Nikolich-Zugich, Janko, 230-231
Nyad, Diana, 32

O

Obesidade (Veja também Bruno, Phil; Peso)
  Aumento mundial na, 35
  Em *baby boomers*, 35
  Expectativa de vida reduzida pela, 35, 135
  Mortes por câncer devido a, 133
  Pessoas "gordas, mas em forma", 140
  Risco de mortalidade devido a, 133
Ocitocina, 228
Oeppen, Jim, 30
Olshansky, Jay
  "Velocino de prata" dado como prêmio à A4M por, 45
  Ceticismo sobre expectativa de vida, 33
  Crítica de De Grey sobre, 36
  Crítica sobre a Prudential por, 33
  De Grey criticado por, 37-38
  Debate com Vaupel, 34-36
  Declínio na duração da vida projetado por, 35
  Medicamentos antienvelhecimento desprezados por, 45
  Na expectativa por uma grande descoberta, 43
  Sobre o limite da duração da vida humana, 33
  Sobre o patamar máximo da duração da vida, 34
  Sobre saúde e longevidade, 35, 144

Orville (Leão), 110-11
Ostra Islandesa, 186
Owen (Macaco), 177-179

P

Pabodie, Elizabeth Alden, 27, 83
Pacientes de HIV, envelhecimento nos, 126-127
Painel do Coração de Boston, 93
Panda, Satchin, 204
Pão de Cornell, 167
Parabiose, experimentos com, 227-228
Parr, Thomas, 28
Pasteur, Louis, 12
Pedersen, Bente, 156-157
Perda de cabelo e calvície
    Como encolhimento de folículos, 103
    Evolução e, 104
    Experiência do autor com, 101
    Gênero e, 103-104
    Masculina, 103
    Pesquisa sobre tratamento de, 104
Perls, Thomas, 45
Peso (Veja também Obesidade)
    Diabetes e sobrepeso, 132
    Dos *baby boomers*, 21, 35
    Facilidade de ganhar, 133, 141
Pinkerton, JoAnn, 48-50
"Plano de Dieta de Jesus Cristo, O", 136
Pleiotropia antagonística, 107
Pobreza, expectativa de vida reduzida pela, 36
PowerBar, 87-88
Poynter, Jane, 170-171
Preservação criogênica, 234
Propósito (*ikigai*), 82, 149, 151
Prostaglandina D2 (PGD2), 104
Proteassoma, 187, 197
Proteínas
    Calor e degeneração da, 187
    Dietas com alto teor de proteínas, 84, 114, 215
    Do choque térmico, 189
Proteínas de choque térmico, 189

Q

Quimioterapia, 126, 206-207, 233
Coeficiente de Longevidade (LQ), 112

R

Radicais livres
    Antioxidantes e, 190-192
    Como EROs, 191, 193-194
    Danos devido a, 190-191
    Envelhecimento devido a, 191-192
    Estresse oxidativo produz, 190
    Produzidos por mitocôndrias, 159, 191
Rafaghello, Lizzia, 206
Rando, Thomas, 218, 226, 228
Rapamicina, 208-210, 212-213, 245
Ratos-toupeira-pelados, 195-199
RC (Veja Restrição de Calorias), 154, 163, 168-169, 173, 176-181, 183, 194, 200, 201, 203, 205, 207-208, 239, 241, 245
Receita egípcia para a juventude, 20
"Receita para Transformar um Velho num Jovem", 20
Rejuvenescimento a partir de sangue jovem, 60-62
Reposição de testosterona, 50-51, 57
Restrição calórica (RC) (Veja também Jejum)
    Eficácia surpreendente da, 154, 178, 203
    Em leveduras, 173-174, 201
    Estado metabólico com, 174-75
    Estudo com macacos de Wisconsin, 178-181
    Estudo com macacos pelo NIA, 179-181
    Estudo de Fontana sobre, 176-177, 179-180, 203
    Expectativa de saúde auxiliada por, 168
    Experimentos de McCay com, 166-169
    Experimentos de Walford com, 168-173, 176
    Genes similares à SIR2 (sirtuínas) e, 174
    Jejum *versus*, 203-205
    Longevidade com, 154
    Na Biosfera 2, 170
    Práticas de Cornaro, 166, 173
    Práticas de Dowden, 176-177, 180-181
    Qualidade da dieta e, 180-181
    Resposta similar à hormese à, 194
Restrição de oxigênio na Biosfera 2, 172
Resveratrol, 174
Ristow, Michael, 193-194
Ritter, Bernie, 142, 144, 157, 161
Rockefeller, John D, 166
Rodriguez, Alex, 52-53, 146
Rose, Michael, 106
Roth, Philip, 16, 234
Rothenberg, Ronald, 45

Rubin, Lee, 227
Rudman, Daniel, 55-56
Russert, Tim, 92

S

Salamandra Axolotl, 232
Salão da Extensão de Saúde, 217
Salmo 90:10,15, 26
Sanborn, Beth, 137
Santoro, Nanette, 49-50
Sarcopenia, 152-154, 227
Saúde do Cérebro (Veja também Doença de Alzheimer)
    Envelhecimento e, 59, 69, 85, 106, 219-227
    Estudo com freiras, 221-224
    Experimentos com parabiose, 22-228
    GDF11 para melhorar, 227-228
    Jejuns para melhorar, 203
    Plaquetas e, 220-222
    Sono e, 56, 223
    Use o que tem, ou perca, 150, 154, 234
Sebastes, geno (peixe), 113, 186
Sehgal, Suren, 208
SENS (Estratégias para a Engenharia da Senescência Desprezível), 38, 231-232, 234-235
Shakespeare, William, 82, 101, 152, 197
Shaw, George Bernard, 129
Shock, Nathan, 64, 68, 72
Shulman, Gerald, 140
Silo, modelo de pesquisa de, 41
Sinclair, David, 174-175, 210, 240, 247
Síndrome metabólica, envelhecimento e, 135
SIR-2, genes similares a (sirtuínas), 174
Sirtris, empresa farmacêutica, 175
Sistema imune
    CMV atrapalha o funcionamento do, 230-231
    Envelhecimento do, 229-230
    Rapamicina e, 212
Smith, Anna Nicole, 52
Sociedade de Restrição Calórica, 176-177
Somers, Suzanne
    Aparência juvenil de, 44
    I'm Too Young for This! 49
    Na conferência da A4M, 44-47, 51
    Sobre os Sete Anões da Menopausa, 47
    The Sexy Years, 46, 48
    Uso de terapia hormonal por, 44, 47, 49-50
Sono, saúde do cérebro e, 56, 223
Spindler, Stephen, 244
Stallone, Sylvester, 52
Streptomyce hygroscopicus, 208
Strong, Randy, 212-213, 247
SuperBubbes, 212-213, 247
Suplemento "ativador de telomerase", 122-123
Szostak, Jack, 122

T

Tabagismo
    Consumo de carne comparado ao, 215
    Expectativa de vida e diminuição no, 122
    Por centenários, 122
    Por SuperBubbes, 79
    Resultados do estudo de Framingham, 91, 148
Tabelas de vida, 29
Taleb, Nicholas, 198
Tarnopolsky, Mark, 158-159
Tartarugas terrestres de Galápagos, 113
Taxa de mortalidade
    Aumento com a idade, 22, 27, 40
    Devido a doenças cardiovasculares, declínio na, 40-41
    No parto, 27
    Redução em tempos modernos da, 27, 31, 92
Taxa metabólica
    Adiponectina e, 134
    Risco de mortalidade e, 69
Telomerase, 121-123, 232
Telômeros
    Encolhimento com o estresse, 122, 190
    Função dos, 121-122
    Reparo dos, 121-122
    Teoria do envelhecimento e, 123
Tempo de reação, risco de doenças cardíacas e, 92-93
Teoria da "soma descartável", 92-93
Terapia hormonal
    Efeitos colaterais da, 48
    Hormônios bioidênticos para, 48-49
    Reposição de testosterona, 50-51, 57

Somers e o uso de, 44, 47, 49-50
Terranautas da Biosfera 2, 169-171
Teste de função pulmonar, 88
Testosterona, 45, 47-51, 55, 57, 93, 130, 151-152
Theo (cão), 22-24, 69, 97, 99, 236-237
Timo, glândula
   Involução do, 230
   Pesquisa sobre a reativação, 232-233
TMAO, 95-96
TNF-alfa, 134
TOR, complexo, 204-206, 208-209, 211, 213-215
Transplante de testículos, 13-15
Treino de força (Veja também Exercícios), 99

U

Use o que tem, ou perca, 150, 154, 234

V

Vasectomia, 14
Vaughan, Bill, 86-93, 248
Vaupel, James
   Debate de Olshansky com, 34-36
   Estatísticas sobre tempo de vida mapeadas por, 30-34, 36
Verbas para pesquisas sobre envelhecimento, 24, 41-42, 51, 105, 119, 159, 162, 166, 179, 191, 218, 233-234
Vermes nematoides, 112, 186
Villeda, Saul, 218-219, 224-226, 228, 248
Vinho tinto, 77, 174-175, 242
Vitamina D, 245-246
$VO_{2máx}$, 245-246

W

Wagers, Amy, 226-228, 247
Walford, Roy Lee
   Com a Biosfera 2, 169-171
   Dieta dos 120 anos, a, escrito por, 169, 176
   Doença de Lou Gehrig que afetou, 173
   Experimentos com restrição calórica de, 168--173, 176
   Juventude de, 168
Walker, Herschel, 202
Weindruck, Rick, 168-169, 173, 178
Weissmann, August, 105, 211
Weissmann, Irving, 226
Welchol, 95, 238
Welles, Emerson (tio-avô), 17-18, 25-26, 30-32, 43
Welles, Leonard (avô), 16-18, 22, 25-27, 29, 32, 43, 71, 90, 97, 230
Wessely, Jim, 139
West, Mae, 11
WHI (Women's Health Initiative), 48, 245
WI-38, escândalo da cultura cellular, 118-119
Wiley, Protocolo, 1
Williams, George, 1
Williams, Ted, cabeça de, 39
Women's Health Initiative (WHI), 48, 245
Wyss-Coray, Tony,

Y

Yeats, William Butler, 15
Young, Neil, 63

Z

Zetia, 95
Zuckman, Saul, 95